BARTH CONTEMPORANEO

Nella stessa collana:

G. GONNET, *Enchiridion Fontium Valdensium*, I, dalle origini alla conferenza di Bergamo, 1218, pp. 188

V. VINAY, *Evangelici italiani esuli a Londra durante il Risorgimento*, pp. 174

V. SUBILIA, *Il problema del Cattolicesimo*, pp. 242

V. VINAY, *L. Desanctis e il movimento religioso fra gli italiani durante il Risorgimento*, pp. 386

G. GONNET, *Le confessioni di fede valdesi prima della Riforma*, pp. 200

Th. VAN DEN END, *Paolo Geymonat e il movimento evangelico in Italia nella seconda metà del secolo XIX*, pp. 340

G. MIEGGE, *Il Sermone sul monte*. Commentario esegetico, pp. 280

V. SUBILIA, *I tempi di Dio*, pp. 366

V. VINAI, *Le confessioni di fede dei Valdesi riformati*, pp. 210

V. SUBILIA, *Presenza e assenza di Dio nella coscienza moderna*, pp. 124

C. MILANESCHI, *Ugo Janni, pioniere dell'ecumenismo (1865-1938)*, pp. 312

AA. VV., *Schleiermacher e la modernità*, pp. 145

AA. VV., *Barth contemporaneo*, a cura di S. Rostagno

S. BIAGETTI, *Emilio Comba (1839-1904) storico della Riforma italiana e del movimento valdese medievale*, pp. 127

COLLANA DELLA FACOLTÀ VALDESE DI TEOLOGIA - 16

S. ROSTAGNO, M.C. LAURENZI, A. MODA,
B. GHERARDINI, A. GALLAS, G.P. BOF,
P. RICCA, W. KRECK, B. ROSTAGNO

BARTH CONTEMPORANEO

a cura di Sergio Rostagno

EDITRICE CLAUDIANA - TORINO

Giampiero Bof,
è docente di storia della teologia protestante all'Istituto superiore di scienze religiose presso l'Università di Urbino.

Alberto Gallas,
è ricercatore presso il Dipartimento di scienze religiose dell'Università Cattolica di Milano.

Brunero Gherardini,
è docente di ecclesiologia ed ecumenismo alla Pontificia Università Lateranense.

Walter Kreck,
è professore emerito di teologia sistematica (Facoltà di teologia evangelica dell'Università di Bonn).

Maria Cristina Laurenzi,
è tra i maggiori studiosi dell'opera barthiana in Italia.

Aldo Moda,
è tra i più noti studiosi italiani dell'opera barthiana.

Paolo Ricca,
è docente di storia del cristianesimo e simbolica alla Facoltà Valdese di Teologia.

Bruno Rostagno,
è pastore valdese a Torre Pellice.

Sergio Rostagno,
è docente di teologia sistematica alla Facoltà Valdese di Teologia.

Il presente volume è stato pubblicato con un contributo del Consiglio Nazionale delle Ricerche, Roma.

Per la rilettura delle bozze e l'indice dei nomi ha collaborato Teodora Tosatti.

ISBN 88-7016-113-7

Composizione: Progetto 82, Torino

Stampa: Stampatre, Torino

Copertina di Umberto Stagnaro

ABBREVIAZIONI

L'elenco delle abbreviazioni è conforme all'*Abkürzungsverzeichnis* della
TRE, Berlino-New York, 1976. I singoli collaboratori adottano a volte sigle
leggermente diverse.

A) Opere di K. Barth

ChD	*Die Christliche Dogmatik*
D	*Dogmatique* (trad. francese)
RB	*Römerbrief*
KD	*Kirchliche Dogmatik*
BwTh	Karl BARTH - Eduard THURNEYSEN, *Briefwechsel*

B) Riviste

Ang.	«Angelicum»
ARG	«Archiv für Reformationsgeschichte»
AThR	«Anglican Theological Review»
BeO	«Bibbia e Oriente»
BFChTh.M	«Beiträge zur Forderung christlicher Theologie» - 2. Reihe: Sammlung Wissenschaftlicher Monographien
BHTh	«Beiträge zur historischen Theologie»
BLE	«Bulletin de littérature ecclésiastique»
BSRK	*Die Bekenntnisschriften der reformierten Kirche* (Ed. Müller)
CivCatt	«Civiltà cattolica»
DoC	«Doctor Communis»
DSp	*Dictionnaire de spiritualité, ascétique et mistique*
DThC	*Dictionnaire de théologie catholique*
EstFr	«Estudios franciscanos»
ETR	«Etudes théologiques et religieuses»
EvTh	«Evangelische Theologie»
FV	«Foi et Vie»
FZPhTh	«Freiburger Zeitschrift für Philosophie und Theologie»
HThR	«Harvard Theological Review»
Irén	«Irénikon»
IThQ	«Irish Theological Quarterly»
JThSt	«Journal of Theol. Studies»
KuD	«Kerygma und Dogma»
LThK	*Lexikon für Theologie und Kirche*

MSR	«Mélanges de science religieuse»
NRTh	«Nouvelle revue théologique»
NZSTh	«Neue Zeitschrift für systematische Theologie»
OR	«Osservatore Romano»
Protest	«Protestantesimo»
RB	«Revue biblique»
RevSR	«Revue des sciences religieuses»
RGG	*Die Religion in Geschichte und Gegenwart*
RHPhR	«Revue d'histoire et de philosophie religieuses»
RSR	«Recherches de science religieuse»
RThPh	«Revue de Théologie et de Philosophie»
Sap	«Sapientia»
ScC	«La scuola cattolica»
ScEc	«Sciences ecclésiastiques. Revue philosophique et théologique»
SJTh	«Scottish Journal of Theology»
SR	«Studies in Religion»
StMor	«Studia moralia»
StPat	«Studia Patavina»
SvTK	«Svensk teologisk Kvartalskrift»
TEH	«Theologische Existenz heute»
ThG	«Theologie der Gegenwart»
ThLZ	«Theologische Literaturzeitung»
ThPQ	«Theologisch-Praktische Quartalschrift»
ThSt	«Theologische Studien»
ThZ	«Theologische Zeitschrift»
TRE	*Theologische Realenzyklopädie*
TTh	«Tijdschrift voor Theologie»
TThZ	«Trierer theologische Zeitschrift»
VC	«Verbum Caro»
VD	«Verbum Domini»
ZEE	«Zeitschrift für evangelische Ethik»
ZKTh	«Zeitschrift für katholische Theologie»
ZZ	«Zwischen den Zeiten»

INTRODUZIONE

KARL BARTH (1886-1968)
DAL DIO «TOTALMENTE ALTRO» ALL'«UMANITÀ DI DIO»

di SERGIO ROSTAGNO

I

Chi apre questo libro non è obbligato a sapere tutto di Barth, ma, se lo leggerà, imparerà molto.

Per avvicinarsi a Barth occorre avere interesse per i grandi avvenimenti che hanno determinato il nostro secolo, ma occorre anche gusto per il linguaggio con il quale egli impegna le persone ad un colloquio serrato con la tradizione cristiana.

Un primo avvicinamento a Barth si può avere mediante la biografia [1].

K. Barth nacque il 10 maggio 1886 a Basilea. Studiò a Berna, Berlino, Tubinga e Marburgo. Fu pastore a Safenwil in Argovia dal 1911 al 1921. Diventato famoso come iniziatore di una nuova ricerca teologica con la pubblicazione nel 1919 di un esplosivo commento alla *Lettera ai Romani*, iniziò nel 1922 l'insegnamento all'Università di Gottinga. Una buona parte della produzione teologica del Novecento è direttamente influenzata dalla *Lettera ai Romani* e ne ricalca stile e metodi (anche chi non l'ha letta le deve qualcosa!).

Gli inizi della riflessione teologica di Barth sono legati al movimento del socialismo religioso svizzero e germanico. Le *due* diverse edizioni della *Lettera ai Romani* (la seconda apparve nel 1921) costituiscono una diretta documentazione dell'evoluzione del pensiero teologico barthiano in dialogo critico con il socialismo religioso. Anche come pastore a Safenwil la prassi di Barth si era orientata in senso socialista.

Barth insegnò in seguito a Münster e dal 1930 al 1935 a Bonn. Quivi, negli anni del Terzo Reich, divenne il punto di riferimento teologico più importante per la «Chiesa confessante». Espulso dalla Germania nel 1935, venne subito chiamato ad insegnare teologia all'Università di Basilea, e qui continuò la sua

---

[1] E. BUSCH, *Karl Barths Lebenslauf. Nach seinen Briefen und autobiographischen Texten*, München, 1986[4]: tr. it.: Brescia, 1977. Interessanti testi autobiografici si trovano in K. BARTH, *Autobiografia critica 1928-1958*, a cura di P. GRASSI, Vicenza, 1978. Introduzioni alla vita e al pensiero: K. BLASER, *Karl Barth 1886-1986. Combats Idées Reprises*, Bern-Frankfurt-New York-Paris, 1987; E. JÜNGEL, *L'essere di Dio è nel divenire. Due studi sulla teologia di K.B.*, Casale Monferrato, 1986.

imponente attività pubblicistica e accademica. Importanti i suoi contatti con l'America, la Scozia, l'Ungheria, la Cecoslovacchia e quasi tutti gli altri paesi europei prima, durante e dopo la guerra. Influenzò il mondo ecumenico dal quale in un primo momento era stato lontano, perché non condivideva la teologia che regnava negli ambienti ecumenici ed il loro attivismo. Con la sua presenza ad Amsterdam all'assemblea costitutiva del Consiglio Ecumenico delle Chiese nel 1948, e molto di più con l'influenza esercitata su una generazione di teologi (per tutti si pensi alla figura di W.A. Visser't Hooft), portò al movimento ecumenico un immenso contributo indiretto. Per tacere poi dell'influenza in campo cattolico, per cui vedasi il contributo di G. Bof in questo volume [2].

L'opera accademica e culturale di Barth continuò a Basilea fino al decesso, avvenuto il 10 dicembre 1968.

Le opere. È in corso di pubblicazione a Zurigo presso il Theologischer Verlag la *Barth-Bibliographie* [3]. Il primo volume contiene 977 titoli originali e segnala 2428 traduzioni. È atteso un secondo volume, con l'elenco delle opere scritte *su* Barth, recensioni e letteratura di vario genere. La difficoltà di raccogliere le informazioni su pubblicazioni apparse in ogni parte del mondo prolunga l'attesa, mentre testimonia dell'irraggiamento dell'opera barthiana. Nel frattempo una ricca schedatura del materiale fino al 1983 può esser consultata anche presso la Biblioteca della Facoltà Valdese di Teologia di Roma (se siamo bene informati, ne esistono nel mondo altre due copie soltanto).

È inoltre in corso sempre a Zurigo, presso lo stesso editore, l'edizione critica completa (*Karl Barth-Gesamtausgabe*, 1971 ss.; già pubblicati una ventina di volumi, previsti sinora 31). La *Gesamtausgabe* è suddivisa in 6 sezioni: I Prediche; II Opere accademiche; III Conferenze e lavori minori; IV Colloqui; V Lettere; VI Aspetti biografici [4].

Le traduzioni. Le opere di Barth sono tradotte nelle principali lingue compresa una imponente edizione giapponese in corso. Per curiosità aggiungiamo che le pubblicazioni in lingua cinese sono 7, mentre in coreano sono apparsi 24 titoli. Le traduzioni italiane non sono numericamente troppo inferiori a quelle in inglese e francese, ma manca la *Dogmatica*, cioè l'opera maggiore. Ne è stata tradotta presso l'editore Il Mulino di Bologna un'antologia [5] (in tedesco cu-

---

[2] Sugli inizi P. CORSET, *Premières rencontres de la théologie catholique avec l'oeuvre de Karl Barth (1922-1932)*, in AA.VV., *K. Barth. Genèse et reception de sa théologie*, a cura di P. GISEL, Genève, 1987, p. 151-190; e più in generale E. LAMIRANDE, *The Impact of Karl Barth on the Catholic Church in the Last Half Century*, in AA.VV., *Footnotes to a Theology*, a cura di M. RUMSCHEIDT, Ottawa, 1974, p. 112-141.

[3] *Barth-Bibliographie*, a cura di M. WILDI e H. A. DREWES, Zürich, 1984.

[4] Sui criteri dell'edizione e sugli accorgimenti da usare nelle indicazioni bibliografiche relative, si veda H. STOEVESANDT, *Zur bibliographischen Behandlung der Karl Barth-Gesamtausgabe*, in «Verkündigung und Forschung» 30, 1985, 12, pp. 3-4. Stoevesandt, responsabile del «Barth-Archiv» di Basilea, propone di citare la *Gesamtausgabe* mediante l'indicazione della sezione e – dopo sbarra obliqua – dell'anno indicato nel frontespizio, che si riferisce alla data, in cui l'opera risulta esser stata composta o edita per la prima volta. Esempio alla nota 13.

[5] K. BARTH, *Dogmatica ecclesiale*, Bologna, 1968.

rata da H. Gollwitzer) e, più di recente, un mezzo volume dell'opera originale è stato accolto da L. Firpo nei «Classici delle religioni» dell'editore UTET di Torino, e affidato alla cura di A. Moda [6], che ha realizzato una presentazione scientificamente corretta dell'opera, anzi si può dire la prima edizione critica di una parte della *Dogmatica* (sogno per ora irrealizzabile per tutta l'opera originale), con un'unica piccola menda, ed è che nel testo italiano sono state eliminate le varie sottolineature del testo tedesco (*Sperrdruck*), privando così il lettore di un aiuto non poco efficace, se si considera lo stile espositivo proprio di Barth. Una intelligente scelta dei quaderni della serie «Theologische Existenz heute», nerbo della diffusione della teologia barthiana negli anni '30 e della resistenza al nazismo, è stata pubblicata nel 1986, dall'Editrice Claudiana di Torino [7].

La bibliografia raccolta e pubblicata da A. Moda [8] costituisce uno strumento indispensabile specialmente a chi voglia intraprendere in Italia studi sulla teologia di Barth. Non sembra né utile né necessario darne qui degli stralci, ma essa viene senz'altro presupposta e ad essa si rinvia una volta per tutte. Invece, ci sembra utile dare al lettore una traccia commentata dello sviluppo dell'opera teologica barthiana, pur contenendola nelle grandissime linee.

Dopo gli esordi con la *Lettera ai Romani* (1919; seconda edizione riscritta, 1921), ed alcune raccolte di saggi e di prediche, Barth inizia nel 1927 la pubblicazione della sua opera maggiore, la *Dogmatica*, di cui diremo tra poco.

Le prediche (circa 500 pubblicate) costituiscono il banco di prova ed il luogo d'origine della teologia barthiana. Che cosa significa la predica per il mondo evangelico? L'efficacia della predica non sta nella retorica (in altra sede potremo difendere anche l'importanza comunicativa di questa). La predica non vuol essere neppure esegesi dell'esistenza a confronto con altre esistenze e situazioni, mediate da documenti autorevoli quali possono essere gli scritti biblici. Figlia del principio luterano della chiesa quale *creatura verbi*, la predica evangelica è un genere a sé, dove ne va del messaggio di verità che annuncia all'essere umano la sua realtà e gli svela la sua crisi. Essa è immersa nella storia e quindi è un discorso già sempre cominciato, e tuttavia scaturisce dalla decisione divina di comunicare all'uomo d'oggi la sua realtà attuale e concreta, inserendolo nella dinamica dell'elezione e della testimonianza, della domanda e della risposta. La teologia stessa non ha altra pretesa che quella di essere metadiscorso rispetto alla predica, cioè il discorso di secondo livello, mediante il quale il discorso primario della predica viene esaminato. Questo è anche lo scopo della teologia secondo Barth, il quale (vedi in proposito il contributo di M.C. Laurenzi in questo volume) definisce quindi la teologia prima di tutto come riflessione critica sul messaggio che la chiesa rivolge al mondo. La teolo-

[6] K. BARTH, *La dottrina dell'elezione divina. Dalla dogmatica ecclesiastica di K. Barth*, a cura di A. MODA, Torino, 1983.

[7] K. BARTH, *Volontà di Dio e desideri umani*. Introd. di E. GENRE, Torino, 1986.

[8] K. BARTH, *La dottrina dell'elezione divina*, cit.

gia sarà *concreta* nella misura della sua adeguatezza a questo compito. Del resto possiamo ricordare che anche Calvino indica il ministero pastorale come primario ed il compito dottorale come secondario. La chiesa evangelica sta o cade con il rispetto di codesto rango.

Il primo volume della dogmatica porta il titolo di *Dogmatica cristiana. Prolegomeni* (1927: vengono allora previsti 3 volumi). S'intenda il nome di «dogmatica» nel senso di quanto or ora si è detto, come disciplina critica! L'aggettivo «cristiano» va inteso a sua volta in senso critico. Nella *Lettera ai Romani*, Barth contrappone l'aggettivo «cristiano» al «religioso» non solo delle altre religioni, ma anche dello stesso cristianesimo.

Durante la preparazione della seconda edizione di questo primo volume della *Dogmatica cristiana* avvenne (come ricorda lo stesso Barth nella Prefazione) qualche cosa di analogo a quanto era accaduto con la *Lettera ai Romani*: la seconda edizione non poteva più ricalcare le stesse orme della prima, perché nel frattempo l'autore aveva modificato troppi lineamenti e credeva di aver raggiunto un livello più adeguato nel modo di render conto dell'oggetto del suo discorso. Non quest'ultimo era cambiato, ma l'approccio ora era diventato più preciso. La prima era stata una «falsa partenza». Al centro della ricerca vi era sempre il concetto di «rivelazione». Tuttavia ora si faceva partire il discorso più adeguatamente dal suo vero inizio nell'opera trinitaria, mescolandovi il punto di vista antropologico in maniera meno pronunciata e comunque diversa rispetto alla prima edizione.

Tra la prima e la seconda edizione trova posto un'opera di metodologia teologica incentrata sul pensiero di Anselmo d'Aosta (1931) e finalmente appare nel 1932 il primo dei 13 volumi della grande dogmatica, che questa volta porta il titolo di *Dogmatica ecclesiastica*. Con questa nuova designazione, Barth intende accentuare la centralità della predica e la chiesa come "luogo" effettivo del discorso teologico, che non può sfuggire alla sua concretezza, ma che deve nettamente "situarsi" e assumere le necessarie connotazioni di tempo e di luogo, quali appunto qualificano la chiesa.

Mentre prosegue indefessamente questa edizione, Barth – svizzero – partecipa alla discussione pro e contro la neutralità rispetto al regime hitleriano esprimendosi contro i fautori della neutralità medesima. Il discorso è sempre tenuto a livello di principio. Barth pubblica in questo periodo una serie di lavori, alcuni dei quali di grande importanza programmatica, sul rapporto tra chiesa e politica. Inizia una serie di battaglieri opuscoli dal titolo «Esistenza teologica oggi» («Theologische Existenz heute», Monaco, 1933 ss.), poi affiancata da un'altra serie dopo il rientro in Svizzera. Nell'opera *Rechtfertigung und Recht* (1938) Barth si rivolge all'opinione pubblica svizzera con un saggio sul rapporto tra chiesa e stato, che tende larvatamente a isolare la Germania e a preparare il terreno alla necessità di opporsi al regime hithleriano prendendo anche le relative misure difensive di carattere militare.

Dopo la guerra Barth riannoda i legami con la Germania distrutta. Egli intenderebbe partecipare al risollevamento della nazione insieme ai superstiti della

«Chiesa confessante», rimastigli amici (H. Gollwitzer, W. Kreck, W. Niemöller, E. Wolf, per non citare che i più noti). Questo progetto urterà le forze della restaurazione politica ed ecclesiastica e troverà resistenze anche di natura teologica. L'autorità di Barth si troverà ad esserne circoscritta. Nel campo teologico intanto si viene aprendo una nuova discussione di imponenti proporzioni sul problema dell'ermeneutica, che prende spunto da uno studio condotto da Rudolf Bultmann per conto e nell'ambito della «Chiesa confessante», sul rapporto tra il *"kerygma"* biblico e il mondo moderno (pubblicato per la prima volta nel 1941 con il titolo *Neues Testament und Mythologie*). Anche questa discussione offre a Barth la possibilità di riaffermare le sue messe in guardia contro una dissoluzione esistenziale del fatto della rivelazione, ma è nel contempo innegabile una sua perdita d'influenza diretta nel campo degli studi teologici, che si vanno allargando in varie direzioni (Gogarten, Tillich). Resta comunque a testimonianza della discussione Barth-Bultmann il volume IV, 1 della *KD*[9], dedicato alla cristologia. Il profondo rispetto reciproco dei due teologi risulta dalla loro corrispondenza, edita nel 1971 (*Gesamtausgabe* V/1922-1966).

Ma le controversie più acute intorno all'opera di Barth avvengono sul terreno dell'impostazione dell'etica cristiana. Vedi il contributo di W. Kreck in questo volume.

Nel dopoguerra e oltre Barth s'interessò vivamente del dissidio Est-Ovest, cercando la distensione, ed anche questo non gli portò soltanto simpatie. Ad Amsterdam, nel 1948, insieme con altri, Barth si oppose a che la dichiarazione su chiesa e società contenesse una esplicita e diretta presa di posizione contro il comunismo (fu invece condannato il totalitarismo)[10]. Il suo diretto antagonista era il presbiteriano statunitense J. Foster Dulles. Questo particolare viene ricordato qui tra altri anche per ribadire il nesso tra ricerca teologica ed impegno politico nell'opera di Barth.

Resta il fatto che tutta la biografia di Barth, dalle sue battaglie sindacali di Safenwil, proseguite nelle interminabili diatribe sul socialismo cristiano, fino alle sue ultime espressioni, testimonia del fatto che Barth non dissocia, né nelle intenzioni, né nei fatti, la riflessione teologica dal problema etico. Per chi scrive Barth? Chi è il suo interlocutore? È un laico oppure un ecclesiastico, un uomo di chiesa o un uomo del mondo, un essere contemplativo o uno impegnato nell'azione?

Tutto sembra confortare l'idea che il vero interlocutore della *Dogmatica*, anche delle pagine più difficili e tecniche, non sia altri che la prassi umana,

---

[9] Zurigo, 1953, 1982[4].

[10] Senza dimenticare le differenze storiche, possiamo forse ricordare di passata come alcuni documenti ufficiali del protestantesimo nel Cinque-Seicento condannino una certa forma di "comunismo" (comunità dei beni) praticata o teorizzata da movimenti più radicali. Nel 1948 si trattava dell'assetto politico del mondo e il Consiglio Ecumenico delle Chiese da subito evitò di entrare nella logica della guerra fredda. La posizione di Barth fu condeterminante a tal proposito.

e che la teologia venga concepita da Barth come epigenesi dell'impegno. Se il motivo conduttore ed il «tema» della teologia è chiaramente il movimento di Dio «dall'alto verso il basso», il problema dialettico che origina il lavoro teologico come tale è iscritto nella prassi.

II

Autodeterminazione di Dio e libertà umana

Benché l'opera maggiore di Barth sia una dogmatica «ecclesiastica» ed egli abbia insistito molto nel mettere la cristologia al centro della sua teologia, il migliore accesso alla sua opera è quello del tipo «teologia fondamentale».

Barth rifiuta ogni forma di apologetica. (L'unica forma di apologetica è la non apologetica! – dice nella *Lettera ai Romani*, ripetendo poi sostanzialmente la stessa cosa nella *Dogmatica*). Egli parla tuttavia a quell'uomo o donna che è in ognuno di noi, storicamente ancorato alla realtà del suo tempo. Parla non come chi, standosene dalla parte di una verità posseduta, si rivolge agli altri come a persone di fuori; egli si esprime invece come uno che, nel mondo e nella storia, intende render conto del discorso cristiano. Le parole umane non s'impadroniscono del messaggio stesso, ma possono servirlo. Colui che "parla" vive la tensione costante tra la povertà dei suoi mezzi umani e la "diversità" di un contenuto che deve venire da altrove, per essere veramente autentico. La riflessione su questa procedura si chiama certamente «dogmatica *ecclesiastica*», ma la chiesa non è il luogo "autorizzato" da cui il messaggio viene tramandato e proclamato, bensì il primo "sintomo" di un intervento divino che separa non tanto la chiesa dal mondo quanto l'autentico dall'inautentico [11].

Il problema della verità non costituisce per Barth una questione di metodo, ma una questione di merito. Non siamo noi che possiamo impostare il discorso che ci condurrà alla verità; meno che meno possiamo indicare il tragitto per portare gli altri alla (nostra) verità; essa, la verità, è appunto tale in quanto ci cerca e, che noi lo vogliamo o meno, ci trova.

> Noi non possiamo domandare alla verità: perché sei la verità? Poiché essa ci ha già domandato: chi sei tu dunque? e con la domanda ha già dato la risposta infinitamente ricca di significato: tu sei l'uomo, quest'uomo in questo mondo, e tu sei di Dio, di Dio creatore e redentore [12].

[11] Cfr. *KD* I, 1, 48.
[12] *L'Epistola ai Romani*, a cura di G. Miegge, Milano, 1962, p. 268 s.

12

Da questa impostazione discendono alcuni princìpi formali e materiali, che devono esser assunti come guida per le articolazioni del discorso teologico. Li vedremo tra poco. Ma occorre soprattutto che l'articolazione resti libera e non finisca per determinare il contenuto.

La teologia barthiana mantiene sempre contro tutto e tutti un legame primario con il vero oggetto del discorso (i tedeschi dicono *Sachgebundenheit*). Quando si fa teologia non si parla *di altro*. Far teologia significa non sfuggire all'esigenza dell'oggetto stesso del discorso, dal quale bisogna partire ed al quale si deve ogni volta ritornare: Dio che si rivela autonomamente. Nessun «sistema» e nessun «principio» possono sostituire questo modo di procedere, che è nello stesso tempo di metodo e di merito.

A sua volta l'oggetto del discorso è il «sì» di Dio alla creatura. Questo «sì» può esser annunciato come la verità critica favorevole all'essere umano, ma non è una semplice teoria. Esso s'identifica in tutto e per tutto con una persona: Gesù Cristo. La storia di questa persona c'interpella nella sua interezza e non può esser ridotta ad un insieme sistematico di norme, sanzioni, idee. Il ''messaggio'' cristiano non può costituire una sistematica, mentre viceversa la sistematica si costruisce in funzione di esso, come elaborazione critica del discorso che lo concerne.

La struttura dell'esposizione teologica

La *Dogmatica* di Barth è una miniera a cielo aperto. È anche ordinata, segno di un lavoro assiduo e ben organizzato, che lascia materiali visibilmente ben disposti e tracce ben riconoscibili. Non si ha mai l'impressione di leggere un'opera accademica e difficile. Piuttosto si ha l'impressione di seguire l'esposizione di un docente sinceramente preoccupato di parlare all'uomo e alla donna. Forse Barth è pastore anche quando fa della dogmatica, o meglio quando la scrive.

Ci sembra di poter rilevare tre ''momenti'' principali nella sua opera, vale a dire: in un primo momento la netta contrapposizione tra cielo e terra; in seguito la concentrazione cristologica che accompagna il periodo della *Kirchliche Dogmatik*; in fine l'orizzonte etico. Sono momenti dialetticamente compresenti in ogni fase.

a) Barth ha contrapposto il Dio «totalmente diverso» (o: «totalmente altro») alle teologie borghesi dell'inizio del secolo, per le quali Dio era un elemento dell'umanità dell'uomo.

In tale contesto egli ha soprattutto lavorato con il concetto di *rivelazione* e di *conoscenza di Dio*. In questa prima fase Barth si è contrapposto con tutta la nettezza possibile agli sviluppi specialmente ottocenteschi della teologia evangelica. Tale contrapposizione può esser descritta come segue. È l'etica che deve sostenere la religione dell'uomo, secondo uno schema che risale ovviamente a Kant, e che i teologi fino al primo Novecento avevano affinato, oppure la

Parola stessa di Dio va opposta nella sua autonomia e nella sua libertà tanto all'etica quanto alla religione? E, se si sceglie questa seconda parte dell'alternativa, come sarà possibile parlare adeguatamente della Parola di Dio e ricollegarla all'esperienza umana, all'etica ed alla religione?

Non rischia forse tale Parola di apparire "disincarnata", incombente sulla realtà per giudicarla, ma sempre tangente ad essa? Il grande dibattito verte sulla nozione di *analogia*: quale rapporto esiste tra la realtà dell'uomo e la realtà di Dio? Quale rilevanza ha la storia per la conoscenza e la comprensione della rivelazione?

Come si è detto, abbiamo a che fare con la questione tuttora aperta della rilevanza del mondo moderno e delle sue scoperte per il messaggio della chiesa. Su tale questione si sono misurati tutti i sistemi teologici ed anche il confronto tra cattolicesimo e protestantesimo aveva (e ha) in gioco tale posta. La polemica di Barth contrappone evangelo e cultura senza alcuna dialettica. E questo, non molti teologi sono disposti ad accettarlo. La questione che molti pongono è la seguente: perviene Barth stesso a parlare in modo convincente dell'analogia, perviene il suo sistema a dare la soluzione che promette? Lasciamogli per ora la parola:

> La conoscenza di Dio, dove essa accade, è assoluta realtà di per se stessa... (*schlechtinnige Wirklichkeit durch sich selber*). Essa afferra l'uomo, certamente non senza ricettività, neppure certo senza la spontaneità dell'uomo, ma in ogni caso appunto non in modo che la recettività o la spontaneità dell'uomo eserciterebbero un effetto allo stesso livello con l'azione della rivelazione o sarebbero da prender in considerazione in modo tale, che potrebbe aver senso parlare di un circolo psicologico-religioso. Invece, la rivelazione può soltanto esser creduta... e quindi («io credo, perciò ho parlato», II Cor. 4,13) *attestata* nell'obbedienza [13].

b) A questo primo momento segue il secondo, quello della concentrazione cristologica e trinitaria. Il passo decisivo compiuto da Barth per l'impostazione del suo sistema teologico si chiama *concentrazione cristologica*.

La via che Barth tenta è quella della cristologia. Con buona pace dei moderni, si rifà alla cristologia antica, calcedonese, che è anche, tradizionalmente, la più ortodossa e perciò la più ecumenica.

Ma questa cristologia a sua volta rinvia ad una riflessione sostanziale sul Dio trinitario, che è in tutto e per tutto un Dio-in-relazione. Diversi teologi anglosassoni hanno paventato qui un puro ritorno all'ortodossia e etichettato la teologia barthiana con il nome di «neo-ortodossa». Solo gli approfondimenti ermeneutici di questi ultimi decenni (sia fatto solo il nome di Jüngel) hanno smentito questa frettolosa etichetta. Gli studi di Laurenzi e Gallas, pubblicati in questo volume, contribuiscono a rendere più chiari i nodi di tale problematica.

---

[13] *Ethik I, Gesamtausgabe* II/1928, Zurigo, 1973, p. 56 s. (Sottolineatura nell'originale).

L'autodeterminazione di Dio si concreta nel suo "movimento" dall'alto verso il basso, comportante crisi, ma, nel medesimo tempo, autoaffermazione di Dio e quindi anche del «sì» di Dio per l'essere umano. Qui sta il "secondo" momento principale della dogmatica barthiana. Nel "primo" la contrapposizione regnava ed era assoluta. La Parola di Dio contro la storia, contro la pretesa di "trasmettere" la fede. Il secondo momento di questa teologia può esser richiamato con le parole della prima tesi di Barmen:

> Gesù Cristo, così come ci viene attestato nella Sacra Scrittura, è l'unica parola di Dio. Ad essa dobbiamo prestare ascolto, in essa dobbiamo confidare e ad essa dobbiamo obbedire in vita e in morte [14].

La «Parola di Dio» è un uomo e il rinnovato incontro con la storia di quest'uomo costituisce il momento fondamentale dell'esistenza. Nel loro contesto, queste parole hanno anche un significato polemico, che appare al livello dell'etica, e sarà appunto sotto tale profilo che la prima Tesi di Barmen susciterà le maggiori obiezioni. Ora l'autorità della Parola di Dio si estende al campo del comportamento. Che cosa può significare questo?

Durante gli anni trenta, numerosi e accreditati teologi evangelici scoprivano e teorizzavano che era possibile vivere la libertà del cristiano lasciandosi sedurre dalla vitalità delle forze storiche, rappresentate in quel momento dalle organizzazioni naziste, con le quali essi finivano per identificarsi. Si cedeva a questa seduzione perché si credeva che le forze della storia, che determinano i destini degli uomini, costituissero il luogo in cui esplicare concretamente il proprio essere cristiano. L'identità cristiana era suggellata a monte dalla croce, che liberava dal peccato mentre a valle apriva una zona "libera", ma pericolosamente esposta a farsi conquistare dalle parole d'ordine del momento [15]. Dalla teologia della croce si esprimeva così una *ethica gloriae*, che metteva a disposizione della storia le energie dell'uomo liberato nella croce di Cristo. In realtà, quest'uomo si rendeva disponibile per una realtà che lo avrebbe completamente dominato e di fronte alla quale avrebbe smarrito ogni difesa. La speranza delle cose nuove avrebbe perso ogni senso di fronte all'idea di stare condividendo l'ora fatale per il popolo e per la patria. Barth intendeva contrapporre a tutto ciò l'affermazione del richiamo a Gesù Cristo come Signore di *tutta* la vita. Nell'orizzonte critico delineato dalla teologia trinitaria, Barth richiamò l'attenzione del mondo teologico ed ecclesiastico sul rapporto tra evangelo e legge, intendendo il comandamento divino come l'esigenza che scaturisce dall'annuncio evangelico della libertà. Anche su questo punto vi è stata e vi è fortissima discussione [16].

[14] *Dichiarazione teologica di Barmen (1934)* in AA.VV., *Tra la croce e la svastica*, a cura di S. Rostagno, Torino, 1984.

[15] A. DE QUERVAIN, *Die Heiligung*, Zürich, 1946, p. 151-161.

[16] La libertà è infatti carattere distintivo del Moderno, come autodeterminazione e, secondo alcuni autori (T. Rendtorff ed altri), Barth, in vesti teologiche, non realizza altro che il principio di autonomia proprio della nostra epoca. Per una messa a punto vedi D. KORSCH, *Christologie und Autonomie. Zu einem Interpretationsversuch der Theologie Karl Barths*, in «Ev. Th.» 41, 1981, pp. 142-170.

Qui Barth ha trovato e trova ancora oppositori. Il suo impegno politico, che pure sembra chiaro, solleva non meno dubbi che la sua pretesa di aver dato una nuova impostazione alla teologia evangelica. Per alcuni autori il legame tra la linea teologica e l'impegno politico è evidente in tutta l'opera; altri questo lo contestano e la discussione non è finita [17].

Per tutti lasciamo parlare un grande teologo luterano del nostro secolo: Helmut Thielicke [18], per il quale l'opera di Barth lascia trasparire incertezza e inconseguenza proprio nella questione del rapporto tra dogmatica ed etica. Le scelte teologiche di Barth non aprono la strada ad alcun impegno politico e, quando questo viene assunto, ciò accade piuttosto per una felice inconseguenza. Perciò, dagli insegnamenti di Barth non si potrebbe legittimamente trarre alcuna concreta indicazione di un'etica tipicamente teonomica e Barth stesso, al di fuori dei suoi noti interventi, si sarebbe dimostrato assai riservato in tema di applicazioni e deduzioni etiche. Le stesse obiezioni di principio rivolte contro la teologia che aveva accettato il nazismo non sono state rivolte dal socialista Barth al dialogo cristiano-marxista. Di qui accuse di inconseguenza che, al di là della polemica politica, mettono in discussione l'impostazione stessa dell'etica barthiana. Su tutta la questione rinviamo al contributo di W. Kreck, che contiene diversi elementi chiarificatori, ma la questione sottende diversi altri interventi in questo volume.

c) La "concentrazione cristologica" implica dunque anche un orizzonte etico, ma da questo non viene determinata, anzi la via che s'intende seguire tende a ricondurre da capo il discorso teologico alla sua origine, dall'alto verso il basso.

Tuttavia, nel momento in cui la figura di Dio è – per così dire – scomposta nell'attività delle sue "persone", si pone in una nuova luce anche la questione del rapporto della prassi umana nell'orizzonte della salvezza.

In Gesù Cristo Barth vede anche il movimento di riscatto e di liberazione dell'uomo, questa volta "dal basso verso l'alto". Ed infine, novità vera e propria nel quadro dogmatico protestante, un ripensamento del rapporto tra chiesa e storia alla luce della "verità" e della "luce" che emanano dinamicamente dal ministero "profetico" di Cristo e vengono talvolta inconsapevolmente riflesse anche dal mondo e dalla storia.

Nell'ultima parte della sua opera Barth ha accentuato l'umanità di Dio. Nel patto realizzato tra uomo e Dio nella persona di Gesù Cristo inizia e prosegue una vera storia di libertà in cui la creatura umana, in solidarietà cri-

---

[17] Vedi due contributi critici sul tema da parte di F.W. GRAF, *Der Weimarer Barth, ein linker Liberaler*? e di T. RENDTORFF, *Zur Krise und Kritik des neuzeitlichen Liberalismus*, in «Ev. Th.» 47, 1987, rispettivamente p. 555-566 e 567-569. Altra bibliografia sul tema nel mio «Il contributo di Barth all'ideologia di sinistra», in S. ROSTAGNO, *Teologia e società* (in corso di stampa: Claudiana, Torino, 1989).

[18] H. THIELICKE, *Glaube und Denken in der Neuzeit. Die grossen Systeme der Theologie und Religionsphilosophie*, Tübingen, 1983, p. 431-441 e conclusioni del volume, p. 580-597.

tica con questo mondo, vi vive nella riconoscenza e nella lotta per la giustizia umana [19].

Il problema del cristiano e del cittadino, della rivelazione e della storia, dell'identità della chiesa e del mondo ha trovato in K. Barth un pensatore che ha indagato come pochi altri le sue profondità. Chi lo legge ha sempre l'impressione di un apporto positivo e realizza di esser indirizzato ad un esito quanto mai costruttivo e talvolta persino – per usare un termine consacrato dall'uso ecclesiastico – edificante. Solo chi entra dentro allo sviluppo del pensiero barthiano ne percepisce tuttavia le tensioni e viene realmente arricchito da esse.

Ci siamo soffermati su alcuni critici di Barth. Il dibattito è ancor sempre aperto. Le discussioni più recenti fanno apparire che Barth non ha soltanto critici, ma anche continuatori. In particolare questi, rifacendosi ad espressioni dello stesso Barth sulla dottrina dello Spirito Santo [20], riesaminano la dinamica di movimento che regola tutta la questione del rapporto Dio-uomo, troppo fissa sull'accadere e sull'accaduto, e pongono nuovi accenti a tutta l'opera verso una teologia che esprima la partecipazione dell'uomo nel "patto" con Dio e quindi una più netta caratterizzazione del rapporto Dio-uomo nel *futuro*. Ma se questo è l'indirizzo, allora anche la discussione con il cattolicesimo viene posta in una luce nuova [21].

Le questioni non sono dunque risolte una volta per tutte. Una ortodossia barthiana è impossibile per molte ragioni ed anche, tutto sommato, perché lo storiografo non ha alcun interesse a dimostrare se la prassi di un determinato autore conferma o meno la sua teoria, in modo da assicurare ai posteri linee di viabilità "sicura". Allo storiografo importa quel che gli uomini hanno fatto, di bene o di male, con le loro teorizzazioni e in mezzo ad ogni sorta di inconseguenze. La storia registra quel che si è fatto o espresso, non la deducibilità dei paradigmi pratici dalle premesse teoriche e viceversa. A questo proposito, l'opera del Maestro di Basilea è di per se stessa abbastanza consistente per soddisfare ogni pretesa. Essa lascia senza dubbio degli interrogativi. Quanto al teologo, egli viene stimolato a riprendere e a proseguire, se ne è capace, inevitabilmente a nuove spese, la ricerca ininterrotta.

[19] Ulteriori dettagli a questo proposito in S. ROSTAGNO, *K. Barth nella sua ultima etica*, in «StMor», 25, 1987, p. 397-417.

[20] Lo spunto si trova nella "Postfazione" (vero testamento teologico) di Barth ad una antologia di scritti di Schleiermacher curata da H. BOLLI per la serie tascabile «Siebenstern»: *Schleiermacher Auswahl. Mit einem Nachwort von Karl Barth*, Siebenstern, n. 113-114, München und Hamburg, 1968. Un interessante circolo di teologi di diverse nazioni si raccoglie intorno alla rivista di studi barthiani «Zeitschrift für Dialektische Theologie», Kampen (Olanda), 1985 ss.

[21] Sul complesso dell'opera si veda a proposito della dimensione dello spirito in Barth Ph. J. ROSATO SJ, *The Spirit as Lord. The pneumatology of Karl Barth*, Edinburgh, 1981; il più recente interprete cattolico di Barth è lo svizzero PETER EICHER. Si veda per esempio: *Offenbarung. Prinzip Neuzeitlicher Theologie*, München, 1977; parzialmente corretto in ID., *Bürgerliche Religion. Eine theologische Kritik*, München 1983, specie p. 201-227.

III

Barth in Italia

Nel suo contributo a questa raccolta, G. Bof si occupa dell'eco suscitata da Barth in Italia, soprattutto negli ambienti cattolici.

A quanto egli espone sembra doveroso aggiungere una nota (forzatamente breve) sulla ricezione di Barth presso gli evangelici italiani.

Se l'Italia può dirsi un paese di cultura europea, questo lo si deve anche al manipolo di teologi evengelici che, al di qua delle Alpi, hanno curato la ricezione della teologia barthiana fin dalla fine degli anni venti. Il nesso tra il significato teologico e il senso politico di questa ricezione di Barth in Italia presso gli evangelici dev'esser ben valutato. Una delle migliori introduzioni all'argomento e la più proficua per un principiante (ma non priva di spunti per lo studioso) è lo studio critico di G. TOURN, *Per gli 80 anni di Karl Barth* [22].

Qual è in sostanza il cammino percorso dalla teologia evangelica italiana in compagnia di Barth?

Prima di tutto il fatto che, tramite Barth, gli evangelici italiani (o almeno la pattuglia dei barthiani), hanno compiuto un tragitto che li ha uniti alla teologia e alla cultura europea dell'area protestante.

G. Gangale incontra Barth nella sua ricerca neocalvinista e pubblica nel 1928 la *Teologia della crisi* di M. Strauch per le edizioni Doxa. G. Miegge presenterà successivamente ogni volume della *Dogmatica* sulle riviste degli intellettuali evangelici; nel 1962 potrà finalmente pubblicare presso Feltrinelli la traduzione de *L'Epistola ai Romani*, pronta assai prima. V. Vinay commenta su «Gioventù cristiana» la *Dogmatica* e riferisce le vicende della «Chiesa confessante» fino alla chiusura della rivista stessa nel 1940. Attraverso le traduzioni francesi edite a Ginevra presso Labor et Fides anche le opere minori di Barth, le raccolte di articoli, i commenti al Credo ed ai testi classici della Riforma, vengono letti da vari pastori italiani: ci sia concesso ricordare almeno i nomi di Carlo Gay, Neri Giampiccoli, Pietro Valdo Panascia, Alberto Ricca. Il pensiero su cui si sono formati teologicamente gli intellettuali protestanti nei cruciali anni trenta è senza alcun dubbio quello barthiano. Tra i molti menzioniamo G. Gonnet, G. Peyronel, B. Revel, M.A. Rollier). I principali temi dei convegni teologici di questa generazione avevano come punto di riferimento la teologia barthiana. Mediata dagli studi di G. Miegge, V. Vinay e V. Subilia questa teologia è penetrata poi anche nella predicazione di molti pastori evangelici. In una parola, benché le edizioni Doxa fossero attente anche a Tillich,

---

[22] «Protest» 21, 1966, p. 157-178. Sul rapporto tra cultura italiana e teologia protestante vedi M. MIEGGE, *L'apertura alle nuove teologie*, «Rivista di Filosofia» 79, 1988, 434-458.

Schweitzer o Troeltsch, il pensiero protestante italiano ruota intorno a Barth, e questo verrà poi confermato anche nella generazione successiva, quella del dopoguerra, si può dire fino ad oggi.

Tutto questo avrebbe forse scarso valore, dal punto di vista generale, se non fosse accaduto nel periodo fascista e se non avesse costituito una delle forme efficaci di antifascismo. Perciò se la Resistenza ha qualche significato per l'attuale Repubblica italiana, e se nella Resistenza stessa troviamo in prima linea anche i barthiani, ne consegue che la ricezione di Barth in Italia presso gli evangelici e le loro chiese non costituisce affatto un fenomeno marginale e tutto sommato irrilevante.

In Olanda, Inghilterra, Cecoslovacchia, Polonia, Francia, Ungheria, nei paesi scandinavi e, ovviamente, Svizzera e Germania, in tutta l'Europa insomma (i casi sono noti), la teologia barthiana ha avuto la sua importanza nel fenomeno della resistenza spirituale alla dittatura hitleriana. Non esistevano in quell'epoca molti punti di riferimento realmente diversi dall'ideologia dominante. Alla lista di questi paesi perchè non si dovrebbe aggiungere a buon diritto anche l'Italia?

La ricezione di un teologo che ha voluto parlare alla chiesa ed impegnarla nel luogo preciso della rivelazione, non può esser valutata soltanto per le opere su di essa scritte, come si dice, a tavolino. Le prediche non hanno naturalmente il rango di monografie scientifiche e non le sostituiscono. Sono meno importanti, per la loro stessa natura effimere (prima di tutto nel senso etimologico della parola), occasionali. Eppure occorre dar loro atto di aver contribuito, per quanto possibile, alla specifica ricezione di una teologia che era nata intenzionalmente per il pulpito e sul pulpito. Tuttavia la masticazione e ruminazione critica sono poi necessarie se si vogliono elaborare a fondo i temi e capire i problemi.

Infatti, non si predica dal pulpito se non si studia anche a tavolino... Forse l'opera meno letta e studiata rimase proprio la *Dogmatica*, nonostante le introduzioni di G. Miegge. In Italia si contano sulle dita coloro che intrapresero il lento cammino attraverso le sue migliaia di pagine e arrivarono alla fine. Tra di essi vi sono anche evangelici, anche se Barth pone l'interprete di fronte ad una difficoltà evidente. Argutamente scrive Tourn: «Barth è scrittore fecondo e facondo... La sua vita è stata spesa a scrivere e la nostra, qualora ci volessimo impadronire pienamente del suo pensiero, dovrebbe esser spesa a leggerlo»[23]. Ma qualcuno lesse la *Dogmatica* e anche qualche cos'altro. Così, anche se nessun evangelico possiede una sola lettera di Barth da pubblicare, i protestanti italiani devono a Barth la struttura della loro attuale teologia.

Parlare della ricezione di Barth presso gli evangelici italiani equivarrebbe a scrivere la storia di questi, dei loro convegni, delle loro riviste teologiche, delle loro chiese, delle impostazioni che sono venuti cercando ai problemi del rapporto con la cultura e con lo Stato. In tutti questi campi una sola figura costituisce veramente il punto di riferimento: Giovanni Miegge, per cui occor-

---

[23] *Op. cit.*, p. 159.

rerebbe scrivere una completa esposizione della teologia di G. Miegge. Egli è non solo interprete di Barth, nel senso di chi legge e partecipa ad altri ciò che intende traducendo, commentando e ripetendo. Egli dà anche una elaborazione originale, indipendente. Con ragione è stato detto che le giornate teologiche del Ciabàs, 1943, sul rapporto chiesa-Stato, anticipano lo scritto barthiano *Christengemeinde und Bürgergemeinde* del 1946 come l'ordine del giorno Subilia presentato subito dopo al Sinodo valdese del 1943 è steso nello stesso spirito della «Dichiarazione di Stuttgart» del 1945, con la quale i rappresentati delle chiese tedesche, confessando il loro peccato, si presentavano ai delegati dell'ecumene venuti ad incontrarli in mezzo alle macerie del Reich. Entrambe le dichiarazioni (ma il Sinodo valdese nel 1943 non giudicò prudente votare l'ordine del giorno Subilia), esprimono la corresponsabilità delle chiese nel disastro [24].

La critica veemente di Barth al liberalismo teologico ed alla sua sintesi di impegno etico e di rivelazione divina viene raccolta da Miegge perché significa anche per lui una svolta importante. Per dirla con le sue stesse espressioni:

> Venne poi la crisi barthiana. L'aspetto escatologico della idea del Regno di Dio, trascurata come un elemento superabile, veniva improvvisamente riportata in primo piano. L'annuncio del Regno di Dio, invece di essere il sommario di tutti i valori umani, ne era la crisi suprema. Il Regno di Dio era l'annuncio del "giudizio finale", cioè del giudizio definitivo, irrevocabile, radicale, più che del giudizio "futuro", che cala dall'eternità su ogni attimo del tempo e svela la caducità di tutto quello che è umano: dell'umanità futura come della presente. L'effetto della crisi barthiana sul mondo evangelico, tra le due guerre mondiali, fu simile a quello di un improvviso bombardamento aereo sopra una città dedita alle opere di pace e nel coro delle proteste non mancò l'accusa a quella predicazione di essere «inumana» o «antiumana» [25].

Il programma della rivista «Protestantesimo» (1946-   ), ancor oggi rispettato e valido, viene concluso da Miegge con un richiamo al «barthismo» proprio e del gruppo promotore della rivista. Tale programma qualifica in modo molto vivo l'indipendenza di pensiero dei barthiani italiani: «Vi è un barthismo degli epigoni, per il quale non sentiamo, sia detto con buona pace di tutti, una enorme simpatia» [26]. Lo stesso atteggiamento Miegge lo dimostrerà scri-

---

[24] Un confronto tra i due testi parrebbe significativo. Sul testo di Stuttgart cfr.: G. BESIER e G. SAUTER, *Wie Christen ihre Schuld Bekennen*, Göttingen, 1985. L'ampio contributo di Sauter mette in risalto il senso più profondo dell'espressione teologica della solidarietà cristiana nella confessione del peccato, quando questo appare commesso soprattutto da altri. Vedi anche W. KRECK, *Theologische Kriterien für ein rechtes Schuldbekenntnis*, in ID., *Friedliche Koexistenz statt Konfrontation. Vorträge u. Aufsätze aus den achtziger Jahren*, Köln, 1988, pp. 182-201.

[25] G. MIEGGE, *Scritti teologici*, Torino, 1977, p. 91.

[26] *Op. cit.*, p. 120.

vendo: «[da Barth] continuiamo ad attendere alcune di quelle parole decisive e profonde che illuminano tutta una situazione e additano la via» [27]. La svolta che queste parole sembrano invocare nel 1946 apparirà esplicitamente un decennio più tardi. Nell'*Umanità di Dio* [28] Barth denuncia le asprezze della teologia della crisi degli anni venti e sottolinea il nesso tra cristianesimo e cultura. Il volto di Dio assume verso l'uomo i tratti della pace nel patto.

Elaborazione del pensiero barthiano presso gli evangelici italiani? Sì e no. Delle quattro o cinque persone che in Italia scrivono assiduamente sull'opera barthiana (o settori di essa) nessuno è evangelico. Quindi non si può parlare di elaborazione nel senso di presentazione critica, quale oggi, soprattutto, sarebbe necessaria. Ma ricezione certamente sì, nei termini che abbiamo detto, che sono più quelli della *partecipazione* ad un cammino teologico, che quelli di una ricerca approfondita su problemi aperti dal Maestro.

Solo negli ultimi decenni si è ritornati a parlare in modo maggiormente consapevole di altre teologie (Tillich e l'ermeneutica; Miegge dedicò un libro anche a Bultmann [29]) ed oggi vige un certo pluralismo, che può esser interpretato anche come reazione ad una non simpatica ortodossia barthiana oltre che come ricerca di nuovi orientamenti.

Quanto detto lascia tuttavia aperta una domanda. La lettura fatta da Barth da parte degli evangelici italiani era veramente consistente e conseguente? Non si rifugiò tutta nell'alternativa tra Parola di Dio e discorsi umani, tralasciando la necessaria mediazione dell'orizzonte storico? Non c'è forse un fosso da colmare tra la morte di G. Miegge, avvenuta quasi trent'anni fa e noi stessi? Che cosa si è fatto, dal punto di vista *teologico*, in questi trent'anni?

IV

I contributi del presente volume

I contributi qui raccolti sono tutti stati pensati in vista del «Convegno su K. Barth» organizzato a Roma dalla Facoltà Valdese di Teologia i giorni 31 ottobre e 1 novembre 1986 e ne raccolgono gli stimoli [30].

Il volume è suddiviso in tre sezioni.

La prima e più corposa sezione è dedicata alla tematica del volume della *Dogmatica* che A. Moda ha curato per l'editore UTET di Torino, cioè la dot-

[27] Ivi.

[28] Tr. it.: Torino, 1975.

[29] G. MIEGGE, *L'evangelo e il mito nel pensiero di R. Bultmann*, Milano, 1956.

[30] Vedi la relazione di F. FERRARIO, *Facoltà Valdese di Teologia: Convegno su K.B.*, «Protest», 42, 1987, p. 32-34. Al convegno partecipò anche il prof. A. BELLINI con un contributo su «La teologia cattolica di fronte a Barth».

trina della *elezione divina*, che molti considerano un apice della produzione barthiana e che anche Barth valutava come uno dei punti più caratteristici della sua teologia. Era normale che, dovendosi scegliere un particolare settore da approfondire, si scegliesse questo.

Fanno parte della sezione cinque contributi. M.C. LAURENZI introduce il discorso esaminando lo sviluppo della teologia barthiana nelle sue grandi linee fino al volume in questione, ma con andamento sistematico più che storico, e si sofferma soprattutto sul problema della relatività e finitudine dell'uomo in faccia a Dio. L'inizio del suo contributo può esser letto anche come introduzione all'intensa problematica qui trattata, ma saranno soprattutto le sue domande e le sue conclusioni a ritenere l'attenzione. Successivamente A. MODA riprende i termini del dibattito critico: parla di mono-energismo in Barth e vorrebbe più spazio per l'iniziativa umana. B. GHERARDINI, reagendo ad una serie di domande poste in un breve documento distribuito prima del Convegno in vista appunto della discussione, dopo una parte più espositiva, muove anch'egli a Barth analoga obiezione. Nel dibattito entra poi A. GALLAS, il quale, mediante una seria indagine, perviene a delineare con mano felice i principali punti di forza della teologia dell'elezione, aiutando il lettore a percepirne l'intensa attualità, soprattutto nei suoi nessi con la croce e come paradigma di solidarietà. S. ROSTAGNO commenta alcuni aspetti della impostazione barthiana dell'elezione in riferimento al rapporto libertà-amore.

Nella seconda sezione trovano posto gli studi dedicati in special modo al Barth ecumenico. G. BOF espone in modo preciso e pacato la ricezione di Barth in Italia soffermandosi maggiormente sui cattolici. Dal suo studio la svolta conciliare appare chiaramente. P. RICCA mette in luce le sfumature della posizione ecumenica di Barth, da una parte severo critico di alcune tra le più tipiche posizioni teologiche cattoliche e non soltanto cattoliche, dall'altra conquistato da una forma di dialogo dove la speranza non si dimette mai.

L'ultima sezione è invece occupata da due diversi contributi, uno sul Barth politico e l'altro sul Barth pastore. W. KRECK, che fu anche *testimone* dell'importanza attribuita da Barth alla vita politica, espone la dialettica barthiana tra ritegno e impegno, sottolineandone le radici teologiche in parallelo con attuali teologie politiche. Egli tocca anche il complesso problema dell'etica barthiana, cui abbiamo fatto cenno più sopra. B. ROSTAGNO esamina invece, alla luce di recenti pubblicazioni di documenti e lettere, la figura di Barth mentre è pastore nella piccola Safenwil, alle prese con quei problemi che anche ogni pastore conosce, ma che qui assumono un colorito particolare, e l'umorismo (elemento importante anche in Barth) affianca la serietà dell'interrogazione teologica.

SEZIONE PRIMA

LA DOTTRINA DELLA ELEZIONE DIVINA

IL PENSIERO DI KARL BARTH
TRA CONCETTO E RIVELAZIONE
«Dio anche per noi» (*KD* I/1, 334)

di M. CRISTINA LAURENZI

I. *Cenno al problema: rivelazione e finito*

a) Il problema. «Dio», nel tentativo di pensare i contenuti del cristianesimo in termini immanenti, è perfettamente comprensibile; è un concetto che posso afferrare, perché è mia creazione; esso indica qualcosa che mi interessa profondamente, un interesse vitale per la sopravvivenza, per la salvezza; la sua origine è nell'essere finito, così come la speranza che esprime. Oppure, partendo da un'intenzione critica (non dare realtà oggettiva e autonoma ad aspetti del nostro essere empirico, nei limiti del mondo), ma senza cadere nel pregiudizio di una chiusura dell'esperienza su se stessa, «Dio» può essere un termine, una descrizione da riferire ad un rapporto, ad un'esperienza di relazione che mi soddisfa in modo particolare, ad un essere che scopro disponibile alle mie richieste, pronto ad «aiutare» le mie necessità, in misura molto più ampia di quanto non mi aspetti, «qualcuno» molto più magnanimo di quanto non sia l'immagine che me ne faccio via via. Questa è la descrizione di un'esperienza umana, in un ambito finito: parlo di ciò che mi piace o no, che mi interessa o no, che mi attira o no; non è escluso comunque che si *riconosca* e si lasci spazio a caratteri peculiari della stessa esperienza, a qualcosa che mi colpisca particolarmente, che sollevi in me delle domande. Non tutto ciò che è nel finito è riducibile a priori alla mia misura, non c'è alcuna necessità in questo senso, anzi posso riconoscere nei limiti del mondo qualcosa d'importante, che m'interessa, nel quale eventualmente proietto i miei desideri di salvezza, ma che si rivela molto più ricco e generoso dei miei stessi desideri, che possono venire addirittura sopravvanzati: «Dio» allora esprime questa ricchezza, questa scoperta e meraviglia, non la pretesa di uscire dall'ordine del finito; quando i cristiani parlano della «divinità» di Gesù di Nazaret si riferiscono a un gruppo di fatti, di esperienze storiche, di cui rilevano la particolare attrattiva, il duraturo interesse; non vogliono dire che si esca dal campo dell'empirico, ma che in esso, in questo specifico rapporto, c'è un «di più» che li attira, che può esser trovato, pur senza trasformarsi in fonte di una pretesa assoluta, normativa.

Parlare in termini di «empirico», di «relativo», di «finito» a proposito della rivelazione cristiana, mettendo in primo piano elementi che già esistono nel linguàggio teologico, potrebbe sembrare uno sforzo del tutto vano, un obiettivo mancato, ma l'apparenza in questo caso non convince fino in fondo. Per esprimerci in termini barthiani, l'inizio è dato dall'annuncio, dalla predicazione del vangelo: nell'ascolto posso raccogliere la «rivelazione», cioè in alcune parole, fatti e racconti umani percepisco un appello a me rivolto, una «parola di Dio», dice Barth, cioè un interesse specifico su cui poi si esercita lo studio del teologo. Ma qui non posso immediatamente cogliere una norma assoluta («Dio» come nome di un sovrano che si manifesta in un messaggio, che in esso pretende ubbidienza e dedizione integrale), e devo procedere secondo la portata effettiva dell'esperienza. È indubbio che in certi dati di una storia umana come quella del predicatore di Nazaret ci siano elementi di particolare interesse: chi o che cosa in essi mi attira? Qui posso notare, se è il caso, nella memoria dei racconti evangelici un tratto che non cambia niente dell'essere empirico, della fattualità storica, ma che non è accessibile come gli altri. In effetti a chi appartiene al mondo non è dato definirne i limiti esterni e le condizioni a priori; proprio per questo dobbiamo riconoscere l'interesse delle domande suscitate in noi dall'oggetto dei racconti evangelici. Non si tratta di uscire dall'empirico (l'«extra» calvinistico, si potrebbe dire, *non è* sinonimo di trascendenza dell'essere), ma di esplorare un oggetto nel nostro orizzonte. Ma non è qualcosa che *riduciamo* a noi stessi: qualcosa infatti ci è *dato*, accade. Non è neppure qualcosa che ci condizioni violentemente, *assoggettandoci*, che cancelli ogni possibilità *logica*, che escluda ogni alternativa *reale*: ci interroghiamo infatti, e il suo tratto empirico ce lo consente; possiamo applicare ugualmente la critica della realtà finita. «Dio» indica allora questo interesse, che nasce in un campo finito dell'esperienza, un interesse che non si lascia ignorare, anche se non avanza pretese esclusive. Il problema è dunque l'uso di questa misura, apparentemente inconsueta e addirittura urtante in campo teologico e nel linguaggio religioso, che però ha una certa base nell'esperienza.

b) Le condizioni reali. Supponiamo dunque di essere in un contesto reale, in cui ci giunga la predicazione cristiana. Questa riscuote in noi un certo grado d'interesse (non occorre qualificarlo ulteriormente), che ci induce a persistere nell'attenzione. Oggetto di questa può essere il fatto cristiano (le chiese dei discepoli di Cristo, la loro storia, le formule dogmatiche e i prodotti concettuali, la figura storica di Gesù e i problemi intorno ad essa, ecc.), in forme e aspetti diversi, un fatto comunque, a noi esterno, presente in un accadere empirico. L'interesse non è diverso da quello che rivolgiamo ad altri fatti e situazioni che ci colpiscono: in ogni caso, entriamo nella vicenda, ci qualifichiamo e la qualifichiamo (qualcosa ci piace o non ci piace), e ad un tempo (tale è la forma contraddittoria della nostra ragione) ci *troviamo* a vedere noi stessi nella vicenda, non a distaccarcene di fatto: una visione di cui non siamo arbitri, che pone il problema del senso, e al tempo stesso dà gli elementi per risolverlo in senso negativo. Infatti vediamo il nostro legame a condizioni esterne, non un ordine, un intento globale, un progetto significativo: siamo *dentro* ad un mondo, ma non ce ne risulta il motivo. Non siamo noi a far nascere la domanda sul senso dei fatti, essa dipende da qualcosa che ci rimane esterno: questo dimostra la forma contraddittoria della domanda critica e la soluzione negativa del problema del senso della realtà. Anche in rapporto al fatto cristiano, sappiamo ora esservi due livelli, quello del fatto e quello del problema: noi siamo nella vicenda, ma non ne abbiamo le ragioni, non sappiamo quale sia il fondamento dell'attrattiva, né il carattere dell'oggetto verso cui guardiamo. Sapere questo è riconoscere che tutta la nostra esperienza si svolge nell'ambito del finito; c'è una realtà empirica che non trascendiamo se non nella *visione*, il che non significa affatto che ne siamo per qualche aspetto liberi: la visione stessa non è una nostra funzione autonoma, bensì un evento che *accade*, rispetto a cui non abbiamo capacità di arbitrio. Anche l'oggetto dell'interesse religioso e della riflessione teologica non si sottrae dunque a questo limite.

Nel messaggio cristiano, non posso ricorrere ad un fondamento oggettivo: potrebbe trattarsi di un'apparenza illusoria, di un condizionamento ideologico, di una disposizione del soggetto empirico, di una prospettiva culturale e linguistica; potrebbe anche non esserlo, ma non ho criteri decisivi a priori; anche il messaggio cristiano fa parte della nostra esperienza, rientra nella misura del finito. Il suo carattere specifico è dato dall'oggetto intorno a cui continuo ad indagare: la manifestazione empirica di cui dispongo non lo esaurisce, c'è qualcos'altro che gli appartiene, qualcosa di più da scoprire; non so se si tratti di un'apparenza o di una pretesa, ma resta il fatto che la mia attenzione è orientata a quel contenuto; non ne afferro il motivo, ma devo constatare che ciò avviene e si ripete. Non posso sapere perché qualcosa mi piace, ma posso costatare il fatto e riconoscere che non ne so il fondamento (questo è il carattere conflittuale della ragione): lo stesso avviene in rapporto ai contenuti del messaggio cristiano. Posso certo accogliere l'ipotesi che in esso si identifichi semplicemente un desiderio umano di salvezza, ma devo anche riconoscere, se si dà il caso, che l'attrattiva rimane anche dopo che si sia chiarito il meccanismo di proiezione che permette quella lettura. Si tratta perciò di procedere ad una critica dei significati, del linguaggio, senza presumere un punto d'arrivo, una formula decisiva, una verità assoluta. Questo significa rimanere nell'ambito del finito, ma non ridurre programmaticamente al finito ogni elemento dell'esperienza: proprio perché non possiamo controllarne il limite, non ci è dato nemmeno operare una riduzione di tutti i suoi aspetti ad uno solo; non è detto che tutto quello che entra nell'esperienza sia debitore del proprio essere solo alle condizioni degli oggetti nello spazio e nel tempo: entrare nell'ordine del finito non è lo stesso che subirne le condizioni; l'esame dell'evento non va confuso con la pretesa definitoria del concetto. Queste osservazioni ci portano a un ulteriore passo nel chiarimento del nostro problema.

c) Le condizioni logiche. Non presumo di riportare l'esperienza a un sapere fondato sull'essere; in quanto mi vedo elemento di situazioni, non posso trasformare il relativo in assoluto. Anche nell'interesse al vangelo cristiano, la portata oggettiva del riferimento non può stabilirsi a priori, ma va misurata via via che il legame si stabilisce e si riproduce. Il darsi della situazione è fondamentale, rispetto a quanto posso capirne e rifletterne. D'altra parte, è anche innegabile la richiesta di darne ragione; anche questo è un fatto, legato al dividersi del soggetto fra piano logico e piano reale. Come si è detto (nel paragrafo b), ciò non porta alla giustificazione del «credere», ma alla domanda contraddittoria sul senso della realtà; la sua forma ci chiede di non trasformare in assoluto i fatti, di non trasformare in concetto il racconto. In esso ci è dato l'oggetto su cui riflettere; solo dopo m'interrogo sul perché e sul che cosa. Avendo chiamato «Dio» ciò che mi colpisce, devo poi chiedermi se questo sia qualcosa di più della risposta ad un mio desiderio; nella teologia cristiana in effetti c'è l'idea di una persona che ci si rivolge, senza essere compresa nei limiti della realtà empirica, il che non equivale al concetto della trascendenza di Dio, ma resta nell'ambito della ragione-contraddizione.

Ecco dunque il problema logico: la realtà è per noi in quanto rapportata all'essere empirico, però non possiamo ignorare, qualora si presenti, un elemento insolito, un dato nuovo di esperienza. La difficoltà sta nel fatto che è l'ambito del finito quello in cui si realizza la fede, e in esso deve rimanere anche il concetto di rivelazione. Con questo termine si può intendere che la nostra esperienza è arricchita e ampliata, oltre ogni previsione, e che il suo oggetto (l'annuncio evangelico) non si esaurisce nell'efficacia storica diretta, ma non che i significati empirici sono trascesi. Oggetto dell'esperienza può essere infatti l'incognita dell'identità del predicatore di Nazaret, incognita che non può venir cancellata da una formula positiva o da una nozione. È richiesto un continuo, rinnovato ascolto delle testimonianze su questa materia, la verifica del persistere di questo interesse. Il discorso teologico ha a che fare con questa difficoltà e con questa norma: basta ricordare l'importanza del problema analogico, i temi della «theologia crucis» e dell'«extra calvinisticum», il Dio «totalmente altro» o l'«analogia fidei» nella storia passata e recente del pensiero teologico cristiano, per portare l'attenzione sulla forma linguistica di tale esperienza.

d) Il problema in Karl Barth. Ecco dunque il motivo del rivolgersi al pensiero barthiano, e del tipo particolare delle domande. Barth infatti, in tutta la sua opera, cerca di pensare teologicamente il messaggio evangelico (la «parola di Dio» annunciata nella predicazione), e il problema è appunto la forma di questo pensiero. Un carattere costante è la sua fedeltà alle condizioni reali, che Barth non vuol nascondere o superare artificiosamente; esse sono la base, il punto di partenza della riflessione, e quest'ultima ne dipende. Ora, il tratto fondamentale è l'essere nelle condizioni empiriche del mondo, della storia, della società e dell'individuo umano, del linguaggio, della cultura e della religione, un essere finito, che dipende anche da fattori esterni, che si può definire contingente. Qui deve innestarsi anche il discorso teologico, per il fatto che l'annuncio evangelico, o la parola biblica in genere, ci sono accessibili solo per questa strada. Il che non significa ridurre questa parola al limite umano, alla prospettiva culturale e storica in cui viene situata. Ciò accade se presumo di risolvere la contingenza nel pensiero: in tal caso ci sarebbe una capacità razionale di prescindere dalle condizioni empiriche, di includere in un sistema di pensiero tutti i dati dell'esperienza, anche quelli che portano la rivelazione. Invece, nell'essere contingente, il pensiero è un fatto, non un principio, è in rapporto a una serie di eventi che gli sopraggiungono; la riflessione avviene, è il nascere della coscienza critica. Il contingente non può risolversi nel pensiero, e quest'ultimo è riflessione, coscienza critica entro l'esperienza. Questo scopre anche Barth quando comincia a pensare in modo autonomo.

L'uso del linguaggio nella rivelazione biblica crea un problema: siamo di fronte a una vicenda storica, appartenente al mondo, ma riconosciamo in questo fatto un soggetto, un intento singolare, che ci colpisce, ci interessa, però non è accessibile nel modo comune. Ogni fatto conserva il segno dell'accadere, del non poter essere interamente giustificato, ma in questo caso si vuol proporre a noi qualcosa che ci riguarda, un'intenzione significativa, per cui il contrasto risulta più evidente tra la volontà di comunicare e lo strumento usato. Si ha un ambito di autonomia completa: i fatti del racconto evangelico, in se stessi appartenenti alla storia, hanno però, secondo questo pensiero teologico, una forza comunicativa singolare: là dove la nostra capacità di comprendere si ferma (ad es.: la forma umana della vicenda di Gesù di Nazaret), né sapremmo aggiungere altro, lì si manifesta un significato, un «soggetto» che si rivolge a noi e ci interpella. Le condizioni di base del comunicare non sono più l'unica legge, nella rivelazione biblica (ad es.: quando ho riconosciuto in Gesù l'uomo, in quanto credente devo confessarne un ulteriore e diverso essere): qui accade, si manifesta qualcosa di veramente nuovo. In generale, se intendo che la riflessione non è mai indipendente da un inizio, da un fatto esterno che non si risolve nel pensiero, allora non posso definire una volta per tutte le condizioni del pensiero. Dunque c'è spazio per la rivelazione. Ma anche la domanda di senso, la ricerca dei significati, nascono nella riflessione: c'è scontro tra un io che vorrebbe riportare a ragione i fatti e un se stesso che deve riconoscere il condizionamento del suo pensiero, che potrebbe non esserci. Anche la rivelazione biblica si trova di fronte alla richiesta del soggetto logico. Questo è anche nel pensiero barthiano.

e) La strada del Römerbrief. L'analisi di questo conflitto è svolta da Barth nelle due edizioni del *Römerbrief*, e si compendia nella formula dell'*alterità* di Dio, di cui le due opere sviluppano implicazioni diverse. Il Dio «altro» significa comunque la libertà di colui che si rivela rispetto a tutte le condizioni del mondo e della storia, libertà nel rivolgersi agli uomini empirici (finitezza, caduta, ribellione, nel linguaggio teologico); nella gratuità dell'iniziativa (teologicamente salvezza); però è anche la negazione dell'immediato, della società, della cultura, della morale, il «no» divino al mondo, alla storia, all'individuo: Dio appunto come totalmente altro. Da qui la «dialettica» del *Römer-*

brief; cambiamento significa qui rivoluzione integrale, distruzione di tutto ciò che è dato, per ricostruire di nuovo: questa è la forma paradossale del vangelo.

Nella prima edizione dell'opera, questo paradosso consiste nel presentarsi di una rivelazione di un essere che di per sé non ne sarebbe capace, un «impossibile reale», un esser posto oltre se stesso. Nella seconda edizione, questa impossibilità è inserita in un rapporto dialettico. Mentre nella prima domina la gioiosa scoperta di questo aprirsi del mondo ad una realtà che lo libera, nella seconda si accentua il problema delle conseguenze etiche e politiche. Barth insiste ancora sulla totale profanità dell'esperienza e della prassi, che possono essere investite dall'alto da una «giustificazione» e da una grazia, ma non goderne gli effetti nel mondo, però parla dell'«origine» e dell'«idea platonica» per chiarire la sua posizione: la differenza tra una pura adesione al mondo e la «fede impossibile» è la negazione, la «crisi» che sta sullo sfondo di ogni dato positivo e lo relativizza. Qui è il problema di questa dialettica: «altro» è Dio se definito in rapporto a chi riconosce la differenza, Dio in un certo qual modo ne dipende. Se gli uomini sono esseri finiti, Dio è colui che li mette in crisi; se il loro mondo è destinato a dissolversi, Dio è colui che lo salva; quando sappiamo di essere colpevoli davanti a Dio, siamo in realtà salvati; il mondo si salva perché, nella condanna, Dio dimostra di interessarsene, non lo lascia a se stesso, ma trascendendolo lo rapporta a sé. Dio è «altro» perché il mondo è negatore di Dio, nel suo «no» al mondo c'è la salvezza. Dio come altro è quindi modellato dalle condizioni del mondo, si adegua dialetticamente ad esso. La polemica lo pone sullo stesso piano dell'avversario. Dunque non sarebbe corretto pensare all'uomo e al mondo come esseri empirici, mentre si dovrebbe sempre tener conto di questa «origine», di questo profondo legame dialettico che ne muta la sostanza.

Questo risulta dalla forma del discorso barthiano nella seconda edizione del *Römerbrief*, ma non ne rispecchia certo l'intento principale. L'autore vuole infatti trasmettere la sua scoperta: tutte le voci della cultura e della critica, della razionalità e delle risorse emotive, dell'impegno politico e dell'ascesi morale, non riescono a soffocare il fatto primario, diretto, irresistibile della fede. Fatto da sempre e universalmente noto nel mondo cristiano, ma difficile da riconoscere e da dichiarare nei contesti delle diverse culture. Barth vuol dire, da teologo, che cosa sia la fede cristiana nella realtà concreta, nel suo mondo. Ferma restando la base del metodo (non possiamo pensare oltre le condizioni del nostro essere), ripercorre più e più volte il cammino.

f) Dopo il Römerbrief. Qui si apre il campo più diretto della nostra ricerca: il problema di una parola che nella sua realtà umana riesca a mantenersi fedele alla rivelazione divina; Barth lo espone nelle formule della dogmatica. Qualunque sia la forma, il problema nella sostanza non muta: dire la realtà dell'annuncio evangelico, il suo carattere di dono gratuito, inatteso, senza rispondere con la fuga o il rifiuto alle domande della ragione, ai problemi della vita e della storia. Dopo il no dialettico Barth torna a chiedersi se la diversità di

Dio dal mondo non abbia un senso più ampio e delle condizioni meno contradditorie, se la sua libertà sovrana non vada colta in espressioni creative, se il pensiero dell'origine non implichi l'attualità concreta di questo principio nel mondo. Ciò che è realmente diverso e autonomo, non ha bisogno di difendere la propria identità per contrasto, non si pone come antitesi all'essere empirico, non segue una necessità logica, ma si presenta come uguale, come liberamente vicino, non in rilievo, ma immerso nel mondo dei fatti, pur non essendone alcuno; non usa mezzi empirici, contrassegni per farsi riconoscere; totalmente profano, uguale a tutto il resto, non ha un suo privilegio, eppure non sparisce e non si confonde. Un essere di Dio con noi, senza che ciò voglia dire una totale assimilazione: Barth dogmatico cerca di articolare questo pensiero, accentuandone vari aspetti, certo in modo più libero e problematico che non nel rigore «dialettico» del *Römerbrief*; per questo si prescrive di «lasciare che Dio sia Dio».

Il problema è quello di «pensare» la differenza: ora la rivelazione pensata ci porta all'alterità, al necessario contrapporsi di Dio agli uomini, dell'assoluto al relativo; la rivelazione in atto, che avviene, è l'essere di Dio nel finito, l'esserci di un soggetto non riducibile all'uomo, che per mostrarsi nel suo carattere singolare non ha bisogno di rifiutare la somiglianza e la partecipazione al mondo. In questo caso non c'è una forma a priori del rapporto uomo-Dio, un pensiero della differenza, ma piuttosto un riconoscere che Dio si rivolge a noi, indipendentemente dal nostro «possibile» o «impossibile». Questo spiega la critica che Barth rivolge al procedere della *Christliche Dogmatik*, come ancora legato alla filosofia. Indubbiamente il passaggio è nel senso di una conquista della coerenza: non posso ignorare ciò che via via si manifesta nell'esperienza, qualunque sia il suo carattere; da qui lo spazio della rivelazione. Barth però non dà sufficiente rilievo anche alla domanda razionale nei confronti di ogni dato. Non possiamo insediarci del tutto nel positivo della «sovranità di Dio», cioè escludere ogni prospettiva esterna al discorso teologico, dal momento che il suo accadere, l'essere fuori da ogni necessità logica, include il messaggio evangelico nell'ambito del finito e non lo sottrae al rischio della contingenza e della storia. In questo caso, il riconoscimento «Gesù è il Signore», o l'interesse sollevato dalla predicazione evangelica, non hanno condizioni diverse o privilegiate rispetto ad ogni altro complesso di dati empirici. Proprio il pensiero coerente della «libertà di Dio» chiede la rinuncia ad ogni pretesa assoluta; «lasciare che Dio sia Dio» implica perciò che l'interesse per il messaggio evangelico si affianchi ad altri dati di esperienza, sollevi la domanda della ragione, sia oggetto di contestazione, di indagine, di dubbio. Ciò non toglie che esso, al di là del dubbio e della critica razionale, eserciti ugualmente un'attrattiva e risvegli l'interesse e l'ascolto. La situazione di pura sovranità divina è questa: l'assenza totale di necessità e di costrizione, non quella dell'esclusivismo geloso o della pretesa totalitaria.

g) Prospettive. In Barth la sovranità di Dio o l'oggettività della fede è un dato che ci sopravviene, un evento che non dipende dal nostro arbitrio. Dio è in questa continua verifica, nel riproporsi dell'attesa. Ma parlare di attualità della rivelazione nella parola di Dio annunciata significa anche riconoscere l'empiricità in cui la rivelazione avviene: non posso perciò riportare l'appello che percepisco nel vangelo immediatamente a un soggetto teologico, ad una realtà assoluta. Barth compie invece questo passaggio, ma la domanda critica risorge, e non possiamo ignorarla. La rivelazione «pensata» si esprime nell'alterità di Dio, mentre la rivelazione in atto è l'essere di Dio nel finito. Nel mondo dell'esperienza ci sono degli elementi che noi interpretiamo in chiave teologica, non per indicare un arbitrio totale di Dio sul mondo, ma per raccogliere un segnale da alcuni fatti della storia, per indicare in essi una qualità singolare. Il passaggio dal pensiero della rivelazione alla rivelazione-evento, che non esclude la domanda critica, è il senso di tutta la teologia barthiana, e riguarda sia gli aspetti più coerenti sia i limiti di questa.

II. «Fides quaerens intellectum»[1]

a) Il problema. Nella «prova ontologica» di S. Anselmo Barth vede un modello di pensiero teologico, e giustamente lo studio che egli dedica all'autore medievale è stato visto come un «discorso sul metodo». La domanda che Barth si pone nei commenti alla *Lettera ai Romani* è diversa da quella della *Dogmatica*; al centro c'è proprio lo scritto su S. Anselmo. Ferma restando l'intuizione di fondo, la fede come fatto oggettivo, Barth nel *Römerbrief* si chiede: se «Gesù è vincitore» (è la formula blumhardtiana usata per indicare l'oggettività della rivelazione), come e dove si manifesta questa vittoria? La risposta nella prima edizione suona: nella forza di trasformazione rivoluzionaria della storia, che non solo progredisce, ma è salvata; nella seconda edizione indica la crisi, in cui questo intervento di salvezza getta il mondo: il mondo non è quello che è empiricamente, ma ha un'origine che lo nega in quanto decaduto, e nel far questo lo salva. Crisi non legata ad una dialettica della storia, ma solo all'ascolto della parola evangelica. Ciò che viene da noi, è invece comunque soggetto alla caduta. Nella *Dogmatica* non ci si chiede più come e dove si manifesti la salvezza, ma in un certo senso il contrario: se la parola di Dio si comunica, se c'è il vangelo (questo è il dato di partenza), in che senso resta una realtà empirica, un mondo fuori del rapporto con Dio? Al di fuori del volere di Dio, in rapporto agli esseri, ai singoli uomini in particolare, non c'è altra base concreta: che spazio ha dunque il non-senso?

Nel *Römerbrief* il «No» di Dio si applica a qualcosa che, pur non essendo reale, è tenace, ostacola l'emergere della verità; per questo l'enunciato teologico assume la forma del paradosso. La forma della *Dogmatica* è invece l'analogia: Dio corrisponde sempre e dovunque pienamente a se stesso, il mondo rientra in questa coerenza. Negli uomini in particolare, non c'è realtà fuori dell'elezione; la ragione stessa rientra nell'ordine dell'analogia. Ma qui bisogna intendersi sul piano dell'attività razionale. Ciò che permette ai singoli uomini di rispondere alla vocazione divina non è un modo dell'essere, ma un *venire* all'essere, un intervento di Dio. Quindi il senso della realtà non è un fondamento dell'essere, del quale ci si appropria: «ricominciare sempre»[2] è la formula che Barth usa per descrivere il movimento: l'oggetto di fronte al quale

---

[1] *Fides quaerens intellectum. Anselms Beweis der Existenz Gottes*, München, Ch. Kaiser Verlag, 1931, tr. it.: *Filosofia e rivelazione*, a cura di V. Vinay, Silva Editore, Milano, 1965. L'opera barthiana è stata edita nella *Gesamtausgabe*, a cura di E. Jüngel e I.U. Dalferth, Theologischer Verlag, Zürich, 1981; in appendice a questa edizione (p. 177-183) sono riportati appunti di Scholz, verosimilmente usati dal filosofo come tracce per interventi nel seminario barthiano sull'opera di Anselmo.

[2] *Introduzione alla teologia evangelica*, Bompiani, Milano, 1968, p. 175 (il corso di lezioni, l'ultimo tenuto da Barth, è del 1961-62).

ci troviamo è in effetti colui che ci si rivolge, niente è acquisito, ma tutto si attua in questa relazione. Questa «analogia fidei» fa i conti a sua volta con il paradosso: anche qui c'è un'inerzia che la parola di Dio deve superare, una resistenza da vincere, è ancora la questione del finito in rapporto a Dio. Da qui l'esigenza del metodo in *Fides quaerens intellectum*.

b) La lettura barthiana della prova ontologica. Il pensiero di Barth nell'opera su Anselmo è molto lineare. Il presupposto del ragionamento anselmiano (qui si prescinde dalla discussione circa la corretta o fraintesa interpretazione del filosofo medievale, per seguire solo l'intento barthiano) è la fede in senso oggettivo, è Dio che irrompe nel mondo. Qui il vangelo non si presenta nella «crisi», ma ha in sé la capacità di autoilluminarsi, di farsi comprendere e accogliere. Il credere è già un essere nell'ordine della realtà di Dio:

> Infatti la fede in Anselmo non significa soltanto un protendersi dell'umana volontà verso Dio, ma un'interpretazione dell'umana volontà in Dio, e quindi anche un partecipare, sia pure creaturalmente limitato, al modo di essere di Dio (p. 22).

Ma Dio nel suo essere è «verità», funzione autoilluminante, e «causa di verità» rispetto a ciò che è fuori di lui, è quindi per essere compreso, è «conoscibile», e riferirsi a lui nella fede vuol dire anche godere in una certa misura di questa trasparenza della verità. L'*intelligere* è dunque un aspetto, una linea stessa del credere.

C'è qui subito un problema, che riguarda la forma del pensiero barthiano. Dio come verità che traspare e si comunica, è anche il Dio creatore e redentore degli uomini, che fa delle creature i destinatari della comunicazione. Egli si manifesta così in rapporto agli uomini, e la relazione è il termine primitivo, non l'essere in sé. Ma essere in relazione, rivolgersi ad altri, implica un rinunciare all'assoluto, un entrare nel relativo, un fare della verità una serie di parole storiche. Infatti per Barth la parola umana nell'annuncio evangelico, la predicazione, rappresenta legittimamente la parola di Cristo (p. 31): se Dio entra nel mondo della nostra esperienza, come parlarne ancora in termini propri?

Barth espone alcuni criteri dell'*intelligere* (l'intervento razionale umano): 1) «Anselmo ha in certo qual modo sempre già data la soluzione dei problemi... di cui sta cercando la soluzione» (p. 36): si tratta appunto del radicarsi della verità oggettivamente in Dio, e quindi del parteciparne nella fede. 2) Il teologo perciò lavora sulla base del credo, «*humiliter*», meditandone la struttura interna, *ripensando* (p. 38-40) ciò che è già detto e noto, non problematizzando radicalmente. 3) Tranne la parola di Cristo, tutte le nostre parole che lo riproducono sono inadeguate.

> In senso rigoroso soltanto Dio stesso ha un concetto di Dio... Ma tutto ciò che non è Dio, senza Dio sarebbe nulla, per mezzo di Dio è qualche cosa... in tal modo espressioni propriamente adeguate sol-

tanto a oggetti non identici a Dio, possono essere espressioni vere, applicate all'ineffabile Iddio *per aliquam similitudinem aut imaginem* (p. 41-42).

È qui che troviamo uno dei germi del pensiero analogico di K D: Dio è per se stesso comunicante, e ciò significa che si mantiene integra la forma della divinità assoluta anche nelle mediazioni; allora è data la corrispondenza del mondo a Dio, o meglio di Dio a se stesso nel mondo. Il che implica un diretto incidere della parola sulla volontà umana, nel produrre ubbidienza. 4) L'*intelligere* non è qualitativamente diverso dalla preghiera. Quest'ultima nasce dalla grazia divina, «dal fatto che Dio stesso è presente come oggetto di questo pensare, che Dio "mostra" se stesso a chi pensa e in tal modo qualifica un "retto" pensare come un *intelligere esse in re*» (p. 56-57). Riassumendo: in Anselmo la ragione non è una serie di nostre domande, sforzi per comprendere il senso della realtà, ma è la capacità comunicativa di Dio, radicata nel suo essere (p. 73). I limiti della nostra comprensione non ne intaccano il fondamento oggettivo, il che si può pensare che valga per le forme stesse della logica, attraverso cui i nostri significati si esprimono:

> La verità non è vincolata alla *ratio*, ma questa alla verità (p. 66)... La facoltà intellettiva del teologo non ha mai la funzione di stabilire il punto fermo o i punti fermi, sulla cui base debba svolgersi l'argomentazione. Egli ha da un lato da scegliere i punti convenienti fra i diversi punti fissati da altra istanza e dall'altro lato ha da formulare secondo le regole della logica fondata sul principio di non contraddizione (nei limiti delle sue possibilità!) le definizioni, le conclusioni, le distinzioni e le connessioni (p. 80).

Una descrizione del processo logico formale, interno all'*intellectus fidei*, che indubbiamente non conosce una «crisi dei fondamenti»! Ne riparleremo a proposito del commento di Scholz alla posizione barthiana.

Un aspetto di questo «metodo» crea un problema che Barth non manca di rilevare, in quanto capace di mettere in crisi tutto l'indirizzo «analogico»: consiste nel nesso logica-predestinazione, o nel problema dell'incredulo. Se il presupposto della verità è la parola di Dio, presente nelle parole, non c'è una lingua comune tra il credente e l'incredulo, e Anselmo non tenta nemmeno di stabilire un'intesa. Qui Barth, evidentemente guidato da una sua idea di elezione, sottolinea il «fatto del tutto straordinario che Anselmo non calcola che esista questa possibilità» (p. 95), e suggerisce che forse «il dubbio, il no e lo scherno dell'incredulo, non vadano presi tanto sul serio quanto questi vorrebbe... considerando il potere oggettivo della *ratio* dell'oggetto della fede, illuminata dall'alto dalla *summa veritas* e a sua volta illuminante» (p. 102-103): come dire che il rapporto fondamentale dell'essere stesso creato e salvato con il Dio creatore e salvatore è talmente costitutivo, da non lasciare alcuno spazio al rifiuto e alla negazione. Eppure ciò avviene, e questo è un punto vitale del pensiero barthiano.

Chiariti i presupposti, si passa a leggere la cosiddetta prova anselmiana. Essa comincia con la *rivelazione* del «nome divino» come «*aliquid, quo nihil maius cogitari potest*»: esso indica «una superiore maniera di essere» (p. 109), una differenza qualitativa nell'uso del concetto di «essere», percepita in forma di «divieto» di equipararlo ad altri (p. 110), una «proposizione di fede» in cui Dio si nomina non «come un qualsiasi essere si forma un'idea di un qualsiasi altro essere, ma come una creatura che sta dinanzi al suo Creatore... in virtù della rivelazione di Dio» (p. 112-113), da cui poi discende l'intelligibilità (p. 114). Questo «nome rivelato» è dunque una «regola del pensiero riguardo a Dio» (p. 127). E qui il problema si fa più diretto: se infatti l'essere di Dio si rivela come diverso da ogni altro, si potrebbe pensare che il concetto di essere di cui disponiamo non abbia niente a che fare con l'essere di Dio, e che il divieto vada inteso come divieto di applicare al creatore le stesse leggi dell'essere logico ed empirico. Il non-essere della nostra logica potrebbe adattarglisi ugualmente; se per noi essere equivale ad autoaffermazione, evidenza, potere, un «essere» di Dio potrebbe darsi senza obbligo di rispondere a questi canoni. Che ci sia una rivelazione di Dio nel mondo, non equivale di necessità ad un uso dei mezzi espressivi del mondo secondo le loro leggi e la loro logica, anzi, secondo il «divieto» anselmiano, dovrebbe trattarsi di un'altra logica, non rivolta alla totalità e al dominio. Ma la conseguenza non è tratta in questo senso, anzi sembra intendersi che il Dio che si rivela assuma la legge del *logos* greco. Dove è la coerenza del ragionamento barthiano?

Dio si rivela, cioè si rende comprensibile, si comunica, parla, è dunque nel linguaggio ed è linguaggio; la logica, che è anche la nostra, ha in lui la sua vera radice («se Dio potesse e dovesse essere pensato... null'altro potrebbe esser pensato di più grande di Dio», p. 130). Ma che ne è allora dell'«unicità» dell'essere di Dio? Sia pur derivato e subordinato a lui, l'essere della creatura ne discende:

> Dio esiste... in quel modo unico che conviene a colui che solo esiste in senso vero e proprio. Ciò ch'è fuori di lui, ha la propria esistenza mediante la sua grazia,... riceve l'esistenza mediante la parola di Dio (p. 144-145).

La contraddizione sembra dovuta all'equivoco di identificare la parola di Dio con l'espressione logica; si ragiona come se ci fosse un solo modo possibile di comunicare, un solo modo in cui la parola di Dio si renda accessibile (il modo della proposizione predicativa, descritta nell'*Organon* aristotelico, si direbbe in logica), cui corrisponde l'idea del *logos* come manifestazione dell'essere. Se il linguaggio significante avesse un'unica legge, il discorso barthiano sulla parola di Dio sarebbe coerente. Ma la comunicazione linguistica assume forme diverse, non riducibili a un denominatore comune. Il «divieto» anselmiano non è solo la traccia di una diversa «forza» dell'essere (il creatore dà l'essere alle creature), ma di una non riferibilità dei due concetti di essere, di una frattura tra di loro. Che Dio si manifesti nel linguaggio umano è un fatto del tutto incoordinabile, è una sospensione della logica, anziché una fondazione teologica del discorso: si tratta di una parte del mondo che non è del mondo! È una parte del mondo, un segno che non ha pretesa esclusiva, imperativa, una forma finita di comunicazione, che però sollecita la nostra domanda e indagine. Il paradosso sorge da un dato di fatto, che pretende di essere più di quanto non risulti dalla sua semplice esistenza. Non è questo però l'intento barthiano nel comprendere il «nome rivelato»: Dio è pensabile come l'essere, che si comunica nella parola alle creature, e *dunque* è in tal modo conoscibile: dobbiamo perciò ammettere che, nel rivelarsi, Dio modelli secondo la propria logica gli stessi contenuti della conoscenza umana, riconducendone la molteplicità ad un fondamento. Una concezione dell'atto creativo come atto di dominio, di totalizzazione (l'Uno parmenideo!) rispetto agli esseri creati.

La prova si basa dunque sull'enunciato del «nome divino» e sul «divieto» di equipararlo al mondo: se è Dio che detta le norme della logica, egli non può essere semplicemente dentro la logica umana, ma esiste oggettivamente (p. 190). Dio non può esser limitato al concetto, poiché è la rivelazione di Dio che se ne serve:

> Il presupposto di Anselmo è certamente una parola, però non una semplice parola, ... ma una parola di Dio in connessione con la sua rivelazione, di cui fa parte anche la rivelazione della sua esistenza. Egli esprime il nome di Dio, non già per dedurre da esso la sua esistenza, ... ma per intendere l'impossibilità della sua non esistenza (col presupposto della sua singolare rivelata esistenza come Creatore...); questo nome dà la possibilità di conoscere col pensiero la creduta esistenza di Dio (p. 195)... *Intelligere* significa intendere la razionalità noetica delle proposizioni rivelate, fondandosi sul fatto che le proposizioni rivelate possiedono ontica razionalità e necessità prima di ogni *intelligere* (p. 214).

È la realtà comunicativa di Dio, il potere di Dio sulla logica, a consentire la nostra comprensione razionale; ciò che l'oppositore di Anselmo dimentica, è che la teologia, il pensiero, è «presa di coscienza e riconoscimento della comunicazione che il Signore fa di se stesso (p. 225)... Insieme all'esistenza (la creatura) riceve dal Creatore anche il pensiero relativo all'esistenza, ai valori dell'esistenza e all'ordine che regge l'esistenza... Se la creatura non ode questo nome di Dio e questo divieto espresso dal nome, ciò non può significare altro che questo, che essa non ha compreso il Creatore come tale e neppure se stessa come creatura. Nella fede ha inteso lui e se stessa in questa relazione» (p. 227).

È chiaro dunque che nel discorso anselmiano Barth mette in gioco tutto il discorso teologico: se Dio si rivela agli uomini, i mezzi che usa per rendersi manifesto sono prima di tutto suoi, non c'è subordinazione della rivelazione alle loro leggi, ma al contrario la loro assunzione alle leggi divine, anzi un loro essere primitivo e originario in Dio. La parola di cui Dio fa uso per farsi comprendere, è in primo luogo parola di Dio, e poi anche parola storica, umana.

In questo è appunto l'analogia, l'uso primario dell'«essere» riferito a Dio, che consente di stabilire la (relativa) differenza dell'essere tra creatore e creatura: quest'ultima non viene annientata dal paragone, ma appunto stabilita nella sua differenza, grazie a quel termine primo, da lui voluta come corrispondente. Mentre l'anomalia, l'uso esclusivo dell'«essere» in rapporto a Dio, la sua incomprensibilità per noi, avrebbe cancellato ogni possibilità di stabilire un raffronto e una differenza: la «creatura» sarebbe diventata un frammento, privo di senso, non collegabile ad altro, se non empiricamente; anche la logica del discorso umano non avrebbe avuto sviluppo nella rivelazione. Eppure, la descrizione anomala, che non riporta il concetto alla realtà del «nome divino», sembra qualcosa di sostenibile, di non aberrante: l'impossibilità di trascendere l'empirico, il frammento, farebbe senz'altro cadere ogni senso della realtà, ogni norma etica? Anche la figura dell'incredulo nell'esposizione anselmiana pone problemi di questo genere: se Dio è per sé comunicante, che cosa ne impedisce in alcuni la concreta percezione? Perché essi si pongono sul piano dell'astratto, anziché della concreta manifestazione che Dio fa di se stesso? Tutto il nodo del problema risiede nell'«ascolto» (p. 156): ciò che noi percepiamo nell'ordine del finito (incoordinabile, anomalo), può forse rimandare a qualcosa, stabilire una correlazione (analogia) oltre l'empirico? Considerazioni del genere hanno per ora la funzione di problematizzare i punti barthiani acquisiti.

c) La discussione con Scholz. Nel pensiero barthiano fino all'opera su Anselmo (lui stesso la usa come spartiacque cronologico), sussistono elementi antropologici, cioè la rivelazione di Dio vien messa in rapporto con un linguaggio umano che ha una sua forma e vita autonoma, limiti e condizioni che segnano anche l'impossibilità umana di percepire la rivelazione, se non come smentita della propria autosufficienza. Barth dice che, a cominciare dall'opera su Anselmo, la componente antropologica del suo pensiero gli risulta mal posta e da eliminare: al principio di tutto è Dio e la sua parola che dà origine all'essere, che rende possibile il soggetto razionale umano come risposta a questa sua comunicazione; nella storia questa risuona attraverso la scrittura biblica e la predicazione. Non è il limite umano che deve essere spezzato perché la rivelazione sia colta, ma viceversa si ha il vero essere umano nel momento in cui la parola divina è compresa; Dio stesso si dà un ascoltatore nell'uomo, la rivelazione non ha un destinatario fuori di sé, ma colui che ascolta è posto e fatto essere dentro questo rapporto. Il problema è dunque tutto dalla parte dell'atto rivelativo, della parola di Dio, o di Dio stesso in quanto parola.

Heinrich Scholz, già collega e amico di Barth [3], è lo studioso di logica for-

---

[3] Notizie su questo incontro nella biografia di E. BUSCH, *Karl Barth. Biografia*, Queriniana, Brescia, 1977, p. 175, 181 ss.; H. SCHOLZ, *Warum ich mich zu Karl Barth bekenne*, in *Antwort. Karl Barth zum siebzigsten Geburtstag*, Evangelischer Verlag, Zürich, 1956, p. 865-869. Di Scholz abbiamo anche l'articolo *Wie ist eine evangelische Theologie als Wissenschaft möglich?*, del 1931, che riproduce una conferenza tenuta a Bonn, davanti a Barth e ai suoi studenti, ristampata in *Theologie als Wissenschaft*, a cura di G. SAUTER, Ch. Kaiser, München, 1971, p. 221-264, e un

male che critica il procedimento anselmiano. Mentre Barth (estate 1930) sta già studiando il teologo medievale, il collega partecipa al suo seminario e tiene una conferenza sull'argomento anselmiano nel *Proslogion*. Altri interventi riguardano poi la «scientificità» della teologia, in un seminario barthiano della fine dello stesso anno. Già nella *Dogmatica* del '27 [4], Barth espone l'argomento anselmiano per cui «Dio si può comprendere solo sulla base della fede» (p. 131), gli uomini non lo conoscono, se egli non si mostra (p. 132). Dio è una realtà «non presente», se non «nell'azione di Dio», per la quale si deve pregare (p. 134), e solo così il credere non è un aspetto della nostra coscienza, ma ha un contenuto oggettivo (p. 135). Nessuno può disporre della realtà di Dio, quindi anche la conoscenza che possiamo averne non va intesa come il «farne contenuto della mia coscienza» (p. 136): se è vero che «la mia coscienza può esser chiamata in causa, benedetta, fatta oggetto di grazia da quella realtà... non c'è il viceversa, la conseguenza che io possa esaminare nella mia coscienza "il suo possesso di Dio o dello Spirito divino", in una parola non c'è un cammino dal basso verso l'alto, dall'uomo a Dio» (p. 136). Pensare significa «ripensare», lo spirito umano può solo «ubbidire e abbandonarsi allo Spirito divino, che si mostra come soggetto» (p. 136). Questo doveva essere, già prima di *Fides quaerens intellectum*, il contenuto del seminario barthiano, che Scholz ascolta con perplessità di logico.

In sintesi, i riferimenti generali della discussione: 1) Astrarre, dice Barth, equivale a considerarsi liberi e dominatori nei confronti della realtà di cui si tratta; nel caso della rivelazione, equivale al voler fare a meno, all'appropriarsi di Dio stesso: dunque non può esserci astrazione, riflessione critica in campo teologico. 2) Quindi pensare Dio equivale a rimanere dentro la situazione in cui egli si rivela, non usare concetti, ma lasciare che la sua parola risuoni; non c'è un vero problema del linguaggio teologico. 3) Se Dio si rivela, è la sua realtà che occupa il campo, non c'è un punto d'incontro tra due realtà, uomo e Dio; ma ciò non presuppone, in luogo di Dio, un concetto di totalità e di dominio? Intorno a questi problemi ruotano le analisi di Scholz sulla forma logica della prova anselmiana.

ulteriore intervento, in risposta alle domande barthiane, del 1936, *Was ist unter einer theologischen Aussage zu verstehen?*, in *op. cit.*, p. 265-278. Di Scholz abbiamo inoltre lo studio *Der anselmische Gottesbeweis (1950/51)*, in H. SCHOLZ, *Mathesis universalis. Abhandlungen zur Philosophie als strenge Wissenschaft*, B. Schwabe, Basel, 1961, p. 62-75. Al periodo iniziale dell'attività del filosofo, ancora dedito alla filosofia della religione, appartiene un'edizione di F. SCHLEIERMACHER, *Kurze Darstellung des Theologiestudiums*, Leipzig, 1910, con introduzione e prefazione curate da Scholz (ristampa a Darmstadt, Wissenschaftliche Buchgesellschaft, 1977); inoltre H. SCHOLZ, *Religionsphilosophie*, Reuter-Reichard, Berlin, 1921. Sulla discussione Barth-Scholz e sulle sue implicazioni, cfr. l'introduzione di G. SAUTER, *op. cit.*; inoltre i riferimenti in W. PANNENBERG, *Epistemologia e teologia*, Queriniana, Brescia, 1973, p. 252 ss.; E. SCHMALENBERG, *Zum Verhältnis von Theologie und Wissenschaft*, «Kerygma und Dogma» 24, 1978, p. 194-203; H.G. ULRICH, *Was ist theologische Wahrheitsfindung?*, «Evangelische Theologie» 43, 1983, p. 350-370.

[4] *Die christliche Dogmatik im Entwurf. I. Die Lehre vom Worte Gottes. Prolegomena zur christlichen Dogmatik 1927*, hrg. von G. SAUTER, Theologischer Verlag, Zürich, 1982.

Egli osserva anzitutto che i presupposti per la «confutazione anselmiana dello stolto» sono tre, non solo la presupposta designazione di Dio come «*id quo maius cogitari non potest*» (I), ma anche gli assiomi: «si deve pensare una cosa, per poterne negare l'esistenza» (II), e: «l'esistenza è una proprietà che accresce il valore di un essere già del più alto valore» (III). Per quanto riguarda la designazione divina (I), si osserva che non c'è distinzione tra l'essere «del quale non posso pensare niente di più grande» e l'essere «il più grande», come non ce n'è tra «il più piccolo dei numeri naturali che può essere pensato» e «il più piccolo dei numeri naturali»: quando penso «l'essere più grande», posso pensarlo anche come esistente, senza per questo uscire dall'ordine logico ed entrare in quello reale; all'assioma (II) si osserva che per pensare una proprietà non occorre pensare un essere a cui farla inerire, così come l'espressione «non c'è un massimo numero naturale» richiede il pensiero della qualità «essere il numero naturale massimo», non dell'esistenza di un essere che la realizza; all'assioma (III) si osserva che presuppone dimostrato il fatto che l'«*ens*» a cui si applica sia l'unico la cui inesistenza implichi contraddizione (altrimenti avrebbe ragione l'oppositore Gaunilone: non basta pensare le «isole felici» perché esse esistano): cosa scontata per Anselmo, nella sua mentalità medievale, osserva Scholz, il non ammettere una creatura in grado di giudicare il creatore, di mettersi al di sopra del creatore. L'errore logico di tutta la prova sarebbe dunque nella continua confusione di livelli tra l'esistenza e le proprietà: queste ultime servono a definire oggetti possibili, non consentono mai di passare alla realtà.

Ma qual'è il senso teologico dell'analisi di Scholz e della sua discussione con Barth? Se Anselmo ha voluto dimostrare nel senso proprio del termine, allora il suo tentativo è fallito, ma ha veramente voluto far questo? Barth lo nega, riconosce Scholz, e in questo caso anche l'obiezione cade: c'è un rispetto reciproco del campo logico-formale e dell'*intellectus fidei* (teologia), ma niente in comune; la *fides quaerens intellectum* resta come *fides*, anche se intesa in senso non strettamente anselmiano. Scholz dunque contesterebbe alla teologia la pretesa di essere una ragione carica dei contenuti a cui si applica: se è teologia, ha una sua forma di comunicazione, non giudicabile secondo regole formali; se è ragione formale, non ha altre leggi che quelle applicate alla manipolazione dei suoi simboli. La teologia, nella concezione barthiana, dipende dal presupposto oggettivo del credere: è lì che la ragione si trova sollecitata e autorizzata a riflettere, ma non sul piano dell'astrazione logica. La teologia, dice infatti Barth, si fonda sull'«ubbidienza», il suo valore è dato dalla conformità al proprio oggetto: se c'è il teologo, questi è mosso dalla parola di Dio, alla ricerca della sua giusta corrispondenza nel linguaggio umano[5]. E tuttavia, osserva Scholz[6], c'è un sapere della scienza su se stessa, una rifles-

[5] Cfr. ad es. *KD* I/1, p. 6 ss.
[6] Cfr. gli scritti *cit.* del '31 e del '36.

40

sione sul senso della verità dei suoi enunciati, che non può trascurarsi. La «corrispondenza» indicata da Barth come criterio di scientificità è completamente superata dal problema preliminare dell'«oggetto» scientifico: che cosa significa infatti una legge, un enunciato di validità universale nell'ambito di un settore del sapere? C'è un fondamentale aspetto logico-linguistico dell'espressione scientifica, rispetto a cui si pone il problema del rapporto con i dati, il problema della controllabilità. Abbiamo quindi un ambito formale, quello del linguaggio, e un rapporto linguaggio-dato reale, che non vanno confusi, la cui mediazione inoltre è il problema più difficile, vitale, della scienza. Se facciamo uso del linguaggio e avanziamo pretese scientifiche, dobbiamo sapere le due cose: da un lato il linguaggio è uno strumento formale, manipolabile secondo leggi di calcolo: dall'altro gli enunciati conoscitivi applicano il linguaggio a dati, con mediazioni che rendono problematica la stessa nozione di verità scientifica (siamo negli anni Trenta!), in cui in ogni caso essa dipende da operazioni di controllo, che riguardano la «costruzione» dell'oggetto di conoscenza. È chiaro per Scholz che la teologia procede su un piano diverso da quello della logica e della scienza; egli non contesta questo fatto, bensì la pretesa di confondere il piano teologico con quello scientifico. Accanto al discorso formalizzato o scientifico esistono altri modi per arrivare alla verità, ma se si ricorre alla logica, allora le sue condizioni sono quelle generali, non determinate dai suoi oggetti, non c'è una «logica cristiana». Ma non è un impoverimento della verità ammettere che possano esserci cose «delle quali non è consentito parlare... C'è un tacere, nel quale si riconosce l'uomo che ha potuto dire abbastanza, per sapere che cosa *non* si lascia dire»[7]. Cade dunque secondo Scholz la pretesa barthiana di dare alla teologia la portata di una scienza, ma non il senso teologico della sua ricerca.

Ad esso si tratta ancora di tornare. Scholz ha il merito di mettere in luce un aspetto centrale della teologia barthiana. Colui che crede ha un comportamento linguistico, per cui enuncia in proposizioni i contenuti del vangelo cristiano, deve dunque sapere (ognuno è embrionalmente teologo) che riferimento essi abbiano alla realtà, in che senso siano veri. Barth risponde: il comportamento linguistico del cristiano è motivato da un comando, dal comunicarsi di Dio nel linguaggio. Ma questo comunicarsi inizia con un divieto: non confondere il linguaggio umano (l'«essere») con la comunicazione divina. Allora l'espressione umana richiederà questa oggettiva azione rivelatrice, fuori dell'ambito logico. Scholz e Barth sono d'accordo nel non caricare di pretese extramondane il linguaggio; a questo punto Scholz si limita al livello empirico, mentre Barth ritiene che il teologo debba «ubbidire ad un ordine» che costituisce l'oggettività della fede. Fin qui Scholz non avrebbe nulla da contestare. A questo punto però le due strade divergono: Barth infatti non rimane alla constatazione di base. Se c'è un imperativo inerente all'annuncio evangelico, c'è un sovrano e un suddito, c'è un'inclusione totale del suddito nella volontà

[7] Cfr. quanto dice lo stesso Scholz nello scritto in *Antwort, cit.*

del sovrano; non la possibilità di accedervi autonomamente, ma la rivelazione dall'alto. Dunque nel discorso teologico non c'è astrazione dall'oggetto, formulazione critica del problema, relatività empirica della verità. Ma è corretta questa conseguenza? È vero che astrarre equivale a prescindere dalla fede, da cui l'impossibilità di un pensiero critico del credente? È vero, se il dato di partenza, il comando e l'annuncio evangelico, viene inteso come espressione di un «potere assoluto». In tal caso, tutto ciò che lo limita, lo nega. Ma è questa la vera intenzione teologica barthiana? Tutto dipende dal modo d'intendere l'oggettività del credo. La logica di Gaunilone, valorizzata da Scholz, il persistere dell'esigenza critica anche nella fede, non è del tutto estranea allo stesso discorso barthiano. La rivelazione di Dio nella storia non va intesa infatti come un assorbimento della storia nella rivelazione; c'è un persistere della realtà finita, del problema critico, e Barth è un po' anche Gaunilone, e non può cedere ad una sintesi troppo unilaterale.

d) L'oggettività del credo. In Scholz c'è fin dal momento in cui, non ancora logico-matematico, si occupa di filosofia della religione, un forte interesse a distinguere fra il piano del linguaggio e quello della realtà, e ai problemi che vi sono connessi [8]. Il «concetto di Dio» non ha secondo lui carattere «razionale», ma «contingente» (si applica e trae senso dalla realtà, non fa parte di un sistema di concetti scientifici); se non c'è un contenuto primario, ricavato dalla realtà, non ha senso qualsiasi sistemazione deduttiva. E d'altra parte nella realtà resta sempre un residuo impensabile («*Deus absconditus*»), da cui il carattere «irrazionale» dell'esperienza religiosa. Ma questa preponderanza della realtà sul pensiero è proprio la forza dell'affermazione religiosa, la base dell'oggettività del divino. Barth a sua volta, nel dare espressione teologica all'oggettività della fede, scopre che la «crisi», Dio come negazione delle pretese umane, può esserne invece un'ulteriore espressione, un atteggiamento speculativo, che detta le condizioni alle quali Dio può presentarsi agli uomini. Al che il teologo reagisce con un chiarimento: la crisi è provocata dalla parola di Dio, dal dominio di Dio sul mondo. Questo non lascia al di fuori di sé un polo autonomo, ma il dato che sussiste è uno solo, il «nome rivelato di Dio», da cui il rifiuto barthiano di separare il pensiero di Dio dalla realtà di Dio, il riportare ogni pensiero di Dio all'azione diretta della rivelazione. Si evita con questo il pericolo di una teologia «naturale», subordinata a qualche aspetto o pretesa del mondo, ma resta il problema del rapporto fra la rivelazione e il mondo empirico.

L'«essere» non precede Dio nel suo rivelarsi, dunque la comprensione del vangelo, l'illuminarsi della lettera, non risulta dalla manipolazione conoscitiva del testo, ma accade, è un inizio. Come qualcosa che accade, la rivelazione è qualcosa da constatare, in rapporto alla predicazione evangelica, ha una sua presenza empirica, non generalizzabile. Essa è quindi all'interno dell'esperien-

---

[8] Cfr. l'introduzione alla *Kurze Darstellung* di SCHLEIERMACHER, *cit.*

za, e quindi non abolisce l'uso comune del linguaggio, il discorso umano. Ma allora non è abolita l'attività critica, la possibilità di formulare concetti. Il divieto contenuto nella rivelazione del nome divino potrebbe essere inteso come richiamo alla totale empiricità, nel senso di incoordinabilità, della rivelazione rispetto ad altri ordini di fatti. Essa accade, se ne può dare annuncio, racconto, ascolto, ma non pretesa di dominio assoluto. Come ogni fatto, è soggetta alla domanda critica, intesa come il riconoscere, non come l'abolire l'indipendenza irriducibile della realtà. La domanda che la ragione suscita non nega il fatto della rivelazione, ma lo sollecita con interesse; è un ripensamento, un ritorno all'ascolto, un riferimento al fatto concreto, ma in questo è anche una prova indiretta che la certezza della rivelazione non si basa su un'evidenza assoluta, che il suo imperativo non ha una forza esclusiva e incontrastata. L'oggettività della fede è allora anche il suo appartenere al mondo empirico, il suo presentarsi accanto ad altre possibilità; il «dominio», la «signoria» non sono dunque concetti rispondenti al rapporto effettivo che Dio stabilisce con il mondo, nel suo rivelarsi, nel suo essere per gli uomini.

e) Logica della scoperta e logica della giustificazione. L'espressione teologica è soprattutto relazionale (la preghiera, dice Barth, è un elemento fondamentale nel trattato anselmiano), non astratta, concettuale: proprio qui sta la differenza tra l'uso comune e l'uso teologico dei concetti; quest'ultimo implica la viva e attiva presenza di ciò che il concetto significa, esso quindi non è uno strumento costruito e manipolabile da noi. Nell'ambito teologico, al posto del linguaggio astratto c'è il segno concreto della presenza, la realtà viva del significato. Che significa allora pensare teologicamente a partire dal credere? Se equivale ad un assorbimento completo in questa relazione, allora il «fuori» della teologia, il linguaggio comune e il mondo, sarebbero il dominio del non-credente, anziché essere un diverso aspetto del sapere.

La logica in Anselmo è caratterizzata in effetti dalla coincidenza tra *ciò che* si dice e il *modo come* lo si dice: tra il linguaggio oggetto e la sua formalizzazione, direbbe il logico, un linguaggio che conterrebbe totalmente in se stesso le formule delle proprie leggi (logicamente impossibile, secondo i teoremi di Gödel), che non richiede e non permette dunque un punto di vista *esterno*. Ma perché allora sussiste un punto di vista esterno? Come polo logico, non ha alcuna funzione, dal momento che tutta la verità irradia dall'essere comunicativo di Dio; come polo reale è nullo, quando si mostra la reale interezza di Dio, il suo «essere» non rapportabile ad altro. La coincidenza, in Dio, di essere e pensiero, l'impossibilità di astrarre da parte del credente che pensa (egli infatti può solo riconoscersi dentro la comunicazione teologica), non permettono di formulare nemmeno il problema, che rimane al livello di turbamento, di oscurità impensata, occasionale. Eppure l'ammissione non è così ovvia nel pensiero barthiano. Il linguaggio della rivelazione porta i suoi contenuti nelle forme espressive comuni, è quindi sottoposto ad un uso paradossale, quando funge da linguaggio della fede. La rivelazione si rende nota senza bisogno di imporre una forma specifica ai mezzi che la trasmettono; la sua presenza avviene senza l'esercizio di un dominio. Accanto al senso comune del linguaggio, c'è il senso della rivelazione, quando essa accade. «Accanto» non va confuso con il compromesso, con l'equiparazione fra Dio ed altri ingredienti della storia. Il rivelarsi di Dio nel linguaggio umano non conta su alcun elemento esteriore, che sarebbe un livellare il vangelo ai criteri e alle categorie di una particolare cultura; è un «non dominio» che non ha niente a che fare con la privazione di valore. C'è solo un fatto iniziale, costitutivo, su cui la teologia torna a riflettere: «che cosa ha da dire la parola di Dio in una situazione determinata?». Questo è il momento dell'ascolto e del mostrarsi del senso, in un ripetersi di situazioni che non sono mai risolutive, che non garantiscono per il futuro. Il carattere concreto, non universale del credere, obbliga alla verifica, essa non fonda un dominio sui fatti, ma una speranza, e non si esprime in enunciati di portata universale, ma in atti di esistenza concreta. Ora tutto questo dice che va distinto il momento della scoperta, dal momento della giustificazione logica, il che non avviene nel trattato anselmiano.

Il fatto della rivelazione, la risposta del credere, non dicono nulla sul tipo di essere con cui ci incontriamo. Il «credere» non è un appropriarsi di significati da parte del soggetto, ma neppure l'irrompere di una luce oggettiva della verità. La domanda razionale sussiste quindi accanto alla certezza della fede. Da parte di Barth, è chiaro il senso storico della posizione: egli vuol opporsi alla prevaricazione del soggetto umano nelle tendenze teologiche degli anni Trenta, che si manifestano in Germania sotto forma di «teologia naturale», o in esperimenti teologico-politici come i «cristiano-tedeschi», o in pericolose fossilizzazioni della teologia del *Römerbrief* in «teologia della crisi»[9]. Barth dice il vero senso della sua teologia, dicendo che la verità di Dio domina, nel rivelarsi; così reagendo però non individua la vera radice dell'errore degli avversari. Essi cercano la legittimazione divina di teorie, o di posizioni di potere, o di fatti empirici o storici (popolo, storia, uomo naturale), cioè pretendono di svincolare da fatti storici ben determinati (quelli delle testimonianze bibliche) la rivelazione cristiana, per applicarla ad altri fatti scelti arbitrariamente, cioè per farne un principio, adattabile a molti casi particolari. Parlare di un principio divino della realtà e negare ogni legge o vincolo, a vantaggio di un arbitrio totale del soggetto, capace di identificarsi con questo principio divino, è la stessa cosa: il nichilismo più cinico può essere un estremo sviluppo di questa pretesa. Barth combatte queste posizioni, ma non sembra altrettanto lucido nell'individuare la radice logica dell'errore, che compie lui stesso nell'antitesi. Il Dio biblico e rivelato domina, dice Barth, identificando a sua volta,

[9] Barth s'impegna in discussioni con alcuni collaboratori alla stessa rivista da lui fondata, «Zwischen den Zeiten», come Gogarten e Brunner, fino allo scioglimento dello stesso gruppo, oltre che, soprattutto dopo l'avvento al potere di Hitler, nella polemica direttamente politica, da cui nasce la serie di scritti «Theologische Existenz heute»; anche sul piano strettamente teologico, circa l'interpretazione fuorviante della teologia del commento alla *Lettera ai Romani*, Barth si esprime ripetutamente, ad es. nella prefazione a *Die christliche Dogmatik*.

in senso opposto, Dio e la realtà, Dio e la storia. L'errore è nel confondere il momento dell'astrazione logica (in cui la ragione *si vede* condizionata, senza perciò *sciogliere* i condizionamenti) con una reale libertà dalle condizioni empiriche. Barth condanna infatti l'astrazione perché vede in essa la radice dell'arbitrio soggettivo; nel fare questo però identifica la rivelazione del nome divino con un'intelligenza razionale della verità teologica, che resterebbe tutta interna all'atto del credere, il che ripropone capovolta l'unificazione arbitraria di realtà e pensiero. È chiaro che solo un evento reale (testimoniato dal racconto evangelico) può aprire il mondo a Dio (scoperta); però questo non avviene come appropriazione divina del mondo o di una sua parte: la rivelazione lascia sussistere la realtà empirica, e si inserisce in questa; dunque rimane anche la nostra maniera di farne parte, di interrogarla e di comprenderla (logica della giustificazione). L'incontro con la testimonianza biblica è un incontro empirico, la rivelazione emerge dalle circostanze storiche, nel finito, non abolisce i tratti del mondo empirico.

f) Sostanza logica e sostanza teologica dell'errore. Gaunilone usa la logica umana per parlare di Dio, Anselmo lo rimprovera di volersi appropriare di Dio, riconducendolo alla misura del concetto. Ma come si è accennato, la condanna può essere ingiusta e la stoltezza del monaco può nascere anche da un vero problema. Potrebbe dire Gaunilone che per quanto sta in lui non c'è altro linguaggio disponibile, se non quello umano; la rivelazione viene da Dio, è un fatto nuovo, ma non ha un suo linguaggio: la ragione critica continua a esercitarsi, la rivelazione per accadere non ha bisogno di porre limiti alle capacità logiche. Trasgredisce lo stolto, che dice «Dio non c'è», pretendendo di decidere sulle realtà secondo suoi criteri, ma trasgredisce anche chi assegna alla rivelazione il volto dell'assoluto, del dominio che annienta ogni differenza. Il problema è quello della stessa ragione, che *viene ad essere*, ma non si autogiustifica, nasce come domanda, ma non ha in se stessa quelle fonti di verità che potrebbero soddisfarla. Essa è una parte del mondo empirico, anziché un principio ordinatore; per questo è sempre rivolta ai dati, non per ridurli a se stessa, ma per interrogarli, per coglierne il senso; il problema non è quello di sottrarre la rivelazione al linguaggio empirico, né di ricondurre la crisi della ragione a una radice teologica, ma quello di riconoscere come è fatta la ragione stessa, la sua effettiva portata. Una volta chiarito che essa non impone suoi criteri assoluti, ma è funzione problematizzante i dati, non ha senso contrapporle un assoluto della rivelazione, la cui presa invece si esercita nella totale mancanza di una distinta forma esteriore.

Nella teologia barthiana è fondamentale l'idea che «Dio viene prima», che cioè la fede sia un credere oggettivo, indipendente per la sua base dal soggetto umano a cui si rivolge [10]. Ora, secondo il modo come questa antecedenza vie-

---

[10] Sul rapporto tra lo studio barthiano di Anselmo e la forma generale della sua teologia nella *Dogmatica*: M. JOSUTTIS, *Die Gegenständlichkeit der Offenbarung. Karl Barths Anselm-Buch und die Denkform seiner Theologie*, Bonvier Verlag, Bonn, 1965; H. BINZ, *Das Skandalon als*

ne intesa, tutto il discorso teologico si configura: il «prae» può venire inteso come anteriorità storica (l'elezione concreta, Israele, il credere delle chiese cristiane in ascolto del vangelo), e in questo senso non si sottrae al rapporto con la storia, oppure come *principio* teologico, di separazione di Dio dal mondo, di suo dominio e controllo del mondo. Nel primo caso indica l'azione di Dio, come la si conosce nella fede, è riferito a ciò che accade, si apre alla verifica e all'aspettativa per il futuro, indica Dio che agisce per rendere liberi gli uomini; nel secondo invece è un'astrazione del pensiero, che non lascia spazio al rischio storico e al finito. I due modelli logici, talvolta intrecciati in *Fides quaerens intellectum* e nel pensiero della *Dogmatica*, sono però ben distinti in alcuni passaggi essenziali del pensiero barthiano: esso diviene trasparente nel rivolgersi al centro dell'agire di Dio, trattato nella dottrina dell'elezione.

Grundlagenproblem der Dogmatik. Eine Auseinandersetzung mit Karl Barth, W. de Gruyter, Berlin, 1969; W. SCHLICHTING, *Biblische Denkform in der Dogmatik. Die Vorbildlichkeit des biblischen Denkens für die Methode der Kirchlichen Dogmatik Karl Barths*, Theologischer Verlag, Zürich, 1971; C.E. VIOLA, *Dalle filosofie ad Anselmo di Canterbury. L'itinerario teologico di Karl Barth*, «Doctor Communis», 24, 1971, n. 2, p. 98-123 (un po' esteriore rispetto allo sviluppo interno della problematica barthiana); H.J. OESTERLE, *Karl Barths These über den Gottesbeweis des Anselms von Canterbury*, «Neue Zeitschrift für syst. Theologie und Religionsphilosophie», 2, 1981, p. 91-107; F. SCHOLZ, *Ontologische Gottesbeweis?*, «Neue Zeitschrift für syst. Theologie und Religionsph.» 25, 1983, p. 155-177; D. RITSCHL, *Zur Logik der Theologie. Kurze Darstellung der Zusammenhänge theologischer Grundlagen*, Chr. Kaiser, München, 1974 (tratta il problema in termini generali, applicabili a diverse teologie).

III. «*Fantasia*» o «*parola di verità*»?

(«*Car Dieu veut dominer sur nous, Jesus Christ luy seul veut avoir toute maistrise*», CALVINO, *Predica su II Tim. 2,14-15, cit.* in K. BARTH, *Die christliche Dogmatik im Entwurf*, a sigla dell'opera).

a) Le ragioni della dogmatica. Lo scorcio di problemi offerto dall'opera su Anselmo si dispiega nella riflessione dogmatica, nascente da un unico centro propulsivo, che qui si cerca ancora di indicare. La domanda che Barth si pone, da cristiano che pensa la sua fede, è la stessa dei padri della chiesa (Agostino) o dei Riformatori (Lutero e Calvino): *dove* troviamo la realtà di Dio, o anche: *che cosa* crediamo, che cosa intendiamo nel dire «Dio» in senso cristiano? Il credere, che pure è secondo Barth un fatto oggettivo, iniziale, ha un contenuto definito, preciso; noi crediamo qualcosa, e qui è il problema del dove e del che, della presa reale della fede su di noi e del suo contenuto in enunciati del nostro linguaggio; il senso di questa domanda è diverso, secondo il modo come si pensa che essa sorga: un conto è se presupponiamo che le esperienze e parole umane siano capaci di portare significati fuori del comune, un altro se le consideriamo delimitate dalla loro empiricità, un altro ancora se le pensiamo come strumenti via via foggiati dall'esigenza a cui si applicano. Lo studio dell'esperienza cristiana in base a criteri di coerenza interna non è dunque un lavoro facoltativo, ma indispensabile, dice Barth ai sorpresi lettori della sua prima dogmatica del 1927, peraltro preceduta da altri studi e corsi universitari nello stesso senso [1], quindi non si può opporre un rifiuto pregiudiziale ad una richiesta che nasce dalla realtà stessa della fede. Barth richiama soprattutto l'influenza dei Riformatori, nei cui testi risulta particolarmente chiara questa ricerca del *luogo* dove c'è il credere e del modo *come* esso si fa linguaggio.

Altra connessione importante è quella tra dogmatica ed etica. Infatti la ricerca del dove e del come Dio si manifesta concretamente porta al vangelo cristiano vivo e attivo; quando Lutero risponde che Dio incontra l'uomo quando egli si riconosce peccatore giustificato, dice appunto che le opere successive vengono da questo diverso essere, ma anche che resta la malvagità del mondo, per cui l'etica non si fonda mai su principi sicuri. Anche in Barth l'etica indica sempre un punto critico. Non per niente lo studio dei Riformatori e la discus-

---

[1] *Die christliche Dogmatik im Entwurf. I. Die Lehre vom Worte Gottes. Prolegomena zur christlichen Dogmatik 1927*; hrg. von G. SAUTER, Theologischer Verlag, Zürich, 1982. Questo è solo il punto d'arrivo di una serie di studi e di scritti, parziali o provvisori, a cui Barth si dedica fin dall'inizio della sua attività di insegnamento universitario. Oltre ai più importanti articoli pubblicati in questo periodo, seconda metà degli anni venti e primi anni trenta, ci sono anche inediti, via via in corso di pubblicazione nella *Gesamtausgabe* barthiana.

sione etica (giustificazione-santificazione) procedono di pari passo con l'approfondimento dogmatico.

b) Il nucleo etico. Tutto questo è chiaro nell'esempio di due testi come *Das Problem der Ethik* (1922) e *Theologische Existenz heute!* (1933)[2]. Nel primo, la crisi morale dell'epoca è considerata come un fatto significativo per i cristiani, non si può continuare «come se niente fosse accaduto» (p. 133); la crisi culturale del dopoguerra è un sintomo di scissione, di insufficienza, di contraddittorietà, che ha radici profonde. La crisi storica non ha fatto che spezzare la vernice di sicurezza della civiltà europea di fine Ottocento, per lasciar emergere una sostanza diversa: quella della crisi morale, dell'incapacità umana a soddisfare le esigenze etiche, manifeste nella domanda: che cosa dobbiamo fare? Essa mette in evidenza la contraddittorietà dell'uomo, condizionato da fattori esterni, elemento del mondo, ma al tempo stesso sollecitato da un imperativo etico a distinguere tra bene e male, tra ciò che è e ciò che deve essere. Contraddittorietà che indica la realtà nuova, entrata in rapporto all'uomo; egli riconosce «quell'occhio che lo scruta da un al di là di tutte le dimensioni mondane, e inoltre... la crisi in cui si trova ad ogni momento tutto il suo agire... In questo problema egli rende attivo il suo rapporto a Dio» (p. 127). Paolo, Lutero, Calvino e Platone sono chiamati da Barth per indicare la strada dell'esperienza etica: essi hanno capito che lì avviene una svolta decisiva, l'incontro con un «estraneo convitato di pietra» (p. 133), che però è Dio nella sua realtà attiva (p. 146). E quindi la scoperta dell'insufficienza morale è anche la scoperta della grazia: «Poiché è Dio a dirci il suo sì, per questo dobbiamo trovarci nel no, in modo così radicale e imprescindibile» (p. 147), e qui, «nella morte e nella fine di tutte le cose, è l'inizio della vita nuova, originaria» (*ibid.*). L'incontro è rappresentato, come si esprime la seconda edizione del *Römerbrief*, dall'intersezione tra l'orizzontale e il verticale, un punto senza dimensione. Non c'è un *essere* dell'uomo salvato, una certezza, tuttavia l'intersezione indica un innesto, un legame stretto fra le due realtà; la giustificazione non indica i problemi risolti, ma esige «ubbidienza, testimonianza» ad un ordine di realtà che non è ancora compiuto. Tutto questo dipende da qualcosa che non è nelle nostre mani: il giudizio etico deve essere pronunciato, Dio deve rivolgersi agli uomini: «Appunto con il problema etico ci imbattiamo nella realtà di Dio, senza potercene sottrarre, e precisamente nel suo giudizio» (p. 153); il pronunciarlo o no dipende dalla libertà divina, che qui Barth determina come «doppia predestinazione».

La crisi della morale è dunque l'evento in cui Barth ritiene qui di indicare il «dove» della rivelazione. Nello scritto del 1933 la posizione è diversa. Nella particolare situazione storica dell'istaurarsi del nazismo, si vuol continuare nel-

---

[2] *Das Problem der Ethik in der Gegenwart*, in K. BARTH, *Das Wort Gottes und die Theologie*, Cfr. Kaiser, München, 1924, p. 125-155; di *Theologische Existenz heute!* c'è la nuova edizione a cura di H. Stoevesandt, Chr. Kaiser, München, 1984.

48

l'esercizio dell'attività teologica «come se niente fosse accaduto». Gli eventi storici a cui si assiste non hanno dunque niente di particolarmente rivelativo; essi non segnano una svolta nella situazione umana. Forse Barth non riconosce la particolare forza distruttiva, la barbarie del nazismo, la negatività sociale e politica del suo instaurarsi? Niente di tutto questo [3]; si tratta di un modo diverso di risolvere il problema del *dove* della rivelazione. Essa non è più colta nella crisi della morale, ma nella comprensione della Bibbia come parola di Dio o, il che è lo stesso, nella percezione di un comando che da questa è rivolto all'uomo. L'insufficienza etica, la peccaminosità umana si scoprono come secondarie, derivate da questo fatto primario, la parola di Dio che viene riconosciuta come assoluta, come norma data al mondo, come atto pieno e concreto di un'autorità che si certifica. Qui il momento dell'efficacia, della santificazione, prevale decisamente sulla giustificazione del peccatore: quando una comunità riconosce nella Scrittura l'imperativo divino e si comporta di conseguenza, lì avviene l'incontro delle due dimensioni, l'inserimento concreto della salvezza nel mondo. Quando l'imperativo divino è percepito, cioè rispettato, lì è riconoscibile la rivelazione; dunque la chiesa, l'essere di questo evento, è il punto decisivo. Da qui il rifiuto di sottoporla ad altre leggi e ad altre esigenze, come quelle della politica e dello stato: se c'è un «popolo», una cultura nazionale, una radice «storico-naturale» della civiltà, la parola di Dio è appunto ciò che non è condizionato da questi o da altri fattori, che emerge per forza propria, imperativo in atto, non semplice scelta umana. La critica teologica alle appropriazioni arbitrarie della divinità da parte di posizioni «eretiche» costituisce il riflesso diretto del comandamento: l'obbedienza all'imperativo in cui Dio si presenta come sovrano e unico. La difesa dell'imperativo divino è anche l'inizio della santificazione: sembra quasi che Barth qui ritenga che l'imperativo divino percepito instauri una realtà direttamente santa, come se i conflitti del mondo fossero del tutto marginali. Questo è ancora il problema del luogo della rivelazione.

c) *L'imperativo divino.* Lo studio di Calvino [4] obbliga Barth a portare l'attenzione non più sulla miseria etica segno del giudizio divino e inizio della salvezza, ma sul carattere di esigenza assoluta che si leva dalla Scrittura, quando essa è intesa come parola di Dio. Una chiesa nasce dalla «costrizione» (p. 19), da una «legge» (p. 20), per cui ci si mette al servizio della parola di Dio, non di qualche sua mediazione umana, e in questo consiste il suo fondamento: «Dio

---

[3] Come documenta lo stesso testo, insieme ad alcuni precedenti, ad es. *Wünschbarkeit und Möglichkeit eines allgemeinen reformierten Glaubensbekenntnisses*, del 1925, in K. BARTH, *Die Theologie und die Kirche*, Cfr. Kaiser, München, 1928, pp. 76-105, qui p. 102, e ad alcuni successivi, ad es. K. BARTH, *Eine Schweizer Stimme*, Evangelischer Verlag, Zürich, 1945, nonché il comportamento personale dell'autore.

[4] Cfr. *Reformierte Lehre*, del 1923, in *Das Wort Gottes*, cit., qui ripreso da «Zwischen den Zeiten» 5, 1923, p. 8-39.

testimonia se stesso nella sacra Scrittura» (p. 22), nel senso che i contenuti di questa serie di scritti sono il luogo in cui Dio si rivela, non nel senso che Dio sia manifestato dai contenuti stessi della scrittura umana. Si tratta di una concretezza che ha a che fare con l'«assoluto» (p. 23): di fronte all'esserci, all'autoevidenza della rivelazione, l'unico comportamento umano possibile è quello dell'ascolto e dell'obbedienza. Il luogo del credere non è più dunque il riconoscere se stessi come peccatori giustificati, ma l'ascolto e la risposta all'assoluto di Dio: tra il momento della giustificazione e quello della santificazione non c'è intervallo, ma coincidenza, entrambi ricadono nell'attualità del credere, cioè del rivelarsi di Dio; riconoscere Dio come signore implica l'agire secondo la sua legge; la critica della parola di Dio si estende incondizionatamente a tutti gli aspetti della realtà, ma la forza del suo rinnovamento non incontra ostacoli in alcun campo. Barth nota che questo nucleo si condensa nella dottrina riformata della provvidenza e dell'elezione, non riguardanti la sorte dell'uomo, ma «il modo in cui si attua la volontà e l'efficacia di Dio nell'uomo» (p. 28).

In contrapposizione a certe formule luterane, l'«extra calvinisticum»[5] ha la funzione di richiamare «il nascondimento e la superiorità che Dio mantiene per la nostra salvezza, anche e proprio quando egli dona se stesso a noi nella sua parola» (p. 31). La preoccupazione luterana della «realtà» della rivelazione viene, secondo Barth, rettamente interpretata dalla linea calvinista, che non ne fa oggetto di una «certezza», ma di una «speranza» e quindi di un intervento nel mondo, come sostanza stessa del credere. L'azione morale è risposta al comando di Dio; la misura e i compiti dell'azione morale umana sono interni e relativi alle concrete situazioni rispetto a cui assumono responsabilità; la «critica» di Dio, la sua trascendenza rispetto al mondo, si realizza come ordine dato agli uomini, come impegno da parte loro a rivedere continuamente la concreta sostanza del loro agire. Alla domanda del «monaco» Lutero: «come raggiungere la grazia di Dio?», Calvino contrappone l'altra domanda: «qual è il fine della vita umana?» (p. 35), cioè una prospettiva che ricomincia sempre, non cerca di consolidare il rapporto con Dio già dato.

> Il nucleo della fede riformata non è, come quello luterano, nel fatto che la fede è *fiducia*..., ma nel fatto che essa è *dono di Dio*, per cui deve essere affiancata – elemento diverso, ma non meno importante – dall'*ubbidienza* alla *richiesta* di Dio» (p. 34).

Il vangelo è anche legge, non è rivolto all'«interiorità», ma al «popolo», e l'etica non si fonda sull'«amore» (cioè su una sostanza comune tra Dio e gli uomini), ma sull'«ubbidienza».

> La certezza della giustificazione del peccatore davanti a Dio e l'impulso alla santificazione dello stesso peccatore davanti allo stesso Dio,

[5] *Ansatz und Absicht in Luthers Abendmahlslehre*, del 1923, in *Die Theologie und die Kirche*, cit., p. 26-75.

entrambe da non mescolarsi l'una con l'altra (la giustizia puramente imputativa non può essere cambiata neppure di uno iota), ma neppure da separare l'una dall'altra, come se potesse esserci anche un solo attimo giustificazione senza santificazione, ma entrambe in comune e parallelamente opera dello spirito del Signore, il cui onore proprio in questo brilla, nel fatto che si realizzano entrambi, il credere e l'ubbidire, ma entrambi come risposta al *suo* appello ed entrambi in ultimo e al massimo grado come *sua* opera (p. 35).

Proprio la differenza fondamentale e persistente tra l'azione divina e il mondo umano rimuove l'idea di una comunità visibile di santi, e legittima quella di una comunità retta dalla legge e dalla «disciplina», ma questo nella prospettiva, in riferimento al «regno millenario, al fine eterno della vita futura» (p. 36).

L'imperativo che è connesso alla parola biblica, anziché l'autoconoscenza del peccatore giusto, è per Barth la descrizione più rispondente al rivelarsi di Dio. Il comando è un tipo di comunicazione che stabilisce un incontro senza fusione di piani tra gli interlocutori; non si richiede alcuna intesa preliminare o assimilazione successiva, ma solo l'efficacia dell'imperativo, il suo farsi sentire, e la coerenza della risposta, l'obbedienza. Tra il mondo e Dio non esiste una zona intermedia (p. 36), ogni azione degli uomini ricade nella critica e nella promessa; non ci sono atti «sacri» della chiesa, ma atti del mondo profano, nella prospettiva della salvezza; la logica che li guida è umana, ma *in* essa si esercita un discernimento, e il criterio di questo giudizio viene di volta in volta confrontato all'imperativo divino. E qui è il punto critico, il rapporto tra la parola di Dio e la risposta umana. Se questo imperativo vale come assoluto, allora c'è una spaccatura netta tra ciò che vi è sottomesso e ciò che lo rifiuta; non c'è oggetto giudicante fuori che Dio, l'etica è subordinata all'imperativo divino. Ma non si potrebbe ammettere una ragione critica non assoluta? In effetti è possibile una nostra critica che non pretenda di essere anche salvezza. Se questo è possibile, la critica e la scoperta del finito non è l'attuarsi della rivelazione nella forma dell'assoluto, la base teologica dell'imperativo etico può essere rimessa in discussione.

d) La concretezza dell'imperativo. È necessario allora tornare sul modo barthiano di intendere il comandamento. Questo è sempre concreto [6], non consiste nel sapere che qualcosa deve essere fatto, ma nell'ordine percepito di fare qualcosa: il suo contenuto e la sua destinazione sono dunque ben individuati:

> Non è che noi giungiamo in qualche modo a parlarne, ma siamo necessitati a parlarne... È una volontà *assoluta*, dal momento che abbiamo riconosciuto, nella domanda seriamente posta sul bene, l'esser

---

[6] *Das Halten der Gebote*, del 1927, in K. BARTH, *Theologische Fragen und Antworten*, Evangelischer Verlag, Zürich, 1957, p. 32-53, qui p. 38.

dato, l'esser dato a noi di un dovere *assoluto*... Una volontà *distinta* dalla nostra, in quanto ci *incontra* in ciò che dobbiamo fare, e non è data in noi stessi... Una volontà *personale*, in quanto... vuol sempre qualcosa di *determinato* da noi... e ci si fa incontro nella *parola* che si rivolge alla nostra *coscienza*... Infine una volontà *vivente*, in quanto... ci segue e ci precede e in ogni momento specifico ci si presenta con questo e questo *particolare* comando (p. 40-41).

Si apre così un altro aspetto centrale di questo pensiero: il comando non è un enunciato astratto di norme, ma un ordine indirizzato concretamente da un soggetto imperativo a un destinatario singolo, dunque è anzitutto un gesto di comunicazione, non è solo il porsi del soggetto imperante, ma anche il suo *porsi in rapporto* ad ascoltatori ed esecutori della sua volontà (Barth cita Calvino: «*symmetria et consensus*» tra la volontà divina e l'*obsequium* umano, p. 41), Dio non vuol essere «senza di me», «egli vuole che io sia con lui, per quello che sono», quindi noi «siamo amati» nella decisione che ci è richiesta, e così l'esortazione «Ascolta Israele!», da cui inizia l'imposizione della legge, è nello stesso tempo un sigillo di alleanza, «l'origine del comandamento è amore, grazia, elezione... Dio si *è* legato a me, e io, nella mia esistenza, sono l'*amato* da Dio, così come sono, ora e qui... *prima* che di fatto si sia verificata la mia ubbidienza al suo comando... è stata presa la *sua* decisione *per me*... decisione che ha *funzione vicaria* per la mia» (p. 41-42). «Legge» e «vangelo» (p. 43), la critica sostanziale al limite umano di fronte all'esigenza assoluta e la possibilità che questo giudizio non sia l'ultimo verdetto sulla realtà umana, sono legate insieme nell'analisi barthiana del comandamento concreto, anzi il loro rapporto è in ultimo capovolto, e al principio sta non la fonte della condanna, ma quella della salvezza.

Il comandamento indica per la sua forma la distanza, l'eterogeneità tra chi lo emana e chi ne è destinatario, l'eteronomia e l'inadempienza, la tendenza originaria alla ribellione e l'impostazione conseguente della legge; ma in quanto ha la forma dell'apostrofe concreta, percepibile dal singolo chiamato in causa, significa anche l'azione rivolta a questo singolo, in quanto oggetto di attenzione, non di soggezione: «siamo alleati di Dio, eletti, amati», non «schiavi di un destino lontano, estraneo, ... a cui servire» (p. 46). «Il suo comandamento esige integralmente il nostro cuore». Ma poiché questa esigenza non è smentita, come imperativo divino, dalle insufficienze, cioè dalla negatività, della nostra risposta, essa si compie immancabilmente, prima e al di sopra di quel che noi decidiamo: «La fedeltà di Dio non viene superata dalla nostra infedeltà» (p. 47). Se Dio è concretamente se stesso nel comando, nell'agire che vuol indurre il consenso e l'ascolto, non può esserci lacuna, limite al suo potere nel compiersi della sua volontà, quindi l'obbedienza è implicita nella realtà del comando: da qui gli sviluppi dogmatici sul significato di questa ubbidienza che ha la stessa realtà del signore imperante: Dio stesso, nella sua divinità, si attua nella divinità per così dire differenziata dell'ubbidienza, cioè nel «logos» in cui si attua integralmente la comunicazione della volontà divina di far essere un altro in rapporto a sé, in un'obbedienza che risponde totalmente all'imperativo, dispiegandolo in tutta la sua portata[7].

A questo punto si apre al pensiero barthiano una duplice strada possibile; infatti secondo il modo come viene intesa la *realtà* del consenso all'imperativo, il «volere il cuore degli uomini» da parte di Dio, cambia il senso generale del discorso. Se s'intende come un successo dell'azione divina, un riuscire al di là di ogni limite, si ragiona secondo la categoria dell'essere, del dominio, non si considera il rischio implicito nel chiamare in causa la risposta di un altro; c'è sempre una vittoria divina, su cui si può contare. Tuttavia l'idea del «consenso», dell'«amore che Dio richiede in risposta», rende possibile anche un altro cammino, quello che toglie al dominio di Dio la sicurezza dell'«essere», che ne fa un elemento nel mondo, non distinguibile all'esterno da altri: eppure è qui precisamente che si sollecita e si applica un'attenzione specifica, qualificata; dunque è qui che il dominio divino si esercita, con l'uso di mezzi diversi da quelli comuni. La forma empirica, relativa, in cui l'imperativo si manifesta, chiede il «consenso» e il volere dell'individuo umano concreto. Il dominio di Dio, non inteso secondo i comuni concetti, apre all'interno del pensiero barthiano una complessità che si riflette nel passaggio dalla *Dogmatica* del '27 a quella del '32, e che persiste sempre, anche nella dottrina dell'elezione.

e) Giustificazione e santificazione. Il problema si può formulare in questi termini: è in primo luogo *Dio* che vuole per sé l'uomo, o Dio nell'amare *vuole* in primo luogo l'uomo? La prima delle due alternative è quella dell'imperativo divino, che si realizza indipendentemente da ogni limite culturale; è un fatto che fonda l'unicità della scrittura biblica, e non viceversa; è un fatto però che mantiene il carattere di un luogo di esperienza diretta della rivelazione, dal momento che viene colto nella sua esigenza assoluta, come un ordine dall'alto: pur non avendo dimensione propria nel mondo, ha su di esso un punto di incidenza, tale da consentirne l'incontro e la presa. Non è un elemento del mondo, ma agisce su di esso nel senso del rapporto causa-effetto, nel suscitare il comportamento di ascolto del fedele. Questo consente a Barth di non ridurre la rivelazione a nessuna esperienza culturale, di mantenere l'esclusivo legame della rivelazione con la scrittura biblica, e di farne al tempo stesso un principio di comportamenti impegnativi per i credenti. Resta il problema della sovranità di Dio, che sembra assorbire il mondo: si riapre qui in margine la seconda delle due alternative.

«Su Dio non possiamo mettere le mani, ma viviamo del fatto che egli non ritira *da noi la sua mano*»[8], e solo da questo (giustificazione), non da una rettitudine acquisita, dipende la «novità» della vita, la santificazione: «anche in

---

[7] *Die Kirche und die Kultur*, del 1926, in *Die Theologie und die Kirche*, cit., pp. 364-391, qui p. 366.

[8] *Das Halten der Gebote*, cit., p. 48-49.

questa realtà non siamo senza l'intera grazia di Dio. Grazia è anche quel *quaerere justificationem*, in cui il popolo di Dio è colto in tutta la durata della sua esistenza»[9], il suo tendere al miglioramento non può ignorare che «domani è ancora un altro giorno e sarà sempre un giorno penultimo», ma tuttavia è animato da attesa e speranza nel «giorno del Signore», «sradicato» da ogni adattamento allo stato dei fatti (p. 305). Il problema è dunque nel carattere di questa «profanità qualificata» (p. 303); Dio vuole il singolo uomo per sé, lo ama, *cioè* rende vana ogni caduta e tradimento umano, per cui l'attuazione empirica del comando è già prevenuta dalla giustificazione. Tutto sta dunque nell'ammettere la tenuta di questo nodo, il volere di Dio come «voler l'uomo per sé», come vanificare l'insufficienza e la scissione di quest'ultimo.

Se nel comando divino percepito è implicita anche la vanificazione di ogni resistenza umana, se esso non è solo l'inizio del credere (giustificazione), ma anche del rispondere (santificazione), c'è almeno un punto in cui i due aspetti dell'azione divina sugli uomini coincidono, sia pure per divergere subito dopo; questo punto col suo minimo di consistenza è la «chiesa», cioè l'individuo storico in quanto si riconosce chiamato e impegnato dalla parola di Dio nella scrittura biblica. In questo punto, ciò che è empirico si riconosce subordinato all'agire divino; la chiesa è allora questo riconoscersi, il punto dell'incidenza di Dio nel mondo; la chiesa è «la comunità istituita da Dio degli uomini peccatori, peccatori credenti e ubbidienti, la cui fede e ubbidienza vive della parola di Dio. Per *istituzione* o fondazione intendiamo... un ordinamento e un'organizzazione divina, sulla quale si fonda, in mezzo alla relatività della vita storica dell'umanità, una corrispondente organizzazione e ordinamento umano»[10]. Grazie a questo minimo d'incidenza, è possibile a Barth «determinare teologicamente anche il concetto della cultura» (p. 368), dal momento che il credere e l'ubbidire alla parola di Dio avvengono nel concreto individuo.

> La parola di Dio pone all'uomo come tale i suoi limiti, e con questo lo determina. Cioè lo pone di fronte a Dio che, in quanto creatore, santo e misericordioso, in se stesso eterno, in senso puro e completo non è *lui* e non è *come* lui, uomo. Essa gli presenta il problema della sua esistenza, e questo è appunto il problema della cultura (p. 370).

Ecco dunque che il nodo (calviniano) della parola biblica che ci si presenta come un imperativo, e quindi, nella pienezza di realtà del soggetto imperante, come imperativo che *ottiene risposta*, spiega il senso teologico dell'attività storica umana: il suo carattere profano e ribelle, il suo riconoscersi come peccato, è un inizio attivo di salvezza, di trasformazione, perché la parola di Dio assicura, è già la realtà di un mondo, di una storia in cui l'unica legge sia l'obbedienza, la risposta a Dio. Il che può essere riconosciuto solo nel punto in

[9] *Rechtfertigung und Heiligung*, in «Zwischen den Zeiten» 5, 1927, pp. 281-309, qui p. 301.

[10] *Die Kirche und die Kultur*, cit., p. 367.

cui risulta l'unità dei due elementi, nell'ascolto effettivo, concreto, della parola di Dio, negli uomini che, «chiamati» (p. 368), costituiscono la chiesa:

> Nessun rapporto dotato di realtà autonoma tra Dio e natura, Dio e storia, Dio e ragione può essere con ciò affermato, ma va affermato invece che la Parola detta e percepita nel mondo dell'uomo peccatore, dunque nel mondo della natura, della storia, della ragione, si fonda su una possibilità non distrutta dal peccato, su una *rivendicazione di diritto* non dell'uomo nei confronti di Dio, ma di Dio nei confronti dell'uomo, rivendicazione che si fa valere in tutta la sua radicalità nella riconciliazione. L'uomo non appartiene a se stesso, ma a Dio... Nell'incarnarsi della Parola, nella riconciliazione per mezzo di Cristo, questa premessa ha la sua vita. Nella *theologia revelata* è compresa e portata alla luce la *theologia naturalis*, nella realtà della grazia divina la verità della creazione» (p. 375).

Se è vero questo, allora l'attività umana, la «cultura», può avere un senso positivo in rapporto alla salvezza, non se presa astrattamente, nella sua presunta autonomia, ma se considerata nella sua radice, «in Cristo» (p. 376); il «lavoro culturale *può* esser capace di similitudine, può essere rimando a ciò che l'uomo deve diventare come creatura e immagine di Dio, può essere un riflesso della luce del Logos eterno che si è fatto carne e quindi è stato, è e sarà anche re nel regno della natura» (p. 376). Questa «possibilità» significa dunque che l'attività umana nel mondo, pur essendo (o proprio essendo) sottoposta al giudizio e alla condanna divina, per le implicazioni di questo giudizio ottiene una radice positiva. Nessuna realizzazione umana è il regno di Dio, ma ognuna di esse può esserne il germe; il suo giusto livello non è quello del possedere o del costruire, ma quello dell'«aspettare» che questo regno si compia (p. 383).

f) Prassi e «concentrazione cristologica». Barth fa notare esplicitamente la differenza di questa posizione da quella degli anni Venti, cfr. *Il cristiano nella società* [11], dove in effetti il rapporto tra l'agire storico e la salvezza è molto più difficile, prevalentemente negativo. La formulazione del problema in quello scritto appartiene all'epoca della seconda edizione del *Römerbrief*, in cui Barth cerca di pensare la scoperta del primo *Römerbrief*, la realtà sovrana di Dio, che non può venir imprigionata dal mondo, che ne produce la vera trasformazione. Nel secondo *Römerbrief* il rapporto fra l'impegno nel mondo e la «forza» divina della redenzione è inteso come il giudizio e nello stesso tempo la speranza; si perde quella diretta, quasi brutale contrapposizione del primo *Römerbrief* tra l'operato umano e l'ingresso di Dio nella storia; il passaggio, pur sempre paradossale, dalla storia alla salvezza, è incentrato nella relazione tra

---

[11] *Der Christ in der Gesellschaft*, del 1921, in *Das Wort Gottes*, cit.; tr. it.: *Il cristiano nella società*, in *Le origini della teologia dialettica*, a cura di J. Moltmann, Queriniana, Brescia, 1976, p. 27-63.

giudizio e salvezza: già qui l'attività umana, pur essendo nel segno della ribellione, ha una funzione positiva, dal momento che segna il punto in cui concretamente il giudizio di Dio viene pronunciato [12]. Nel secondo *Römerbrief* e in *Il cristiano nella società* la critica divina alla storia è anche il principio della vera conoscenza della storia, ha quindi una funzione nella cultura e nella prassi. Funzione però solo incoativa, «movimento che non ha la sua origine e il suo termine nello spazio, nel tempo, nella contingenza delle cose, e che non è un movimento accanto ad altri: intendo il movimento della storia di Dio» (p. 34), per cui «*comprendere* il senso del nostro tempo in Dio, e dunque entrare nell'inquietudine a causa di Dio e nell'opposizione critica alla vita, significa contemporaneamente *dare* senso al nostro tempo, in Dio» (p. 42). Barth è preoccupato del rapporto tra la giustificazione e la prassi, però l'elemento critico, il punto d'incontro con la rivelazione, finisce per prevalere su ogni altro:

> Siamo più profondamente nel no che nel sì, più profondamente nella critica e nella protesta che nell'ingenuità, più profondamente nella nostalgia del futuro che nella partecipazione al presente... il nostro agire in questo eone è sì in analogia, ma non in continuità con l'agire divino» (p. 53-54).

Il rinnovamento della realtà non è la «continuazione», il «grado successivo della realtà penultima», ma al contrario «la radicale interruzione di tutto il penultimo, e proprio per questo anche il suo significato originario, la sua forza di movimento» (p. 61).

Lo spostamento di accento che si nota nel '26 riguarda soprattutto il centro del credere: nel '21 la forza critica della resurrezione di Cristo dai morti, nel '26 l'efficacia imperativa della parola di Dio nella Bibbia; un passaggio che Barth esprime nella formula della «concentrazione cristologica». All'idea, anche platonica, dell'«origine», che indica il rapporto di negazione della vera realtà nei confronti delle apparenze del mondo, si sostituisce l'idea della «profanità qualificata», cioè della possibilità di rispondere, quindi di testimoniare e riflettere la volontà divina. Non che si tratti di una facoltà umana; si ha però un'azione divina che coinvolge la storia, la rapporta alla stessa realtà divina.

> Come la scissione tra Dio e l'uomo non è realtà ultima in Cristo, così neppure la sua conseguenza e punizione, la scissione nell'uomo stes-

---

[12] Addirittura, secondo W. MARQUARDT, *Der Christ in der Gesellschaft 1919-1979. Geschichte, Analyse und aktuelle Bedeutung von Karl Barths Tambacher Vortrag*, Chr. Kaiser, München, 1980, come nel secondo *Römerbrief*, si parla della forza oggettiva di Dio nella storia, visibile nella resurrezione del Cristo dai morti, in *Il cristiano nella società* si hanno delle analogie che indicano, appunto, non solo il fatto che Dio interviene nella storia a capovolgerne il senso, ma anche il mostrarsi di questa presenza attiva, e quindi, da parte degli uomini, la possibilità di riconoscerla e di assecondarla con il loro stessa azione.

so, la spaccatura che attraversa la sua esistenza. Combattere per il superamento di questa scissione, dunque il lavoro della cultura, *può* essere capace di analogia [13].

Il luogo di questa «possibilità», che Barth individua nella chiesa, è il punto centrale, la ragion d'essere della stessa cultura; la chiesa infatti «sa prima e meglio della società di che cosa si tratti nell'azione, in cui la società è presa, ora in un impulso oscuro, ora sospettoso, ora impetuoso» (p. 381), è quel momento del tempo, in cui la Scrittura si lascia comprendere come parola di Dio, e quindi come *efficacia* dell'azione di Dio nel mondo. Come inizio di questa efficacia, la chiesa è il centro della storia umana, non è solo una funzione negativa nei confronti della storia, ma anche il punto in cui la critica diventa «costruzione»: l'imperativo e l'adempimento stesso di questo (in Cristo) superano e assorbono ogni difetto e ribellione umana.

g) Imperativo e verità. Attraverso l'influenza dei Riformatori, il prevalere di Calvino su Lutero, la rilettura dello stesso calvinismo in modo tale da capovolgere il rapporto legge-vangelo (mettendo in primo piano il vangelo, e in rapporto di derivazione da esso la legge), Barth si apre la strada a comprendere la funzione della parola nella chiesa. Essa è «logos» fondato in Dio stesso, come risposta divina, che sollecita la radice stessa delle parole umane. Si può parlare di Dio solo in base ad un «legittimo incarico» [14], solo in base ad un precedente ascolto della stessa parola di Dio, che può riflettersi in quella umana: deve esserci un evento, per cui determinate parole e testimonianze umane si riferiscano di necessità, non per forza di convinzione degli autori, ad una volontà che è all'origine della comunicazione stessa.

> Nel riconoscere la Bibbia come parola di Dio non si tratta di un giudizio di valore storiografico o empirico sulla fonte occasionale dell'ispirazione cristiana, ma della conoscenza di una *norma* di tutti i giudizi di valore di questo tipo... La priorità della parola profetica e apostolica è fondata sul suo risultare legge, non sul fatto che noi comprendiamo i motivi di questa priorità (p. 224).

Da cui la necessità per la chiesa di un «continuo commisurarsi a questa unica unità di misura» (p. 231), di considerare la Bibbia non come «fonte», ma come «legge» (p. 232). Si tratta, dice Barth, di un «atto di dominio divino compiuto in noi» (p. 240), per cui non possiamo far altro che ubbidire, seguendo la «testimonianza segreta dello Spirito santo» (p. 240). Non dunque «convinzione, ma comando» [15], si tratta di un «nascondimento», ma anche

---

[13] *Die Kirche und die Kultur*, cit., p. 376.

[14] *Das Schriftsprinzip der Reformierten Kirche*, «Zwischen den Zeiten» 3, 1925, p. 215-245, qui p. 220.

[15] *Menschenwort und Gotteswort in der christlichen Predigt*, del 1924, in «Zwischen den Zeiten» 3, 1925, p. 119-140, qui p. 124.

di un'«obbiettività», di un «paradosso, che deve aprirsi, se vuol essere compreso, e perciò e proprio così di un comando a noi rivolto, come richiesta di ubbidienza di fede» (p. 125).

La parola si è fatta carne ed abitò tra noi e noi abbiamo visto la sua maestà. *Abbiamo visto! Per il motivo che* si è fatta carne? O *benché* si sia fatta carne? Tutt'e due insieme, dobbiamo dire. Ma il vedere di per sé passa in mezzo: abbiamo visto, *in quanto era la parola* (p. 125)... Per noi stessi è il più grande miracolo, è quel po' di coraggio per continuare, quel tanto sufficiente a vivere, ogni mattina datoci di nuovo... E questo non è una condizione di malessere nel nostro servizio. Non può e non deve essere «superata» (p. 129).

Mentre nel '22 [16] si parlava di «limitatezza, finitezza, creaturalità, separazione di Dio» (p. 240), e si lasciava prevalere una comprensione dell'essere empirico che non consente alla rivelazione di accadere nel mondo, di trasformare il significato del tempo e della storia, successivamente prevale l'idea del potere di Dio sul mondo, la priorità dell'evento che accade sulle «condizioni teoriche della possibilità», sul pensiero astratto, separato, dell'uomo rispetto a Dio [17]. Ma in questo si affaccia un problema, che non rende affatto monolitica la nuova posizione barthiana. Se l'imperativo divino gli appare come un'istanza assoluta, però essa si esprime nel tempo, come accadere ha una dimensione empirica, e questo cambia la forma del suo dominio. L'integrità della rivelazione divina entra nella storia, e quindi va compresa, interpretata, espressa in formule provvisorie.

La chiesa non solo ha la Scrittura e non solo riceve lo Spirito, ma ha e riceve per mezzo della Scrittura e dello Spirito da generazione a generazione la verità, che, come verità di Dio, è integra e immobile, in quanto ricevuta e posseduta dagli uomini è parziale e mobile, e pur tuttavia non di meno verità... *doctrina vera et pura*, la comprensione della rivelazione donata da Dio, deve esser donata sempre di nuovo, sempre in forma più pura e più profonda, deve esser ricevuta dalla chiesa in una seria riflessione, ma ricevuta sempre di nuovo, in modo più completo e migliore [18].

Poiché si tratta di un riconoscimento storico, pur non trattandosi di un semplice enunciato di opinioni, esso non ha una forma rigida, ma mobile, scor-

---

[16] *Das Wort Gottes als Aufgabe der Theologie*, del 1922, in *Das Wort Gottes*, cit., trad. it. in *Le origini della teologia dialettica*, cit., *La parola di Dio come compito della teologia*, p. 236-258.

[17] «In questo senso egli vuol dire la sua parola, che dice personalmente, però non senza di noi. Noi siamo in grado, e questo è il compito della chiesa, di annunciare che c'è qualcosa come la parola di Dio all'uomo... Fare questo è nell'ambito della possibilità umana, e non è nient'altro che la dimostrazione con cui la chiesa si rende attiva come chiesa, cioè come la comunità dei convocati e posti davanti al compito di parlare» (*Menschenwort...* cit., p. 130).

[18] *Wünschbarkeit...* cit., p. 79.

rente; l'assoluto sta dalla parte di Dio, ma non nell'incontro di Dio con gli uomini. È come se nel pensiero barthiano ci fosse una linea induttiva, accanto al filone principale, quello della parola di Dio che si impone nella propria autorità assoluta. In rapporto alla vita storica delle chiese, Barth riconosce l'insicurezza, la possibilità di errore e di defezione; l'imperativo assume una forma che non è direttamente obbligante; si insiste sul «cercare» la verità, su formule e risultati «parziali» e «provvisori».

h) *Parola di Dio e situazione umana*. Nella prefazione alla *Christliche Dogmatik* del '27, Barth dice di «essere andato per la sua strada in terra» (p. 8); la sua attenzione è rivolta al Gesù Cristo delle testimonianze apostoliche, l'esistenza storica, empirica di Gesù viene riconosciuta come oggettiva presenza dell'azione di Dio, non come un elemento del mondo, ma come una realtà che entra in rapporto al mondo e lo cambia. Ma questo elemento è un essere empirico, e al tempo stesso rivelazione: si ha allora uno sviluppo «deduttivo» da Dio al suo agire nel mondo, oppure una costatazione empirica (l'uomo Gesù che finisce crocefisso), che però non si esaurisce nella somma dei dati (il paradosso della resurrezione accanto alla realtà del crocefisso), ma invita ad un'ulteriore attenzione? Ecco perché l'«andare per la propria strada in terra» non ha un solo significato.

In *Ch D* torna in primo piano il tema della non rigidezza del dogma (p. 159 ss.), cui si è già prima accennato: se il dogma indica il rapporto della rivelazione alla parola umana, indica l'immutabile verità divina; se indica il rapporto della parola umana alla rivelazione, allora esprime una verità incompleta, mutevole, fallibile. Le due posizioni non sono simmetriche, poiché a fondamento dei tentativi dalla parola umana c'è, insieme alla loro debolezza, la validità dell'oggetto a cui si riferiscono; la domanda non riguarda questo contenuto oggettivo («*Ab esse ad posse valet consequentia*», nota Barth in proposito, p. 27), ma solo la nostra corretta comprensione. La possibilità dell'errore da parte nostra indica però che non si tratta di un assorbimento totale, di un essere del corrispondente umano solo in relazione all'atto divino del comunicare; la stessa ammissione del «circolo logico» necessario (p. 142), della difficoltà da vincere su questo punto, dimostra il persistere del dubbio, del divergere del pensiero, della domanda critica sulla rivelazione creduta. In questo senso, essa non è imperativa, non domina in assoluto l'esperienza, anche se si fa sentire, avanza le proprie richieste, chiama in causa i suoi ascoltatori.

L'idea della «diversità» empirica non vuol sistematizzare la rivelazione, ed è introdotta nei paragrafi 5-7 della *Ch D*, in cui Barth tenta di mettere in rapporto la parola di Dio e la concreta situazione dell'uomo, in quanto ascoltatore e a sua volta annunciatore di questa parola [19]: pur non rinunciando alla li-

---

[19] Questi paragrafi sono dichiaratamente aboliti nella *Dogmatica* del '32, in quanto portatori di considerazioni antropologiche, ritenute fuorvianti in quel successivo momento; cfr. *KD* I/1, p. 130-135.

nea dell'«a priori» della rivelazione, Barth ammette anche l'altra dell'essere empirico che, chiuso nelle sue condizioni, può eventualmente essere sollecitato da un fattore insolito dell'esperienza. In questo caso la scoperta prevale sul concetto (di Dio come colui che domina): una «rivelazione nel nascondimento» (p. 108), per cui, se «la parola di Dio è storia, la storia non è parola di Dio».

i) L'«*incarnazione della parola*». «Dio si rivela come il *Signore*» (p. 173) indica da un lato la libertà divina rispetto ai nostri modelli culturali, dall'altro la sovranità divina sul mondo e sulla storia. Nel primo senso è implicita la rinuncia ad ogni ulteriore indagine sul modo come Dio intervenga nel mondo: nell'altro è implicita la possibilità di collegare la rivelazione e la storia: c'è una risposta che non l'uomo, ma la stessa azione di Dio genera, nella concreta attualità della sua presenza. Non c'è un «qualcosa che è detto», diverso da Dio stesso che lo dice, «egli dice se stesso, non un dato o una funzione della nostra coscienza» (p. 182). Barth però sottolinea anche il carattere di «nascondimento», di «paradosso», in riferimento a Lutero: non si può negare alla confessione di fede cristiana «la relatività in cui essa sta accanto a mille altre simili, la relatività anche della sua vocazione all'oggetto della confessione, la relatività anche di tutte le parole... non abbiamo assicurazione contro il sospetto» (p. 197 s.). Il riferimento al «*finitum non capax infiniti*»[20] accentua il carattere problematico della realtà di Gesù: valgono le testimonianze evangeliche, ma al tempo stesso il divieto di anticipare nel concetto il contenuto del suo essere. Solo il riferirsi alla testimonianza biblica, non una verità posseduta, contrassegna il credo cristiano.

Barth però segue anche l'altra idea, quella del dominio:

> La rivelazione avviene nonostante la nostra opposizione a Dio; poiché la rivelazione pone *Dio per noi* proprio nel mezzo di questa nostra opposizione... Dio era in Cristo ed ha riconciliato il mondo con se stesso (p. 253)... Dio non è solo Signore trascendente *su* tutto, ma anche Signore vittorioso *in* tutto, non solo come questo è stato o sarà, ma come è, nella sua stessa peccaminosità, nella sua stessa caducità. A partire dalla rivelazione, tutta la nostra esistenza dovrebbe pur essere vista e intesa come un unico *vestigium Trinitatis* (p. 254).

L'attualità della rivelazione nella parola e l'integrità di Dio nel comunicarsi implicano dunque una rispondenza diretta («analogia») di tutta la realtà a Dio, un annullamento della ribellione umana. Il mondo «non solo non è abbandonato a Dio, ma anzi esso, nel suo carattere estraneo, come mondo dell'uomo caduto, peccatore, mortale, è santificato, sostenuto, governato dalla presenza di Dio, posto nella luce della speranza più certa, perché posto nella luce della sua origine» (p. 254 s.). L'attuarsi della comunicazione di Dio stesso nella pa-

---

[20] Non per niente, ancora una volta, Barth si corregge su questo punto nella *Dogmatica* del '32; cfr. *KD* I/1, p. 427 s.

rola implica la piena risposta alla verità, e questa è data dal Figlio di Dio, che realizza concretamente la piena corrispondenza tra il mondo e Dio: la sua piena assunzione dell'umanità è in effetti la presa divina sugli uomini, l'incarnazione e la riconciliazione. Si può passare dalla rivelazione alla storia (non viceversa): «È piaciuto a Dio porre *se stesso* come carne, come uomo, nel tempo, non di equiparare a sé qualcosa o qualcuno. Non si tratta della storia che si divinizza, ma di Dio che diventa storico. Dio in persona parla con noi» (p. 312).

«Incarnazione e nascondimento» (p. 314) sono i due termini in cui Barth, con richiamo a Lutero e Calvino, comprende il suo pensiero in proposito. I calvinisti (p. 360 ss.), in comune con la tradizione della teologia cattolica, sostengono una realtà della parola di Dio anche «extra», al di fuori dell'umanità di Gesù, per evitare qualsiasi limitazione della divinità alla creatura, perciò «*finitum non capax infiniti*». I luterani non ammettono separazione della parola di Dio dall'umanità di Cristo, e riconoscono ad essa tutta la divinità di Dio; ma allora, si osserva da parte riformata, non si ha più una vera umanità, un vero «finitum», e dunque è necessario sostenere che il Logos, pur essendo tutt'uno con l'umanità in Cristo, resta anche al di fuori. L'esigenza luterana, si potrebbe chiarire, è più quella della certezza del credere, quella calvinista più del rendersi conto della paradossalità del credere. Nel discorso barthiano, «finito» e «realtà divina» si escludono, ma c'è un rapporto di causa-effetto tra la rivelazione (atto concreto di Dio) e il suo imporsi alla storia, come un potere che la riporta a sé; non sarebbe ammissibile una rivelazione che non avesse la forma imperativa, il dominio. Per questo il rifiuto barthiano di ogni tentativo di appropriarsi della realtà di Dio coincide con il pensiero dell'attualità di Dio nel rivelarsi come un «atto di essere» nel suo pieno vigore. (Si potrebbe pensare al contrario il «*finitum*» come segno paradossale di un essere di Dio, che si rivela in assenza totale di mezzi adeguati). All'idea barthiana dell'«attualità» la storia empirica non basta: c'è bisogno di una «storia originaria», un atto di Dio che impone il suo dominio al mondo. Cade così l'altro spunto di una storia empirica e critica, in cui trovi spazio sia il testimone biblico che l'ascoltatore pronto alla domanda e al dubbio.

l) *Analogia fidei*. Siamo così all'opera su Anselmo d'Aosta, di cui si è già detto al cap. II. Mentre ancora nell'*Ethik* del '28 [21] il «comandamento» è considerato uno dei modi in cui si manifesta la rivelazione divina, esso diventa poi l'«assioma teologico» per eccellenza. Tra il «nascondimento» e la «sovranità» di Dio, prevale così la seconda alternativa, come documenta, oltre a *Fides quaerens intellectum*, anche il rifacimento della *Dogmatica* [22], o un saggio come *Das erste Gebot* [23]. Il comandamento è la forma della rivelazione

---

[21] Si tratta di due cicli di lezioni, ripetute anche nel 1930-31, di cui abbiamo il testo nella *Gesamtausgabe*: K. BARTH, *Ethik I 1928*, hrg. von D. BRAUN, Theologischer Verlag, Zürich, 1978.

[22] *Die kirchliche Dogmatik I/1. Die Lehre vom Worte Gottes*, Ch. Kaiser, München, 1932.

[23] Cfr. anche *Das erste Gebot als theologisches Axiom*, del marzo 1933, in *Theologische Fragen...* cit., p. 127-143, da cui la citazione che segue, p. 130-131.

(vangelo e legge): «Non si parla qui di un rapporto intemporale, ma di una *storia* che si svolge nel tempo tra Dio e l'uomo... neppure un attimo si può astrarre da questo fattuale esser signore di Dio» (p. 130-131).

Uno dei motivi della preferenza è la critica ad ogni elemento antropologico in teologia; già in *Ch D* si diceva, in polemica con F. Gogarten:

> Non è l'uomo come *pubblico* che ascolta la parola di Dio, ma quell'*arcanum* nell'uomo, senz'altro indipendente dal popolo, dal sesso, dall'età, dalla classe, dalla cultura ecc., *l*'uomo *negli* uomini, l'uomo come *singolo*, non come membro di una delle collettività, non come membro della *chiesa*, e qui non c'è giudeo né greco, né servo né libero, né uomo né donna (Galati 3,28) (p. 91 s.).

La stessa polemica viene ripresa in *KD* I/1 (p. 128 ss.; 177 ss.): è insostenibile un'«analisi dell'uomo alla luce di una rivelazione di Dio a partire dalla creazione, come *introitus* al cerchio interno dell'autentica teologia fondata sulla *revelatio specialis*» (p. 134); nel negare l'esclusiva rivelazione nel vangelo si dimentica che ogni altra possibilità è perduta con il peccato. Ormai c'è solo il «rivolgersi per grazia di Dio agli uomini, la libera presenza personale di Gesù Cristo nell'agire dell'uomo» (p. 17).

Nel discorso teologico, tutto passa attraverso la libertà divina: poiché Dio ha voluto degli interlocutori, essi sono necessariamente vincolati alla sua parola. Ma in effetti il problema è di più ampia portata: l'idea di potere, la necessità della piena esecuzione del comando, applicata a Dio, può esser sottoposta alla stessa accusa di teologia naturale. Barth vuol evitare di sottoporre il soggetto divino ad una necessità astratta, ad una legge logica, alla categoria dell'essere, ma a questo punto l'annuncio evangelico dovrebbe esser visto non nella forma di un comando assoluto, bensì come un'autorità, una fonte di interesse, che non ricorre al dominio per presentarsi, che non è esclusivo; esso dovrebbe appartenere al comune livello dell'essere empirico, nel quale porsi come una fonte di domande, come un'incognita; solo in questo caso la possibilità non viene segretamente anteposta alla realtà, il condizionamento culturale non imposto al vangelo. In *KD* si potrebbe dire che Barth, nel combattere la teologia naturale, a sua volta vincoli la parola di Dio ad una forma, il potere come modo dell'essere, che costituisce un *fondamento* della rivelazione. Ma parlare di quest'ultima come di un «fatto» empirico, che si esprime nell'interesse per il vangelo, non ha un effetto riduttivo nei confronti della libertà divina, anzi riconosce l'impossibilità di procedere oltre l'evento, e si lega soltanto al suo accadere concreto. Nella sua critica Barth sembra essersi fermato a metà strada:

> Il parlare di Dio è l'agire di Dio su quelli a cui parla. Ma il suo agire, in quanto divino, in quanto agire del Signore, è il suo agire che governa. Dove e quando Gesù Cristo ci si presenta contemporaneamente nella scrittura e nell'annuncio, dove dunque il «Dio con noi» ci vien

detto da Dio stesso, lì entriamo sotto un dominio. I concetti di elezione, rivelazione, separazione, vocazione, nuova nascita... indicano tutti una sentenza, un giudizio, una pretesa nei confronti dell'uomo, per mezzo della quale Dio lo lega a sé» (p. 155).

L'uomo si riconosce «*incapax verbi dei*» (p. 221) proprio in quanto Dio, nel rivolgersi a lui, gli fornisce la vera unità di misura. Non c'è solo il *fatto* che nella Scrittura e nella predicazione venga riconosciuto il vangelo, ma anche il *motivo* del fatto: la forza di questo richiamo, la volontà rivelatrice di Dio. Ancora una volta, il riferimento ad Anselmo: «È costitutiva l'importanza dell'*oggetto* di fede per la fede... *nec quaerere te possum, nisi te doceas, nec invenire, nisi te ostendas*» (p. 242).

La discussione della dottrina cattolica dell'*analogia entis* non può essere intesa quindi come rinuncia ad un discorso sulla «possibilità», cioè ad un «pensiero» del rivelarsi di Dio, per lasciare solo il «fatto», sotto forma di problema posto all'esperienza umana; il senso dell'analogia per Barth è secondo l'a-priori della volontà rivelatrice divina. «Nella fede gli uomini hanno una reale esperienza della parola di Dio, e nessun *finitum non capax infiniti*, nessun *peccator non capax verbi divini*, può ora impedirci di prendere sul serio questa posizione con tutte le sue conseguenze» (p. 250), una capacità indubbiamente data solo nell'evento della rivelazione, non in possesso dell'uomo come una sua caratteristica, ma tuttavia a lui data come «sufficiente possibilità divina» (p. 256). Non dunque una «negazione del concetto di analogia», ma un'«*analogia tes pisteos*», la corrispondenza del conosciuto nel conoscere, dell'oggetto nel pensare, della parola di Dio nella parola umana pensata e detta... Dio agisce nella sua parola all'uomo... questi conosce, in quanto è conosciuto da Dio», il credere umano è «incluso come predicato nel soggetto Dio» (p. 257 s.).

Barth dice dunque che Dio, nel suo agire, si crea nell'uomo una corrispondenza: la percezione del vangelo, della sua autorità, viene *spiegata* come volontà di Dio che produce anche le condizioni per attuarsi pienamente; il passaggio dal fatto (percezione dell'autorità del vangelo) a ciò che lo rende possibile (volontà divina) è dato dall'idea del dominio, del potere, come garanti di libertà assoluta. Ma non significa questo dare all'annuncio evangelico la stessa struttura dell'essere con cui pensiamo il mondo, l'essere che s'impone con forza per farsi valere? Potremmo anche ammettere che ci sia un altro «essere», da noi non pensato, ma tuttavia «reale» e comunicabile. In questo senso anche il «fatto» della parola evangelica potrebbe essere, nel nostro linguaggio, più un'interrogazione che un'affermazione.

m) *Le due linee del pensiero barthiano.* Giungiamo così al termine del confronto, all'epoca di *Theologische Existenz heute!*. La fede umana dipende dalla rivelazione di Dio: questo significa però che il soggetto divino nel rivelarsi produce anche le condizioni logiche della sua verità: l'autorità del vangelo viene ricondotta alla parola di Dio, e questa al soggetto divino nel suo essere attuale, imperativo. Anche le posizioni di Th E h, i problemi del rapporto fede-politica nella visione di quel momento, si svolgono su un piano analogo [24].

Nell'opporsi ai primi atti del regime nazista, Barth ricorre ad un concetto degli «ordini» iscritti da Dio nella realtà del mondo, in base ai quali stabilire funzioni, dignità e rapporti di stato e chiesa. Barth qui vuol riaffermare so-prattutto la *non-naturalità* dei due ordini, la loro iscrizione nell'agire di Dio verso il mondo, per salvarlo. Non c'è un piano «naturale», sia pur ispirato ad un ordine della creazione, nel campo della prassi politica. Lo stato (nella sua idea, non nelle realizzazioni storiche) è voluto da Dio, così come la chiesa, sia pure per scopi e con funzioni diverse. Gli ordini sono per lui espressioni della rivelazione, del «potere di Dio», da opporre a quelle teorie e azioni poli-tiche miranti a legittimare teologicamente aspetti determinati e vicende parti-colari della storia umana. È Dio che possiede il finito; l'«ordine» indica l'im-perativo divino: si riconosce la profanità del mondo, ma se ne riporta la radice alla grazia divina; per questo Barth ritiene si manifesti la libera volontà divi-na. La chiesa stessa, come testimone del vangelo, è intesa per un aspetto come rivolta in avanti, verso ciò che riceve e spera, ma per un altro aspetto è anche il riflesso di un'origine, di un principio che la giustifica. Per questo essa difen-de se stessa, non solo la propria libertà di ricerca, in senso pienamente profano.

Ecco dunque le implicazioni delle due strade, la parola di Dio come «impe-rativo», o invece la parola che non si giustifica con il dominio. Secondo la prima, parliamo in termini di una «decisione divina» nei confronti del mon-do; secondo l'altra abbiamo invece solo il fatto dell'annuncio evangelico. Mentre nel primo caso, nonostante la trascendenza divina, c'è un discorso possibile, nel secondo abbiamo un problema, che ci si pone con insistenza, ma al tempo stesso un limite, che non possiamo di fatto superare. In questo, che è la vera forma del paradosso, si innesta il tema dell'«elezione».

---

[24] Dall'edizione citata dell'*Ethik* sappiamo che Barth nel '33, all'epoca dello scritto in que-stione, fa uso di alcune delle tesi già formulate per le lezioni (p. 324 ss. di *Ethik II* cit.), anche se poco dopo denuncia la sua non totale convinzione in proposito. La situazione a cui applicare queste idee è mutata molto rapidamente: un conto è dichiararsi nei confronti dello Stato, quando esso è costituito dalla repubblica di Weimar, a cui Barth guarda in effetti con una certa simpatia, un altro conto quando esso è rappresentato dal regime nazista. È molto significativo comunque, per intendere nell'insieme il pensiero barthiano, notare che la chiesa non è elencata tra le comuni-tà che vivono all'interno dello Stato in vista di propri scopi liberamente assegnatisi, ma come una comunità speciale, a cui va dato un riconoscimento e un appoggio da parte dello Stato. Si tratta cioè di una difesa dell'«ordine».

IV. *L'elezione nella* KD *tra dottrina e paradosso*

(«Un ponte è stato gettato sull'abisso che separa Dio dall'uomo; Dio ha cercato e trovato l'uomo», *KD* II/2, p. 951).

a) *Il centro della Dogmatica*. Barth si occupa della dottrina dell'elezione (*Gnadenwahl*) come di uno dei punti centrali della sua *Dogmatica*. Infatti in essa si tratta dell'agire di Dio verso gli uomini, per libera decisione divina, per grazia; ma anche, se è agire di Dio, della piena divinità dell'azione, non di un aspetto parziale di questa divinità: Dio è interamente presente nell'elezione rivolta agli uomini; di conseguenza, qui si decide *di che* si tratta nel cristianesimo, qual è la realtà con cui si ha a che fare. Da qui in effetti comincia tutta la ricerca barthiana.

Alla base del pensiero dogmatico barthiano (come si è cercato di dimostrare nelle pagine precedenti) c'è una formula centrale, quella dell'«imperativo»: Dio si rivela in una sua parola, che viene rivolta agli uomini; essa è un comando. Nella scrittura biblica, testimonianza di questo comando, è presente l'autorità imperativa, di cui si ha percezione: è un carattere originario, oggettivo, condizione del credere; chi viene chiamato in causa, non può rifuggire da una risposta. Il che può essere inteso in due modi differenti. 1) Come un fatto, oltre e nonostante la realtà empirica; gli oggetti della nostra esperienza non possono pretendere un'adesione incondizionata, senza che si ponga subito la domanda sul loro senso, cioè la coscienza razionale dell'essere entro limiti, il che toglie ogni pretesa di oggettività assoluta; allora una testimonianza biblica ripropone dei significati oltre e nonostante questo limite. 2) Come un fatto che ha in se stesso la traccia della propria origine, e quindi ci permette di decifrare il segno empirico: l'autorità della testimonianza biblica è il modo come il linguaggio umano riflette la parola divina, in un certo senso adeguatamente; i mezzi umani portano questo diretto intervento divino, questa sostanza teologica, nessuno di essi può risultare assolutamente refrattario.

I due modi sono procedimenti opposti: il 1) dall'autorità constatata della parola biblica alla riflessione sul fenomeno; il 2) da una concezione di Dio come volontà incondizionata, essere identico a sé, alla rivelazione biblica. Questa è la strada scelta da Barth nella *Dogmatica*: il fatto della rivelazione, quel «che» cui ci riferiamo nel credere, non ha alcun rischio, non può essere una «proiezione soggettiva». Ma il problema rinasce dall'interno: se partiamo dall'idea della sovranità divina, dobbiamo includere in essa non solo l'autoaffermazione, la non contraddizione di questo soggetto assoluto, ma anche la ricchezza, la varietà dell'essere, il movimento e il mutamento (tutto ciò che è la realtà del nostro mondo, soprattutto la realtà umana, la storia, nel suo rapporto con Dio). Ecco allora l'altro aspetto del problema: quello dell'esperienza storica, in cui certi fenomeni sembrano refrattari all'azione e all'imperativo divino. Barth non evita il problema: se da un lato è vero che «Dio si conosce solo mediante Dio», dall'altro ci si chiede (e si sente l'eco di brucianti esperienze della guerra mondiale): «Perché deve esserci quella distruzione e negazione della creazione per mezzo del peccato, della morte e del demonio?»[1]. Non si tratta solo di difficoltà soggettiva a far quadrare la vita vissuta con i princìpi teorici, ma di una vera obiezione teorica: se l'imperativo divino ha un risvolto distruttivo, implica condanna di certi aspetti dal suo carattere di norma, che come tale implica giudizio e condanna della ribellione. Quest'ultima è un vero problema per la riflessione dogmatica.

La concezione della soggettività imperativa di Dio, con cui Barth aveva definito il «qui» da cui parte il credere, va riveduta e approfondita; il luogo dove possiamo iniziare a credere non è più quello dove si percepisce l'autorità divina della rivelazione, ma quello che presenta un legame coerente tra approvazione e riprovazione. Così il pensiero barthiano si mette in questione: se infatti esso procede da Dio che si rivela alle conseguenze teologiche, tiene però anche conto di elementi che spezzano la continuità deduttiva, lascia irrompere il «fatto» in questo tessuto speculativo. Si tratta del «rischio» in cui sembra incorrere Dio stesso, nel suo lasciare che gli uomini vogliano ciò che lui stesso non vuole. Qui appunto la dottrina si trova a confinare con il paradosso.

b) *Implicazioni del termine «elezione».* Dobbiamo dunque cercare quale sia il nesso che Barth indica con il termine di «elezione». Alcuni riferimenti per chiarire questo punto:

1) «Gesù Cristo vince», è la formula che sostiene tutta la ricerca barthiana intorno al credere cristiano: senza questa «fiducia» che non è opera umana, ma è fondata sul suo oggetto e ne trae origine, ogni pretesa del discorso umano con riferimenti teologici è vana. Questa idea è riproposta ancora nel '36, in un momento storico ormai di conflitto mondiale[2].

2) Parlare di Gesù Cristo è parlare di «elezione», cioè di un agire di Dio, è mettersi al centro della realtà. In *Schicksal und Idee*[3] si definisce in genere l'«attualità» come «esperienza di un'opera che avviene in noi e con noi», e si applica la definizione alla parola di Dio (p. 66), capace di coinvolgerci, attività divina pienamente riuscita, concreta (p. 90-92), cioè valida in ognuna delle sue componenti, non solo nella volontà divina, ma anche nella recezione umana, un'attività sinonimo di vittoria su ogni limite e, in rapporto all'uomo, di «elezione». L'idea si approfondisce a confronto con le realtà della storia: l'ef-

---

[1] *KD* II/1, p. 1, 150, 157; *KD* II/1, p. 631; della seconda parte di *KD* II, e precisamente dei paragrafi 32-35, esiste la traduzione italiana a cura di A. MODA, da cui le citazioni: K. BARTH, *La dottrina dell'elezione divina*, Torino, UTET, 1983.

[2] *Gottes Gnadenwahl*, «Theologische Existenz heute» 47, 1936, Reprint 1980, Kaiser, München: si tratta di lezioni tenute durante un viaggio del 1936 in Ungheria.

[3] *Schicksal und Idee in der Theologie*, del 1929, in *Theologische Fragen* cit., p. 54-92.

ficacia e la concretezza della rivelazione di Dio non sono compatibili con posizioni di autodifesa; non si può sostenere che la storia sia dominata da forze distruttive e malvagie; il male non vince, nonostante le apparenze, perché non è la radice dell'essere.

3) Essere convinti di questo ed impegnarsi contro queste apparenze di vittoria del male sono due passi strettamente collegati. Per questo i cristiani sono non solo legati agli altri nella miseria della situazione, ma anche responsabili del potere in tutte le sue forme, soprattutto in quelle dello stato [4]. Dio infatti non ha un rapporto generico con la realtà del mondo, ma attraverso Gesù Cristo ha un rapporto di salvezza, quindi la realtà ha fondamentalmente un ordine che non consente il non senso, l'arbitrio, e anche la trasgressione non significa contrapporsi frontalmente alla volontà divina, ma semplicemente essere al suo servizio contro la propria volontà: l'opposizione Cristo/stato non è l'ultima parola, non si tratta di forze alla pari.

4) Il senso del discorso è che la realtà non è informe, indeterminata, ma ha una direzione e un contenuto: è realtà salvata. La sua organizzazione, anche ma non solo storica, ha un legame, corrisponde al suo principio, la cui realtà non può far a meno di imporsi in tutti i campi.

Il problema è semmai all'origine del discorso: potrei infatti pensare il diritto, i modelli politici, i tentativi di esercizio del potere, come processi empirici, in cui individui e gruppi umani cerchino di dar forma al loro vivere, senza pretesa di norme oggettive; Barth invece immette nella realtà un processo guidato dal senso oggettivo delle cose, in ultima analisi dall'azione di Dio. Questa è efficace nella sua concretezza, è il fondamento reale di ogni cosa, anche della storia: chi ha ascoltato e raccolto questa intenzione del soggetto divino, non può che tentare di rispondervi; il cristiano nella prassi non si perde nel caos della realtà empirica, ma conta sulla realtà dell'azione di Dio, risponde ad essa con la sua azione; gli ostacoli non sono insormontabili, perché sono già vinti [5].

5) Anche colui che si oppone, che agisce in altro modo, non ha radici reali, ed ha consistenza solo in rapporto alla volontà divina. Questo è il problema del senso teologico della realtà, o, se si vuole, dell'elezione. Barth non si ferma all'interrogativo posto dall'annuncio evangelico agli uomini, ma studia le condizioni di questa parola nelle parole storiche. Egli riconduce il credere all'autorità della parola, e questa ad una forma imperativa, espressione di un soggetto assoluto; pienamente reale e concreto, egli è integro in ogni suo atto, nel-

---

[4] *Rechtfertigung und Recht*, del 1938, in K. BARTH, *Eine Schweizer Stimme*, Evangelischer Verlag, Zürich, 1945, p. 13-57. È anche il momento in cui Barth, nella lettera a Hromadka, esorta i cecoslovacchi a combattere Hitler con le armi, come servizio a *tutti i cristiani* (*ibid.*, p. 58 s.).

[5] Si potrebbe notare che la prassi del cristiano è interpretabile anche in altro modo, ad es. come un tentativo di dare significato alla realtà, nella consapevolezza del limite e della relatività inerenti a questi sforzi: nonostante il non-senso finale del tentativo, questo viene perseguito *senza fondamento*, se così si può dire, ma cercando di mettersi dalla parte del vangelo. Questa osservazione è introdotta per suggerire la non necessaria consequenzialità tra azione divina per salvare gli uomini e dominio del senso della realtà del mondo da parte dei cristiani.

la rispondenza tra volere e compimento del volere, tra Dio e se stesso nella persona del Figlio, e in questo anche tra Dio e il mondo. L'attuarsi di questa volontà concreta non trova elementi esterni di opposizione, un negativo che la distrugga, anzi proprio questo negativo è oggetto del suo agire e della sua vittoria.

c) *Essere-in-relazione*. La formula di cui Barth si serve nello sviluppo di questo pensiero non è più quella dell'imperativo divino, ma quella dell'identità attraverso il mutamento; l'essere attivo si manifesta nella *corrispondenza* tra il soggetto divino e i contenuti del suo agire. Mentre nel primo caso il credere, radicato nella percezione del comando attraverso la parola di Dio, è riconoscimento, sottomissione, nel secondo viene dalla relazione essenziale tra un uomo e Dio: il punto focale è Gesù Cristo, nella testimonianza biblica e della chiesa, e il credere è risposta attiva a questo legame. Tutto questo è svolto nella parte II della *Dogmatica*.

Al centro di questo pensiero è la «corrispondenza» uomo-Dio in Gesù Cristo. L'elemento oggettivo è qui dato dall'essere di Gesù Cristo in rapporto a Dio; non potremmo considerarlo empiricamente isolato, la sua condizione traspare, è un essere in riferimento. In lui traspare l'altro termine della relazione, il soggetto attivo che genera il rapporto, che si attua cioè in esso: Dio corrisponde a se stesso in Gesù Cristo, in un atto di autoaffermazione come ricchezza di essere, non come esclusività o chiusura; si comunica infatti nella forma più espansiva e più piena, nel Figlio o Parola. L'essere di Gesù Cristo ne fa dunque l'eletto per eccellenza.

Il problema è dato dall'effettiva funzione dell'analogia. Il modo d'essere di Gesù Cristo è per noi un annuncio, ci induce all'attenzione e all'ascolto; anziché costituire un oggetto opaco, un ostacolo, ci apre un orizzonte: nell'umanità di Gesù Cristo, a noi accessibile, si mostra un riferimento basilare dell'uomo a Dio, quindi un'attività comunicante del soggetto divino in direzione umana. Ma tutto questo può venire semplicemente da una struttura di relazione?

Un termine che abbia un riferimento ad altro, può essere l'elemento di una serie; esso ha significato in quanto occupa un posto rispetto ad altri, quindi il suo significato è dato dal riferimento. Qui la relazione è una struttura, non un soggetto. Anche in termini funzionali, una formula genera una serie, i cui termini possono reagire sulla formula di partenza, modificandola: un effetto automatico, che tra l'altro, a un grado elevato di complessità, diventa incontrollabile sul piano logico. Parlare di Gesù Cristo come di un «essere in corrispondenza» è allora molto generico e teologicamente sterile, a meno che non si accentui il carattere attivo del soggetto. È il caso di Barth, che in effetti *presuppone* questo soggetto, e poi lo riconosce in rapporto a ciò che genera, mentre il processo inverso non darebbe esiti. Ma allora, o noi presupponiamo questo soggetto attivo, autoidentico, analogante, oppure rinunciamo a tradurre in termini concettuali ciò che è dato nelle testimonianze a Gesù Cristo, nel suo essere-in-riferimento a qualcuno.

La seconda alternativa mette in rilievo che la differenza caratteristica dell'essere di Gesù Cristo non è la distanza nella quale si colloca ogni oggetto in quanto osservato, che consente di vedere ciò che una cosa è «per me», ma è una differenza trascendente; non è il distacco che permette di riferire l'uno all'altro i termini di una serie, ma è ciò per cui un termine esce fuori dalla serie, ha qualcosa di non riducibile alle condizioni comuni del significare. Questo nega la possibilità di una conoscenza per concetti: il termine in causa, uno dei termini del nostro mondo, ha un riferimento, un richiamo, che significa oltre le condizioni normali del significare. Il Gesù Cristo testimoniato nella storia, può essere oggetto di osservazione induttiva, non di applicazione di un principio teologico.

Barth invece intende quel riferimento, quell'essere-in-relazione di Gesù Cristo, come sintomo rivelativo dell'essere stesso di Dio. In termini dogmatici, si tratta della corrispondenza tra Dio che si rivela, che *è* volontà comunicativa, e il Figlio che realizza questo essere, lui stesso pienamente Dio in quanto eletto. L'identità è un principio costitutivo divino [6], tra Dio e la sua azione nel Figlio c'è corrispondenza diretta, e questo vale anche per il Logos incarnato.

d) *Il non-ente*. La realtà dell'agire di Dio, la sua concretezza, richiede che l'essere divino non si dissolva nell'effimera attualità, ma persista nell'azione. Dio è *nel* rivelarsi, ma non si esaurisce nella rivelazione. In quanto si rivela, non coincide totalmente con il suo manifestarsi, non è necessitato in questo: la libertà va insieme alla grazia; se si rivela, Dio non è prigioniero del suo atto; tra Dio e il suo atto c'è priorità di Dio. La grazia come «volere il bene» è l'essere stesso di Dio, ma Dio agisce per se stesso, non si trova di fronte un limite [7]. Dal presupposto di Dio come autoidentico, alla concretezza e spontaneità del soggetto divino nell'agire, alla corrispondenza tra Dio e il suo operato (che traspare in Gesú Cristo) [8]: si pone il problema del non senso, della realtà empirica, che Barth tende a risolvere sul piano stesso dell'elezione di Gesù Cristo. Nella rispondenza di Gesù Cristo all'attività divina, c'è anche la risoluzione del problema del non-essere [9]. Solo una cosa Dio non può volere, l'assurdo, cioè la negazione di se stesso [9], ma per il resto anche un non-ente può comprendersi dentro la volontà positiva divina.

La condizione di questo passaggio è un concetto di «essere reale» come un massimo di essere, e questo come autoaffermazione; se togliamo questo pre-

[6] Non per niente la non-contraddizione è da Barth riportata all'essere di Dio, cfr. *KD* II/1, p. 604.

[7] *KD* II/1, p. 288, 365.

[8] Anche la nostra verità su Dio è analogia, risposta; le nostre parole (concetti di relazione, si noti, appunto adatti a descrivere il modo in cui in Gesù Cristo si manifesta l'essere di Dio, come rapporto tra termini, come azione divina) non sono nostre, ma di Dio, non si fondano sulla nostra esperienza, ma sulla sua decisione. Cfr. *KD* II/1, p. 259, 261.

[9] *KD* II/1, p. 631.

supposto, abbiamo invece il seguente problema: il vangelo, nella sua forma storica, è un elemento del mondo (come tale soggetto all'esegesi storico-critica!), ma nello stesso tempo non è solo questo, e sembra andare oltre; è un «nonostante tutto» che ci si propone, soprattutto come sostegno della prassi, non come fondazione della conoscenza; in questo persistere si attua la fede in Gesù Cristo. Essa manca di fondamento; è un fatto, come tale esposto alla critica della ragione; non c'è questa forza comunicativa al di là di ogni limite. Ma Barth ragiona in modo diverso. Niente può risultare in ultima analisi opaco, indifferente, totalmente negativo, se tutto è espressione di questo essere divino che sovrabbonda. Allora anche il non-ente è in funzione di questa «salvezza»:

> Perché ciò che è creato dalla libera volontà di Dio deve avere, secondo la stessa altrettanto libera volontà di Dio, questo limite in questo non-creato da lui, in questo non-ente, perché dunque anche il non-ente secondo la libera volontà di Dio deve avere questo suo spazio determinato e questo suo essere proprio» (*KD* II/1, p. 631).

Il principio generale qui enunciato consente di non negare la comprensibilità del mondo, neppure quando si chiuda alla trasparenza dell'azione divina. Il «non-essere» è trattato come problema del non-ente, che non inficia la volontà divina, ma dimostra la sua forza, capace di dare spazio, di consentire a ciò che pretenda affermare se stesso, anziché riconoscere Dio: in questo consentire, Dio è ancora pienamente se stesso, non si afferma come «sacro egoismo» ed esclusione di quanto lo nega; tutto questo non toglie nulla al suo potere, ma lo riafferma in altro modo: ciò che nega Dio infatti ha realtà davanti a lui, come soggetto al suo giudizio, e come tale ha essere. Dio non se ne trova dunque limitato, e il non-ente non è semplicemente un nulla, un assurdo nonessere, ma un ente sottoposto alla giustizia di Dio, e dunque, per la natura di questo giudice, alla salvezza.

Tra i problemi di cui si tratta nell'elezione, c'è quello del mutare di Dio stesso, del suo «muoversi» fino a ritornare sui suoi passi. L'immutabilità divina, sostiene Barth [10], non è quella delle sue azioni, che possono essere diverse, ma quella del soggetto divino, che rimane se stesso in ognuna delle sue azioni. Se l'alleanza con Israele esprime la natura stessa di Dio, la sua volontà di comunicazione, la sua ricchezza di essere che chiama ad essere dei corrispondenti, essa è immutabile, irrevocabile; ma se si parla di condanna del ribelle, di «pentimento e d'ira», qui va intesa una vera riprovazione di quanto prima era stato approvato. È la funzione del giudizio, del mantenere comunque un legame tra Dio e il ribelle, che non riesce a spezzare questo vincolo originario, per quanto lo rinneghi; da parte di Dio, la sua forza è proprio nel non rinnegare, nel non cancellare colui che lo nega, ma in funzione della sua volontà (amore), nel sottoporlo al giudizio. Nel suo agire, Dio è quindi misericordioso *e* giusto, datore di grazia *e* santo, paziente *e* saggio: il movimento, la differenza, è interna al

---

[10] *KD* II/1, p. 556-560.

suo essere, come articolazione dell'unico principio della sua volontà, dentro la quale sono compatibili proprietà opposte, che in effetti denotano la realtà della vita divina, il suo essere attivo e non immobile. «Onnipotenza e pentimento», si dice dunque nella *Dogmatica*, e il discorso si applica a Gesù Cristo, a questa rivelazione di Dio che deve costituire, secondo la dimostrazione dogmatica, la prova centrale ed esclusiva.

e) *L'elezione*.

> La dottrina dell'elezione divina è la somma dell'evangelo... essa trova il suo fondamento e la sua pace nella conoscenza di Gesù Cristo... Dio, scegliendo l'uomo, certamente lo determina, ma nello stesso tempo determina ugualmente se stesso (KD II/2, paragrafo 32).

Se parliamo di Dio che si rivela all'uomo, dobbiamo parlare della decisione divina di mettersi in rapporto all'uomo; questo atto, piena autorealizzazione di Dio nella sua volontà di comunicarsi, è veramente concreto in Gesù Cristo: in lui Dio trova la piena rispondenza a sé, e noi, grazie alla comune umanità, troviamo il vero rapporto a Dio; in questo modo l'azione di Dio si compie come incarnazione e come salvezza degli uomini, come recupero dell'umanità e della storia. Le testimonianze evangeliche intorno all'uomo Gesù di Nazareth riconoscono in lui la parola di Dio, un rapporto immediato tra Gesù e Dio, un essere-in-riferimento al Padre, come risposta totale alla sua azione. «È a causa di questa realtà particolare che esiste una realtà generale: il mondo e l'uomo che noi vediamo... È qui infatti che vediamo quale comportamento Dio ha deciso di adottare una volta per tutte per raggiungerci e perché noi, a nostra volta, potessimo raggiungerlo» (p. 162). Questo significa che in lui si trovano per il credente il senso della realtà e del proprio essere, della storia e del proprio agire in essa, dell'insieme degli uomini e delle vicende di ognuno. Dunque ne devono risultare illuminati tutti gli aspetti, anche incomprensibili e repellenti, del mondo, sia che si guardi alla sorte collettiva che a quella individuale; deve essere spiegato il non-senso, la colpa e anche la relativa incolpevolezza. È chiaro che, una volta operata questa dimostrazione, ogni altro problema della tradizione dogmatica in materia, come Barth ampiamente dimostra, risulta superato e ricompreso nella forma nuova data alla dottrina.

Ammesso (anche se non scontato, come si è detto al punto c) il passaggio dalla percezione di Gesù Cristo come essere-in-riferimento all'altro termine della relazione, a Dio che in lui si rivela, si apre tutto il problema della portata di questa azione divina, del suo comprometersi con l'uomo empirico, con la storia, con il rifiuto che gli uomini oppongono al vangelo. Questo non è frutto di un passaggio deduttivo: qui Barth descrive la nostra esperienza, che è anche l'esperienza di Gesù Cristo nel mondo, tutto ciò che non consegue ad un ordine morale, tanto meno ad un ordine divino, tutto ciò che sta alla radice della nostra coscienza critica, come problema (ineliminabile) del senso della realtà. Barth vuol dimostrare 1) che rientra nella concreta volontà divina l'esposizione di se stessa attraverso il Figlio al rischio della scelta e della caduta; 2) che il giudizio di condanna inerente alla caduta degli uomini viene attuato ancora una volta come realizzazione della volontà di bene, dell'onnipotenza divina non negata dal male, quindi come misericordia, e questo nel sottoporre alla riprovazione, conseguente al giudizio, se stesso nella persona di Gesù Cristo.

1) Il pensiero barthiano su questo punto ruota intorno all'idea di «decreto concreto». Qui la linea deduttiva si spezza, l'idea dell'essere di Dio nell'umanità di Gesù porta fuori dello schema dogmatico: solo i presupposti impliciti circa l'«essere» divino come autoaffermazione identica tengono in piedi l'argomentare, ma Barth non può far a meno di dare rilievo anche al lato problematico, fino alla frattura e al paradosso, dell'esperienza del credere. Finché mettiamo in rilievo la volontà divina come volontà comunicativa, che risulta nell'efficacia della testimonianza biblica alla parola di Dio, non abbiamo ancora detto la forma specifica della volontà, del «decreto» nel quale essa è attiva. Barth è coerente alla sua premessa circa la piena realtà dell'azione divina, quando precisa che non si tratta di un decreto «assoluto», ma «concreto». Secondo il primo, l'«eternità di Dio è un campo vuoto e indeterminato», e Dio sceglie «senza dover rendere conto a nessuno», con un «atto assolutamente incondizionato, o un atto che non può esser condizionato se non dal suo stesso autore» (p. 314 s.), un atto dunque che non potrebbe mai venir inficiato, nella sua sovranità, da qualsiasi elemento esterno, che anzi non lascerebbe «fuori di sé» qualcosa, se non in senso molto relativo. L'errore secondo Barth è nel non dare rilievo al *fatto* della rivelazione come tale: rivelazione per noi è riconoscere Dio in Gesù Cristo, nella sua umanità, e questo è il dato e il problema vero della dogmatica: «la Parola e il decreto originari di Dio consistono nel fatto che Dio ha preso e porta il nome di Gesù Cristo... la scelta primigenia di Dio, nella sua verità e nella sua efficacia specifiche e decisive per tutto il resto, coincide rigorosamente con il fatto che, da tutta eternità, Dio si è deciso a divenire, per sua propria iniziativa, colui che porta il nome di Gesù Cristo (p. 315)... Dio ha voluto esistere sotto questo nome» (p. 316). Questo è il «decreto concreto»: nella sua libertà, Dio si sottomette a una determinazione; senza dovere nulla ad alcuno, ma per libera grazia, si attua nell'allearsi con l'uomo, e nel portare fino all'estremo questo legame: «è fin dall'inizio che il Padre ha scelto di realizzare quest'alleanza con l'uomo, consegnando in suo favore il Figlio suo che, diventato uomo, incarnerà la gloria divina: è fin dall'inizio che il Figlio ha deciso di obbedire alla grazia, abbassandosi al livello dell'umanità, per dare corpo all'alleanza conclusa da tutta eternità» (p. 317). Qui è l'origine e il senso di ogni predestinazione.

Il discorso è qui solo apparentemente deduttivo: infatti Barth sta dicendo che la fonte del credere, del credere in Dio secondo la testimonianza biblica, è l'uomo Gesù, che non possiamo parlare di Dio, se non in rapporto a lui. Prima di ogni riserva sulla possibilità, Barth ritiene che sia un *fatto*, che noi siamo *portati* a riconoscere Dio nell'umanità di Gesù Cristo. In lui non c'è solo l'oggetto che Dio vuole, il risultato della sua attività, ma il soggetto, Dio stesso, in quanto pienamente nel Figlio:

> Noi sappiamo del Cristo una cosa precisa, anzi la cosa più precisa possibile: mediante un atto di libera obbedienza nei confronti del Padre, ha scelto di essere un uomo e di compiere in questo modo la volontà divina... In lui, l'elezione eterna diventa immediatamente la promessa della nostra propria elezione che s'iscrive nel tempo, in lui diventa vocazione, appello a credere, sicurezza dell'intervento divino in nostro favore» (p. 323),

cioè Dio non si serve di altro, non è per noi altro che questo soggetto umano a cui possiamo attenerci, non è niente di estraneo a questa sua rivelazione, non vuole «qualcosa», che sia diverso da se stesso (p. 331). Non si tratta qui semplicemente di dedurre dall'autoaffermazione divina l'esigenza di un proprio corrispettivo eterno; alcuni passi biblici dicono «che il Cristo si è spogliato e abbassato» (p. 324) e in questo è il riflesso «della spontaneità e dell'attività divina». Nell'uomo Gesù noi vediamo, dice Barth, la promessa che Dio fa a noi; non dunque una generica manifestazione di potere, di alterità, di dominio, ma un'alleanza: il mondo dei fatti, il piano empirico dell'esistenza umana concreta, è lo stesso piano in cui Dio esiste: l'essere di Gesù ha una totale rispondenza a Dio, l'esser parola o figlio di Dio ha allora la sua precisa realtà nell'essere uomo, in una forma individuale, storica, di cui sappiamo tramite testimoni. Nell'individuo concreto Gesù di Nazaret traspare di fatto il suo riferirsi a Dio, e questo è il senso del suo parlare a noi, dell'annuncio portato da Gesù agli ascoltatori del suo tempo; ciò che percepiamo è una promessa di salvezza, da cui il senso dell'elezione a noi estesa.

Ma tutto questo significa: non c'è qualcosa da cercare «oltre» l'uomo Gesù, perché in lui Dio è totalmente, senza riserve; noi non vediamo altro, non abbiamo altro, non significati trascendenti, evocazioni di realtà assolute, ma un concreto individuo umano sul quale, di fatto, si appunta l'attenzione: non si può procedere oltre, e tutti i concetti e le analisi non sono altro che un girare intorno a questo dato fondamentale. Una fede e una promessa assolutamente infondata: essa si offre al ripensamento e all'ascolto, mentre tutto l'apparato deduttivo, in effetti, poggia su questa fede veramente nuda.

2) Se dunque la soggettività divina è pienamente nel Figlio che si fa uomo, si impone l'estrema conseguenza della finitezza, della riprovazione divina, della morte, partendo dalle vicende in cui è incorso Gesù di Nazaret.

> Il Figlio di Dio che si stacca dalla sua condizione divina sceglie, secondo Fil. 2,6 s., l'obbedienza fino alla morte in croce. Ora, questa decisione è la sostanza del decreto divino che è all'origine di tutte le cose (p. 351).

In che senso va intesa la connessione tra l'obbedienza e la morte? Il Figlio è la perfetta e totale rispondenza alla volontà positiva divina. Il contenuto di questa è che «la sua gloria trabocchi all'esterno» (p. 351), che si realizzi dunque anche in un essere creato. La creatura implica però un limite, è ciò che Dio vuole, contrapposto a ciò che Dio *non* ha scelto; essa deve rispondere alla volontà divina, volendo ciò che Dio vuole, e non volendo ciò che egli non vuole, e questa è la sua ubbidienza. Questa può venire a mancare, e fa sì che la creatura incorra nel giudizio e nella riprovazione. Poiché Dio, nel Figlio, ha voluto essere pienamente un uomo, ha con questo voluto far propria la sorte in cui la creatura incorre nella caduta, si è sottoposto alla riprovazione, alla distruzione legata alla scelta negativa, che egli stesso non compie. Nel condividere in pieno la sorte della creatura, Dio realizza così la propria volontà di bene, prendendo su di sé la rovina della creatura, e in questo compiendone l'elezione. L'obbedienza del Figlio nella sua forma completa è il darsi totalmente alla creatura decaduta, e in tal modo nel recuperarla. Per volere pienamente ciò che Dio vuole, cioè comunicarsi al di fuori di sé, il Figlio si sottopone al suo giudizio, si incarna nell'umanità fino alle conseguenze ultime della caduta. Come oggetto primario della volontà divina, il Figlio recupera così le creature cadute:

> Nella e per mezzo dell'elezione dell'uomo Gesù, è quest'uomo in se stesso e come tale [sopra lo definisce «la creatura che viola e oltraggia la sua condizione»] che Dio ha amato da tutta eternità e innalzato a partner della sua alleanza, proprio quest'uomo che resta incapace di resistere alle insinuazioni del tentatore e del seduttore, proprio lui che lasciandosi tentare e sedurre è diventato il nemico del suo creatore e che quindi merita la riprovazione e la morte. Grazie al decreto divino, Gesù ha preso la testa e il posto di tutti gli altri uomini; come Dio stesso, anch'egli ha il potere di rifiutare Satana, cioè di difendere e di non disperdere il beneficio costituito dalla creazione e dalla finalizzazione dell'uomo; e secondo Matteo 4 usa di questo potere in favore di tutti coloro che Dio elegge «in lui», cioè in favore dell'uomo in sé e come tale che, di per sé medesimo, resta incapace di difendersi (p. 352).

Il principio che sostiene tutto l'argomento è il persistere della volontà divina, la fedeltà alla sua decisione eterna [11]; essa non recede neppure di fronte al rischio della libertà della creatura: come Dio non vuole tutto ciò che non è in funzione della sua volontà, così «destina ugualmente l'oggetto del suo amore e il segno della sua gloria in seno al mondo che ha creato, ad essere un testimone di questa duplice intenzione..., tutto ciò perché questo essere esista e viva veramente in comunione con lui... Dio non vuole che l'uomo così scelto cada e pecchi, ma che riprovi e rifiuti il peccato, cioè precisamente ciò che Dio non vuole..., per questo motivo la vittoria sul male... deve mutarsi in avvenimento e tradursi in storia» (p. 384 s.). Dio in se stesso, osserva Barth (p. 420),

---

[11] *La dottrina dell'elezione* cit., p. 383, 387, 408, 418, 468.

non può essere toccato dalla possibilità e dalla realtà di ciò che non vuole, ma l'uomo, scelto da Dio a testimoniare la sua gloria, già per il fatto di essere una creatura, anche ammessa la sua integrità, mette a rischio questo obiettivo: «dovremo almeno riconoscere che quest'uomo non è Dio e che per compiere la sua volontà (vivere per la gloria di Dio) deve in ogni caso usare la libertà di decisione, propria della creatura; dovremo cioè convenire che esiste in maniera differente da Dio, senza nessuna sovranità, e che si trova almeno messa in questione dal limite dall'impossibile, da ciò che resta per sempre escluso, dal limite delle forze che si oppongono alla volontà divina» (p. 421).

Dio dunque vuol ottenere una risposta affidandosi a testimoni che non sono alla sua stessa altezza: volendo gli uomini, Dio vuole qualcuno che introduce un rischio. In quanto si attua totalmente nell'umanità di un individuo storico, Dio stesso entra nella storia, non per dominarla dall'esterno, ma per viverla dall'interno; la caduta delle creature, il loro doversi confrontare con forze di senso opposto (basta questo per catalogare l'esito del confronto dalla parte dell'insuccesso: la presenza di una forza avversa è già di per sé la perdita di controllo della situazione) non gli è indifferente. È chiaro che non si tratta di un contraddire alla volontà divina (la contraddizione sarebbe su un uguale piano logico), ma di un livello di realtà inferiore, dell'accadere storico; ma questo è il piano della stessa realtà di Dio, in quanto preso dalla sorte delle creature.

Parlare di Dio che elegge, e fedele agli uomini li accompagna nella loro sorte, è parlare di Gesù Cristo, non più soltanto uomo concreto che incarna la divinità, ma anche uomo giudicato, condannato e ucciso, che come tale è Dio.

> Dio ha voluto prendere il male sul serio, lo giudica e lo condanna, riprovando conseguentemente e consegnando alla morte l'autore di questo male; ma è anche un decreto misericordioso, perché Dio ha fatto entrare il colpevole nel proprio cuore, decidendo così di subire lui stesso la riprovazione, la condanna e la morte; è in questo decreto giusto e misericordioso che trova il suo fondamento la giustificazione del peccatore operata per mezzo di Gesù Cristo con il suo corollario: il perdono dei peccati. Tale giustificazione del peccatore non significa che Dio non prenda sul serio il peccato, né che cessi di rendere l'uomo responsabile; significa invece che Dio si dichiara solidale con il peccatore colpevole, si mette al suo posto per subire tutte le conseguenze del male e soffre così lui stesso tutto quanto l'uomo doveva soffrire (p. 425).

La piena assunzione dell'umanità da parte di Dio in Gesù Cristo include la condizione del finito, e ciò che ne consegue nella caduta: è la condizione del riprovato, di colui che è sottoposto al giudizio, alla «collera» divina. L'uomo Gesù ne partecipa, e Dio che in lui si attua come uomo la condivide. Ma fino a che punto va intesa la condivisione, fino a che punto essa è mezzo di «elezione», di salvezza? Ciò è lo stesso che chiedersi fino a che punto l'identificazione di Dio con l'uomo Gesù vada spinta, fino a che punto il caricarsi della riprovazione, cioè della colpevolezza che la suscita, non sia anche un far propria la colpevolezza, un esser tutt'uno con gli uomini anche nella colpa.

Barth non vuol fare un doppio discorso, da un lato una finta somiglianza tra Gesù e gli uomini, dall'altro un suo essere al sicuro, un mantenersi intatto nella divinità, senza alcun rischio della beatitudine eterna. Ma fino a che punto si può parlare di un totale identificarsi di Dio con la sorte degli uomini, senza dover rinunciare e parlare di divinità, di trascendenza rispetto alla storia? Se non mantiene questa distanza, la «predestinazione come salvezza» non ha più senso. Il Figlio di Dio, testimone perfetto e integrale della volontà divina, non limitato e caduto come le creature, è talmente ubbidiente a questa volontà, da volere anche lui le creature, la loro decisione per il bene e la loro salvezza; una volontà che lo identifica con l'essere di queste, che gli fa assumere i loro limiti e i loro rischi. Ma vivere realmente al livello della storia è vivere già in un certo senso la condizione di caduta, come lo è anche vivere il rischio della scelta di essere finito. Se la concreta realtà di Dio nell'uomo Gesù è un «darsi» totalmente, senza riserve, ci dovrebbe essere però un elemento che permetta di distinguere la funzione dell'uomo Gesù dal resto degli uomini. Si cerca qui una risposta alla domanda: in chi crediamo, quando crediamo in Gesù Cristo?

Già Barth ha risposto, dicendo che l'umanità di Gesù è l'unica traccia disponibile, cioè che il credere non ha alcun fondamento; ora il discorso è ripreso, e ci si domanda perché il credere senza fondamento sia rivolto e nasca proprio in rapporto all'uomo Gesù di Nazaret. Il pensiero barthiano è chiaro nella descrizione del «riprovato», Giuda, nella sua figura più drammatica ed estrema. Il peccato, fonte della riprovazione, è volere in genere ciò che Dio *non* vuole, ma questo non equivale al nulla. Come Barth dice anche altrove, ciò che Dio riprova ha una consistenza, in quanto *è* oggetto della sua riprovazione; resta al fondo una volontà di bene, che nessun gesto negativo cancella, la sua origine è sempre intatta e viva. Così, nell'identificarsi del Figlio con la sorte delle creature, fino all'estremo della colpevolezza, resta intatta la fonte di questo volere; la rinuncia all'intangibilità divina non disperde il germe di vita in questo deserto. Ma una vera rinuncia non continua a far essere, sia pur dialetticamente, colui che la compie: essa apre per lui il *non-essere ciò che era prima*. Dio che rinuncia alla sua condizione, per assumere quella dell'uomo, si sottopone alla stessa condanna dell'uomo caduto, entra anche lui nel non-essere. Ciò che rimane è tale non-essere, l'essere condannato, riprovato. L'essere di Dio nel suo «darsi» entra dunque in questo non-essere, in questo sussistere come lato oscuro della realtà di Dio, nella riprovazione. È proprio questa l'unica realtà che a Dio rimane, quando si mette fino in fondo dalla parte dell'uomo: si tratta appunto delle «cose che non sono» [12]. Dunque non resta al-

---

[12] Qui Barth parla del realizzarsi dell'«impossibile»: p. 551, 555s., 421, 649, 948. Ciò che «non è» (I Cor. 1,26 ss.) sembra avere la funzione di testimoniare la problematicità e il dinamismo della realtà, soprattutto morale: la realtà non è semplicemente quello che è dato, o quello che è stato

cun segno di salvezza o di dominio di Dio nella storia, c'è solo la storia degli uomini, delle forze in gioco nel mondo, della cultura, della coscienza, la storia profana; in essa, Gesù Cristo e i suoi testimoni, che però non possono andare oltre l'indicazione della sua vicenda terrena, né motivare in qualsiasi modo l'appello che essi ne raccolgono e che ripetono ad altri.

Il riprovato, dice Barth (p. 874), «esiste in realtà solo perché è oggetto del non-volere di Dio; proprio a questo titolo partecipa alla grazia che l'ha creato e che lo conserva; proprio per questo motivo rimane nell'ambito del patto di grazia stabilito da tutta eternità»; il che non significa dunque (p. 961) una cancellazione del male e della colpa, ma neppure un prevalere del negativo: nella storia non ci sono segni della vittoria di Gesù, «consegnato» da Giuda ed esposto alla morte, c'è però il sussistere della sua testimonianza, non dunque la fine della ricerca e dell'ascolto che egli ha suscitato. Per questo non si può andare al di là della storia, per concludere a una totale, irreparabile distruttività del tradimento dell'apostolo, o viceversa ad una sua giustificazione. L'«elezione» significa dunque che la ricerca del senso della storia, del mondo, ha un punto di riferimento nella testimonianza biblica della parola di Dio, ma non ci apre una via diversa da quella della totale partecipazione alla realtà empirica e profana.

f) *L'interesse della dottrina barthiana dell'elezione.* Questo pensiero che si risolve nel paradosso rimane sempre alla questione di base: dove e come iniziare a credere. Questa è in contrasto con la linea deduttiva della *Dogmatica*, ma non con l'interesse barthiano fondamentale per il concreto. Partendo dalla rivelazione di Dio nella sua parola, Barth ne svolge le analogie, fino ad assorbire ogni aspetto della realtà:

> Nella sua gloria sovrabbondante, Dio è esclusivamente amore, un amore che dona e che si dona, che non ricerca il proprio tornaconto ma quello degli altri. All'abbassamento totale che il Figlio di Dio accetta in favore del figlio dell'uomo perduto corrisponde l'elevazione totale accordata a questo figlio dell'uomo perduto, mediante la grazia divina; è precisamente questa elevazione che è l'elemento decisivo nell'azione di Dio compiuta in Gesù Cristo, e conseguentemente già nel consiglio divino da tutta l'eternità: è essa il fine perseguito dal Dio che predestina ed è essa l'oggetto della volontà divina (p. 435 s.).

Qui è mostrata con evidenza la logica della volontà divina, il perseguimento della sua identità nella forma del dono e della chenosi: ciò che la esprime è la «sproporzione che caratterizza il rapporto fra quanto Dio toglie e quanto

---

approvato, riconosciuto, che si è affermato o che è stato posto in essere, ma c'è tutto il problema di ciò che non è, o perché non ha avuto la forza di realizzarsi, o perché è stato condannato o rifiutato. Da questo punto di vista, il pensiero barthiano della problematicità di Giuda è veramente profondo sul piano etico, oltre che teologico.

Dio dona» (p. 437), cioè tra l'elezione e la riprovazione. Non si tratta di due alternative, ma di unico fine positivo, rispetto al quale la negatività è solo strumentale. Dal riconoscere la parola di Dio nel vangelo alle conseguenze estreme della salvezza: Barth non lascia sussistere niente al di fuori dell'adesione fondamentale degli uomini a Dio nella fede. Ma non è detto che la ragione critica non possa in qualche modo sussistere, *accanto* all'ascolto del vangelo, come sembra invece risultare dalla deduzione barthiana nella *Dogmatica*[13].

«Parlare» dell'elezione ci rimanda a Gesù Cristo, a ciò che di lui è testimoniato, a ciò che la sua storia significa oltre ogni condizione del significare; non sappiamo andare oltre, ma non possiamo ignorare ciò che essa ci obbliga a riconoscere. Il «credere» come fatto è veramente restare nelle «cose che non sono», e certo non avere «fondamento e pace». L'aspetto paradossale persiste anche nel pensiero barthiano: il credo cristiano ha ragion d'essere solo in Gesù Cristo e nel suo vangelo, i dati di cui disponiamo sono elementi finiti, che non possiamo forzare; essi ci pongono un'ulteriore domanda, ci invitano ad un processo induttivo, che sa di non poter pretendere risposte generali, valide una volta per tutte. Il nostro discorso non può essere quindi che interamente profano, e in questo senso suona estraneo l'apparato deduttivo della *KD*; e tuttavia potrebbe non ignorare la domanda posta dalle testimonianze bibliche, e trovarsi così a condividere l'interesse che muove tutti gli aspetti della dottrina barthiana dell'elezione.

---

[13] L'esclusione si ha solo se la ragione critica è intesa come pretesa di autofondarsi, che riconduce ai propri criteri ogni realtà diversa da sé. Ma questo modo di intendere la ragione, che certo ha indotto Barth a dare per contrapposto all'ambito della fede un'estensione totale, non corrisponde all'esercizio effettivo della coscienza critica: questa infatti non si autoproduce, ma è a sua volta un fatto, che ha un inizio indotto da fattori esterni, è una domanda fondamentale sul senso della realtà, che ci permette una distanza *logica* dal mondo empirico, cui apparteniamo, senza liberarci dalla *dipendenza reale* dalle condizioni esterne. Così intesa, la coscienza critica non assorbe nella sua pretesa la realtà dei fatti, ma la riconosce.

LA DOTTRINA BARTHIANA
DELL'ELEZIONE: VERSO
UNA SOLUZIONE DELLE APORIE?

di ALDO MODA

a) *Delimitazione dell'indagine*

1. Nel 1942 usciva il secondo volume della *Lehre von Gott*, seconda parte della *Kirchliche Dogmatik* iniziata da Karl Barth esattamente dieci anni prima, quando con decisione che non mancò di sorprendere, ma che si palesò in seguito ben ancorata ad una logica profondamente innovatrice e feconda per la teologia, rinunciando al disegno accuratamente esposto nella *Christliche Dogmatik* del 1927, iniziò un'avventura che doveva proseguirsi per oltre un trentennio e giacere incompiuta; in questo secondo volume un capitolo di quasi 600 pagine è dedicato all'elezione divina, unitario e curato come nessun altro, quello cui Barth annette la maggiore importanza e che ha vergato con più amore; malgrado i tempi calamitosi, resi ancora più duri dai sospetti che pesavano su Barth e che rendevano difficoltoso lo smercio dei suoi libri, assicurato ora non più dalle prestigiose edizioni Kaiser di Monaco, ma da un piccolo coraggioso editore zurighese cui Barth resterà fedele, il ponderoso volume ebbe successo, riuscendo persino a raggiungere la Germania, seppure in poche copie, non rilegate, dimesse e con l'innocuo e generico titolo: *Studi su Calvino*. Il capitolo era costato al suo autore lunghe fatiche; queste sono le uniche pagine della *Kirchliche Dogmatik* ad essere state interamente riscritte; bisogna pensare che anche così non dovevano soddisfare del tutto Barth, se questi, all'estremo limitare della sua esistenza, nell'autunno 1968, aveva programmato un seminario universitario privato sulla propria dottrina dell'elezione, che solo ragioni di salute impedirono di realizzare. Che la dottrina dell'elezione divina sia sempre stata al centro delle preoccupazioni barthiane non è d'altronde da provare. È presente già nella seconda edizione del *Römerbrief* in pagine assolutamente capitali e di grande densità, che un raffronto con la prima edizione colora talvolta in maniera drammatica; emerge vigorosa nell'articolo-programma del 1929; s'irrobustisce e s'impianta cristologicamente nell'importante saggio del 1936; fa capolino in *Die Menschlichkeit Gottes* del 1956 in una pagina non facilmente archiviabile, anche se foriera d'interrogativi; traversa infine tutta la *Kirchliche Dogmatik* dalla seconda parte dei *Prolegomena* nel 1938 ai punti cruciali che fondano l'etica, la dottrina della creazione, la dottrina della riconciliazione, fino all'estremo frammento sul battesimo nel 1967, ponendosi come la som-

ma dell'evangelo cristiano e la chiave di volta della strutturazione teologica, nel quadro di una dogmatica regolare, cioè organica e completa, proprio in virtù del grande tomo del 1942 [1]. Certo non si devono dimenticare le differenze; né tantomeno le prospettive divergenti fra l'impostazione eminentemente ecclesiologica e quindi molto attenta agli elementi di distretta e di critica che anima il secondo *Römerbrief* e la prospettiva cristologica del saggio del 1936, destinata a prevalere nettamente fin dal 1938, allorchè diventa evidente ed esplicito che il fondamento e il criterio di ogni teologia non è tanto la rivelazione intesa in senso formale ed astratto, bensì il concreto evento di Cristo; né ancora i concreti problemi teologici che Barth deve risolvere nei differenti momenti della sua esistenza e che si riflettono, naturalmente, anche in questo campo [2].

Ci pare però di poter consentire con quanti leggono in maniera sostanzialmente unitaria l'intera curva della teologia barthiana, almeno a partire dalla grande svolta del secondo *Römerbrief*, pur non misconoscendo momenti di pausa e di riflessione, esplicitamente riconosciuti da Barth stesso; ci sembra anzi

---

[1] *Die Kirchliche Dogmatik*, II/2, Zürich 1942 (1959⁴), 1-563 (§§ 32-35) = *Dogmatique* II/2, t. 8, Genève 1958 = *La dottrina dell'elezione divina dalla Dogmatica Ecclesiastica*, Torino 1983, 153-966. Cfr. *Der Römerbrief* Zweite Auflage, München 1922 (Zürich 1976¹⁰), 291-409 = *L'Epistola ai Romani*, Milano 1962, 312-407; *Schicksal und Idee in der Theologie*, «Zwischen den Zeiten» 1929, 309-348 = *Theologische Fragen und Antworten*, Zürich 1957, 54-92; *Gottes Gnadenwahl*, München 1936 (1980); *Die Menschlichkeit Gottes*, Zürich 1956 = *L'humanité de Dieu*, Genève 1956, 48-50 = *L'umanità di Dio*, Torino 1975. Per i nodi centrali della *KD* in cui la predestinazione o meglio l'elezione divina gioca un ruolo insopprimibile: *KD* I/2, 973-990 (1938: § 24,2) = *D* 5, 417-430; III/1, 1-376 (1945: §§ 40-41) = *D* 10, 1-356; IV/1, 1-80 (1953: § 57) = *D* 17, 1-80; IV/4 *Fragment* (1967) = *D* 26; *Das christliche Leben. Die KD IV/4 Fragmente* (1976), 1-73. Particolare importanza riveste la fondazione dell'etica: *KD* II/2, 564-611 (1942: § 36) = *D* 9, 1-44; III/4, 1-50 (1951: § 52) = *D* 15, 1-46; *Das christliche Leben* (1976). Per i dati biografici: E. BUSCH, *Karl Barths Lebenslauf*, München 1976² (= Queriniana, Brescia 1977). La posizione del secondo *Römerbrief* (commento ai capp. 9-11) è adeguatamente illustrata da H. BOUILLARD, *Karl Barth*, Paris 1957, I, 60-64; l'impostazione generale è molto diversa rispetto alla prima edizione come hanno notato egregiamente, fra gli ultimi lavori, J. ZENGEL, *Erfahrung und Erlebnis. Studien zur Genese der Theologie K.B.*, Bern-Frankfurt 1981; R. CRIMMANN, *K.B. Frühe Publikationen und ihre Rezeption*, Bern-Frankfurt 1981, 19 ss.; M.C. LAURENZI, *Esperienza e rivelazione. La ricerca del giovane Barth: 1909-1921*, Casale Monferrato 1983, 117 ss. 179 ss.; in tema specifico V. SUBILIA, *La predestinazione: una dottrina di dissidenza e di missione*, «Prot» 40, 1985, 72 s. offre alcuni esempi concreti particolarmente vividi. Si vedano anche le pagine dedicate alla problematica nel terzo *Römerbrief*, pubblicato solo nel 1956, ma risalente al 1940-1941; la prospettiva è ormai quella della *KD*; cfr. l'ed. ital. (Brescia 1983, 128 ss.; soprattutto pp. 132 s. 139 s. 152 ss. 155 s. 157 s.) con l'eccellente commento di M.C. LAURENZI (pp. 7-17).

[2] Sono fondamentali H.U. VON BALTHASAR, *Karl Barth. Darstellung und Deutung seiner Theologie*, Köln 1951 (1962²), 15 ss. 201 ss. 263 ss. 389 ss. (trad. ital.: *La teologia di K.B.*, Milano 1985) con le osservazioni di W. PANNENBERG, *Zur Bedeutung des Analogie-gedankens bei K.B.*, «Theol. Lit.» 87, 1953, 17 ss.; H. BOUILLARD, *Karl Barth*, cit., tutto il vol. 1; I. MANCINI, *Il pensiero teologico di Barth nel suo sviluppo*, intr. a *Dogmatica ecclesiale*, Bologna 1968, VII ss. (= *Novecento teologico*, Firenze 1977); W. KRECK, *Grundentscheidungen in K.B. Dogmatik*, Neukirchen 1978 (quest'ultimo veramente imprescindibile). Abbiamo schizzato questa problematica in *La dottrina dell'elezione divina* (1983), 136-141.

di poter segnare nettamente una linea che traversa organicamente tutto lo sforzo barthiano, facendolo logicamente confluire nella lenta elaborazione della *Kirchliche Dogmatik*; il che ammette naturalmente uno studio puntuale e monografico dei singoli elementi o delle singole opere, ma non permette, metodologicamente, di far astrazione dall'esito dell'itinerario barthiano, immedesimatosi nella *Kirchliche Dogmatik*, quand'anche su quest'ultima s'intendesse emettere un giudizio critico in confronto con il Barth degli anni giovanili[3]. Questo percorso metodologico comporta anzi, a nostro modo di vedere, una rilettura delle precedenti affermazioni barthiane, proprio alla luce degli sviluppi della *Kirchliche Dogmatik* e delle sue progressive acquisizioni, il cui apice indubbiamente è costituito dalla dottrina dell'elezione divina, che per il suo contenuto intrinseco e per il posto originale che occupa nella sistematizzazione teologica, mentre guida lo svolgimento dei tomi successivi, comporta anche una reinterpretazione globale della dottrina di Dio e la concretezza dell'evento di rivelazione, elementi d'altronde già balenati nell'interpretazione barthiana di Ansèlmo di Aosta[4]. Ripercorrere la lunga elaborazione della dottrina barthiana della predestinazione significa dunque imboccare un cammino privilegiato per la comprensione dall'interno della lunga fatica del teologo svizzero; notare, attraverso di essa, la progressiva concentrazione cristologica che a poco a poco si enuclea e s'irrobustisce significa indubbiamente toccare il cuore della teologia barthiana; soffermarsi sulle splendide pagine dedicatele nella *Kirchliche Dogmatik* significa non solamente usufruire di una chiave di lettura quanto mai efficace per un'opera perseguita con rara tenacia ed energia per oltre mezzo secolo, ma anche, e soprattutto, consentire con una linea teologica fra le più nette e fruttuose del pensiero cristiano, come pure offrire elementi per un'interpretazione meno corriva di tanta azione di Barth ed una luce meno inefficace sul barthismo[5]. Non possiamo certo toccare questi punti, come abbiamo avuto occasione di fare altrove; era però necessario richiamarli brevemente; sono infatti a monte dell'ampio discorso critico che ha investito questa tematica ed ancora oggi sono lungi dall'essere esauriti nel loro vigore di questionamento e di proposta[6]. Alla dottrina dell'elezione divina fanno capo infatti non solo

[3] Ci siamo spiegati brevemente in *La dottrina dell'elezione divina* (1983), 139 ss. esaminando le tesi di F.W. Marquardt (1972), H. Gollwitzer (1972), G. Casalis (1974) e soprattutto il lavoro, a nostro avviso più equo, di U. Dannemann (1977).

[4] Ci siamo spiegati brevemente in *La dottrina dell'elezione divina* (1983), 132-136; cfr. soprattutto J. BOSC, *Karl Barth ou la liberté de Dieu pour l'homme*, Paris 1957; P. EICHER, *Offenbarung. Prinzip neuzeitlicher Theologie*, München 1977, 165 ss. (sull'apporto di Eicher cfr. G. MATTHIAE, *La rivelazione nel dibattito postbarthiano*, «Protest» 44, 1989, 104 ss.); W. KRECK, *Grundentscheidungen*, 96 ss.; J.D. KRÄGE, *Rupture et continuité: Karl Barth*, «ETR» 61, 1986, 497 ss. (soprattutto pp. 513 ss.).

[5] Cfr. ancora *La dottrina dell'elezione divina* (1983), 9-26.

[6] Alla dottrina barthiana dell'elezione abbiamo dedicato i seguenti saggi: *La sintesi barthiana sulla predestinazione divina: originalità e appunti critici*, «Studia Patav» 18, 1971, 668-692; *La dottrina dell'elezione divina in Karl Barth*, Bologna 1972; *L'élection de la communauté dans la*

le luci, ma anche i nodi irrisolti della teologia barthiana [7] e più in generale della dottrina cristiana della predestinazione [8]. Non è quindi indifferente una retta impostazione di tutta la discussione.

2. Quest'ultima, è noto, è stata di un'ampiezza inusitata ed il suo influsso notevole [9]. Non si tratta semplicemente di rilevare le monografie specifiche [10];

pensée de Karl Barth, in Communio Sanctorum. Mélanges J.J. von Allmen, Genève 1982, 98-105; Vérification du rôle central de la doctrine de l'élection dans la Kirchliche Dogmatik, «Nicolaus» 10, 1982, 3-44; La dottrina dell'elezione divina (1983); L'originalité de la synthèse barthienne sur la prédestination: vis-à-vis d'une tradition théologique, «Nicolaus» 11, 1983, 51-76.

[7] Cfr. soprattutto G.C. BERKOUWER, Der Triumph der Gnade in der Theologie K. Barths, Neukirchen 1956 (orig.: 1954), 76 ss. 109 ss. 177 ss. 195 ss. 242. 328 ss.: P. EICHER, Offenbarung, 195 ss.; W. KRECK, Grundentscheidungen, 276 ss.

[8] Cfr. esemplarmente V. SUBILIA, La predestinazione, 65-101.

[9] Anche se avrebbe potuto essere pù in profondità; cfr. sommariamente W. BREUNING, Neue Wege der protestantischen Theologie in der Prädestinationslehre, «Trier Theol Z» 68, 1959, 193-210; J. MOLTMANN, Prädestination, LThK VIII, 670-672 (1963²); A. MODA, La dottrina dell'elezione divina (1983), 999-1001.

[10] In generale: G. MIEGGE, Della predestinazione divina: K. Barth, «L'Appello» 8, 1943, 140 ss.; E. BUESS, Zur Prädestinationslehre K.B., Zürich 1955; G. GLOEGE, Zur Prädestinationslehre K.B., «Kerygma und Dogma» 2, 1956, 193 ss. 223 ss. (= Heilsgeschehen und Welt, Göttingen 1965, I, 77 ss.); W.S. CAMPBELL, A Study of the Doctrine of Predestinatio of Calvin and Barth, B.D. Diss. Trinity College, Dublin 1964; W.J. HAUSMANN, K.B. Doctrine of Election, M.A. Diss. Drew University 1968; R.M. BROWN, K.B. on Election, «Christ Century» 1969, 405 ss.; A.C. YU, K.B. Doctrine of Election, «Foundations» 13, 1970, 248 ss.; D. SCHELLONE, in Karl Barth: ein Störenfriend?, München 1985; P. BOLOGNESI, La dottrina della predestinazione secondo K.B., «Studi di teologia» 9, 1986, 233 ss. Aspetto cristologico: J.K.S. REID, The Office of Christ in Predestination, «Scottish Journal of Theol.» 1, 1948, nn. 1-2; G. RABEAU, L'élection de Jésus-Christ selon K.B., «RSR» 23, 1949, 97 ss.; W. KRECK, Die Lehre von Prädestination, in Die Predigt von der Gnadenwahl, München 1951, 37-62; R. PRENTER, K.B. Umbildung der traditionellen Zweinaturlehre in lutherischer Beleuchtung, «Studia Theologica» 11, 1957, 1-88; W. SPARN, Die christologische Revision der Prädestinationslehre, in Die Realisierung der Freiheit, Gütersloh 1975, 44 ss.; A.E. Mc GRATH, K.B. als Aufklärer? Der Zusammenhang seiner Lehre vom Werke Christi mit der Erwähllungslehre, «Kerygma und Dogma» 30, 1984, 273 ss. Aspetto ecclesiologico: G.C. VAN NIFTRICK, Eeen Beröder Israels. Enkele Hoofgedachten in der Theologie van K.B., Nijkerk 1948; G. RABEAU, L'élection de l'Eglise dans la théologie de K.B., «RSc Rel» 1949, 343 ss.; Ch. BAUEMLER, Die Lehre von der Kirche in der theologie K.B., München 1964, 23 ss.; B. BUUNK, L'élection d'Israël, th. Fac. Théol. Eglise Evan. L.C. Vaud, Lausanne 1966; P. EDER, Der Sein der Kirche nach K.B., «Theol-Prakt. Q» 115, 1967, 51 ss.; F.W. MARQUARDT, Die Entdeckung des Judentums für die christl. Theol., München 1967; E.W. WENDEBOURG, Die Christusgemeinde und ihr Herrn. Eine Kritische Studie zur Ekklesiologie K.B., Berlin-Hamburg 1967, 187 ss.; C. O'GRADY, The Church in the Theology of K.B., London 1968, 100 ss. Aspetto individuale: G. MIEGGE, Eletti e reprobi nel pensiero di K. Barth, «Protest» 2, 1947, 51 ss.; G. RABEAU, L'élection de l'homme individuel d'après K.B., «MélScR» 8, 1951, 169 ss.; G. MURY, L'Evangile de Judas, «Christianisme social» 74, 1966, 217 ss.; S.K. PARK, Man in K.B. Doctrine of Election, Ph. D. Diss. Drew University 1966; R. SÖDERLUND, Läran om den universelle rättfärdiggorelsen i teologihistorisk Belysning, «SvTK» 1969, 144 ss. Sistematizzazione teologica: R. TORRA LLANAS, Déu en la doctrina de l'elecciò gratuita segons K.B., «Est Franc» 72, 1971, 275 ss.; C. GUNTON, K.B. Doctrine of Election as Part of his Doctrine of God, «JThSt» 25, 1974, 381 ss.

giova di più considerare il ruolo assolutamente centrale della dottrina nei vari saggi che si sono chinati in maniera globale sulla teologia barthiana e sulla sua strutturazione, dai più condensati [11] ai più ampi [12]; ancora maggiormente si deve notare come la posizione barthiana entri come parte integrante, e fin dagli inizi, in numerose e qualificate dommatiche protestanti o sotto forma di *excursus* o in discussione serrata [13]. Se ci è consentita un'annotazione personale, ed indubbiamente minore, possiamo aggiungere che oggi la dottrina barthiana dell'elezione suscita più attenzione, rispetto ad un quindicennio, com'è possibile rilevare dalle recensioni cui sono stato oggetto le nostre due opere maggiori [14]. Seguire questo dibattito sarebbe indubbiamente istruttivo, ma esulerebbe dalla nostra prospettiva specifica. Qui diciamo solo che tutti i critici sono concordi nel riconoscere come merito indiscusso dell'esposizione barthiana «di aver colto il problema alla sua radice biblica, di aver messo in evidenza la fonte degli errori e delle deficienze e di aver elaborato, su vasta scala, una

[11] Soprattutto J. HAMER, *Karl Barth. L'occasionalisme théologique de K. Barth*, Paris 1949, 130 ss.; H. HARTWELL, *The Theology of K.B.*, London 1964, 96 ss.; P. EICHER, *Offenbarung*, 195 ss.; D. FORD, *Barth and God's Story. Biblical Narrative and the theological Method of K.B. in the Church Dogmatics*, Bern-Frankfurt 1981, 72 ss.; H. FISCHER, *Systematische Theologie*, in G. STRECKER hrsg., *Theologie im 20. Jahrhundert*, Tübingen 1983, 338 ss.

[12] Soprattutto H.U. VON BALTHASAR, *Karl Barth*, 181 ss.; G.C. BERKOUWER, *Der Triumph der Gnade*, 76 ss.; B. GHERARDINI, *La parola di Dio nella teologia di K.B.*, Roma 1955; H. BOUILLARD, *Karl Barth*, II, 125 ss.; W. KRECK, *Grundentscheidungen*, 176 ss. 276 ss.; E. BUSCH, *Un Magnificat perpétuel*, in *Dogmatique. Index général*, Genève 1980, 9 ss.

[13] Soprattutto E. BRUNNER, *Dogmatik*, Zürich 1946, vol. 1 (1960³; trad. franc.: Genève 1964, che citeremo); P. ALTHAUS, *Die christliche Wahrheit*, Gütersloh 1952³; H. VOGEL, *Gott in Christo*, Berlin 1952²; O. WEBER, *Grundlagen der Dogmatik*, Neukirchen 1952, vol. 2; W. THRILLHAAS, *Dogmatik*, Berlin 1962; E.H. AMBERG, *Christologie und Dogmatik*, Berlin 1966, 60 ss. 133 ss.; H.G. FRITZSCHE, *Lehrbuch der Dogmatik*, Göttingen 1967, vol. 2; H.G. PÖHLMANN, *Abriss der Dogmatik*, Gütersloh 1973; H. MÜLLER, *Evangelische Dogmatik*, Berlin 1978, vol. 1; H. THIELICKE, *Der Evangelische Glaube*, Tübingen 1978, vol. 3; E. SCHLINK, *Oekumenische Dogmatik*, Göttingen 1983; ad essi si assimila il ponderoso contributo di G. EBELING, *K.B. Ringen mit Luther* (1985), in *Lutherstudien*, Tübingen 1985, III, 428 ss.

[14] Per *La dottrina dell'elezione divina* (1972): E. RIBAUTE, «ETR» 48, 1973, 401 s.; J. ANSALDI, «RHPR» 54, 1974, 300; R. BERTHALOT, «Theol Lit» 90, 1974, 852 s.; A. MARRANZINI, «Civ. Catt» III, 1984, 533; R. MARLÉ, «RSR» 62, 1974, 376; J. HOFFMANN, «RSc Rel» 49, 1975, 369 s.; S. ROSTAGNO, «Protest» 30, 1975, 182 ss.; R. TURA, «St Pat» 22, 1975, 675; «Irenikon» 49, 1976, 590 s.; G. COLOMBI, «Humanitas» 31, 1976, 158 s.; L. VON AUW, «RThPh» 1978, 193. Per *La dottrina dell'elezione divina* (1983), tralasciando le numerose segnalazioni su riviste, quotidiani e settimanali (un ampio fenomeno di massa che da solo fa ben sperare): F. ARDUSSO, «Il Nostro Tempo» 6-11-1983; G. GANDOLFO, «La Luce» 25-11-1983; E. MARIANI, «Osserv. Rom.» 4-11-1983; M. SALVATI, «Sap» 36, 1983, 496 s.; R. HÖCKMANN, «Angel» 1984, 451; G. RINALDI, «BOr» 26, 1984, 184 s.; E. SEVERINO, «Corriere Sera» 18-4-1984; V. TONINI, «La Nuova Critica» 1984, quad. 69; B. KÄMPF, «RHPR» 1985, 83; G. CONTE, «Protest» 41, 1986, 183 s.; P. BOLOGNESI, «Studi di Teologia», 9, 1986, 233 ss.; R. MARLÉ, «RSR» 75, 1987, 431; e soprattutto B. GHERARDINI, «Doctor Communis» 37, 1984, 145-153; L. SARTORI, «Studia Patav» 22, 1985, 370-372; P.S. VANZAN, «Civ Catt» I, 1986, 149-158. Cogliamo l'occasione per un ringraziamento sincero a lodi troppo grandi che leggiamo come sprone.

concezione cristologica ed ecclesiale del disegno divino, mediante un'analisi esaustiva dei testi scritturistici» [15]; Barth «ha rimesso in onore la dottrina biblica dell'elezione in maniera conforme alla rivelazione, superando quindi la dottrina speculativa della predestinazione, la cui paternità risale ad Agostino e la cui conseguenza più rigorosa e più logica è l'espressione calvinista della doppia predestinazione» [16]; «il merito essenziale (dell'esposizione barthiana) risiede precisamente nella sua intenzione fondamentale: sostituire alla nozione di un segreto nascosto quella del mistero rivelato in Cristo; così torna alla luce il senso biblico della predestinazione che gli esegeti hanno sovente saputo riconoscere, ma a cui i teologi non sempre si sono riferiti con rigorosità sufficiente; partendo da questi presupposti, Barth ha elaborato una confutazione radicale della dottrina calvinista ed ha messo in evidenza le aporie fondamentali della concezione agostiniana» [17]. Indubbiamente più di ogni altro teologo, di ieri come di oggi, mediante un ampio dialogo con la tradizione, Barth ha proceduto ad una severa revisione della dottrina speculativa della predestinazione, aprendosi al dato scritturistico; tuttavia il suo sistema racchiude delle aporie; su taluni punti, fra quelli fondamentali, anzi, la presentazione barthiana assume toni inquietanti, cosicchè taluni autori si sono chiesti se Barth restasse ancora sul terreno scritturistico, oppure no [18]. È questa l'eco di una preoccupazione che Barth stesso condivide; come tanti suoi lettori, accostandosi al nucleo portante della sua dottrina, cioè all'elezione di Gesù Cristo, anch'egli è assalito da un senso di vertigine; «questo fatto apre prospettive talmente insolite, in referenza a quanto si trova nel dogma della predestinazione assunto storicamente, che possiamo interrogarci a buon diritto: il nostro fondamento è solido ed esatto, oppure abbiamo sollecitato alla fin fine la verità?» [19]. In questo nostro contributo ci soffermeremo, ed in maniera differenziata, unicamente sulle aporie, sforzandoci verso un tentativo di soluzione, nella linea di precedenti saggi.

3. Tuttavia ci paiono necessarie due premesse. L'una riguarda l'impostazione generale di ogni discorso sull'elezione divina: trattandosi di un mistero accessibile unicamente nella fede, ogni approccio teologico non può che essere negativo e muoversi in maniera rigorosa unicamente nell'ambito sempre paradossale dell'*analogia fidei*; occorre cioè preservare l'assoluta libertà di Dio, rifiutando da un lato l'equazione fra elezione e valori etici degli eletti, dall'altro l'eterna tentazione della *praevisa fide*, da un terzo accettando in tutta la sua ineludibile forza il mistero della reiezione; all'uomo non è data qui nessuna

---

[15] H. BOUILLARD, *Karl Barth*, II, 152.

[16] E. BRUNNER, *Dogmatique*, I, 370.

[17] H. BOUILLARD, *Karl Barth*, II, 142.

[18] Sintomaticamente E. BRUNNER, *Dogmatique*, I, 370; H.G. PÖHLMANN, *Abriss der Dogmatik*, 201; V. SUBILIA, *La predestinazione*, 98 s.; P. BOLOGNESI, *La dottrina*, 244 ss..

[19] *D* 8, 153.

possibilità di riconoscere la sapienza, la giustizia e la libertà di Dio se non *sub contraria specie*[20]. L'altra riguarda la precisa prospettiva di ogni discorso sull'elezione divina; con la consueta nitidezza, Subilia oppone una prospettiva teologica ad una prospettiva soteriologica, attirando con vigore l'attenzione sul problema della collocazione dommatica della dottrina; questa tematica ci vede particolarmente vigili, perchè la tentazione di un'interpretazione antropocentrica e soggettivistica dei dati deve essere rifiutata in maniera radicale. A noi pare tuttavia che non di opposizione si debba parlare e che sia consentita una relazione, anzi una correlazione fra i termini, almeno in un determinato ambito; proprio nell'esposizione barthiana ci sembra possa sussistere un determinato rapporto; tale naturalmente da escludere cadute metodologiche[21]. Abbordiamo ora la nostra tematica. Seguiremo come principio conduttore la regola esposta da Karl Rahner nella recensione al volume di Hans Küng sulla giustificazione: attenersi alle linee di fondo e alle questioni veramente essenziali, tralasciando e ponendo in secondo piano tutto quanto può essere considerato semplicemente sviluppo di una tesi teologica particolare[22]. Esponiamo dunque la tesi fondamentale: Gesú Cristo è il Dio-che-elegge e l'uomo-eletto. Conformemente alla dottrina trinitaria esposta nei *Prolegomeni*, Barth aggiunge: Gesù Cristo è l'uomo-eletto da tutta l'eternità, l'Uomo-Dio preesistente che, in quanto tale, è fondamento eterno di ogni elezione temporale. La dottrina della *praedestinatio gemina, ab aeterno*, nella conseguente forma cristologica assunta, consente inoltre di affermare che Gesù Cristo è il solo uomo veramente riprovato, poichè nell'elezione di Gesù Cristo, Dio ha destinato il sì all'uomo ed ha riservato per sè il no, cioè la riprovazione, la condanna, la morte.

b) *Individuazione delle aporie*

1. Iniziamo dalla prima proposizione: Gesù Cristo come Dio-che-elegge è il soggetto attivo dell'elezione (*der Erwählende*) e come uomo-eletto (e rappresentante di tutti gli uomini) è l'oggetto dell'elezione (*der Erwählte*); questa duplice funzione (attiva e passiva) è riscontrabile solo in lui, perchè lui solo è il Figlio-di-Dio (e quindi il Dio-che-elegge) eletto nella sua unità con l'uomo, per compiere l'alleanza di Dio con l'uomo; «il fatto di eleggere (funzione attiva) è inanzitutto la determinazione divina dell'esistenza di Gesù Cristo ed il fatto di essere eletto (funzione passiva) ne costituisce la determinazione umana»[23].

---

[20] Concordiamo appieno con V. SUBILIA, *La predestinazione* (1985).

[21] Della sua critica Subilia conosce la relatività storica, ma sottolinea giustamente l'imprescindibilità metodologica: *La predestinazione*, soprattutto pp. 67 ss. 84 ss..

[22] K. RAHNER, *Saggi di antropologia soprannaturale*, Roma 1965, 339 ss.; soprattutto pp. 340 ss.

[23] *D* 8, 106.

Che Gesù Cristo sia l'oggetto dell'elezione divina è un dato comunemente ammesso ed in Barth fondamentale perchè solo così si può comprendere ciò che definisce la nostra elezione, in cui l'uomo è accolto e preso a carico dalla libera grazia di Dio; quanto fa problema è invece Gesù Cristo assunto come colui che compie l'atto dell'elezione, poichè il Nuovo Testamento attribuisce l'atto di elezione a Dio Padre, lasciando al Figlio un ruolo mediatore; Barth stesso d'altronde ammette di dover ricorrere ad un'esplicitazione di quanto è solamente implicito nei testi scritturistici, soprattutto giovannei [24]. Si tratta ad ogni modo, per Barth, di una tesi legittima e necessaria. Quanto alla legittimità, si può leggere una densa pagina di Henri Bouillard. «Poichè nel Vangelo di Giovanni, il Cristo, Verbo Incarnato, è uno con il Padre, non ne consegue forse che anch'egli, con il Padre e lo Spirito Santo, è il Dio-che-elegge? D'altronde come potrebbe essere il capo degli eletti, colui nel quale gli altri sono scelti (così come insegna Paolo) se fosse soltanto una creatura eletta e non inanzitutto il creatore che elegge? Quest'argomentazione su cui Barth fonda la sua tesi è convincente? È incontestabile che secondo il Nuovo Testamento, Cristo non è semplicemente un uomo, ma il Figlio di Dio, uno con il Padre, nel seno della Trinità. E Barth ha ragione di riprendere per conto proprio il ragionamento di Atanasio contro gli ariani: non avremmo ricevuto la filiazione adottiva, se Dio non l'avesse preparata nel Cristo, suo Verbo, prima ancora della fondazione del mondo. Questo significa però che si possa attribuire al Figlio e al Verbo l'atto di elezione che il Nuovo Testamento attribuisce al Padre? I teologi discuterebbero la legittimità e l'opportunità di tale attribuzione al Figlio, secondo la loro peculiare dottrina trinitaria e secondo la maniera propria ad ognuno di considerare la dottrina delle appropriazioni» [25]. Quanto alla necessità a Barth sembra imporsi perchè solo così si preserva al Cristo il ruolo di *auctor et executor salutis*, più precisamente di *auctor et executor electionis nostrae*; Barth è colpito dallo sviluppo troppo riduttivo che nella tradizione ha svilito il tema dell'*imago Dei* attribuito a Cristo in chiave di semplice *speculum electionis nostrae*; una concezione di modello insomma (*Vorbildich*) e non di archetipo (*Urbildich*), che non può certo pretendere di rendere conto della risoluzione cristologica del tema: se in Cristo noi rimiriamo la nostra elezione, è perchè lui è la forma concreta e visibile della decisione divina in favore nostro e tale decisione è trinitaria [26]. Oggi più di ieri possiamo comprendere queste esigenze; si pensi da un lato al rinnovamento trinitario proprio in una linea

[24] *D* 8, 98-102. 105-106. 109-110. 121.

[25] H. BOUILLARD, *Karl Barth*, II, 153 s.; queste osservazioni sono molto illuminate dal contributo magistrale di E. JÜNGEL, *Gottes Sein ist im Werden*, Tübingen 1966², 37 ss. (su cui P. EICHER, *Offenbarung*, 255 ss.; U. BARTH, *Zur Barth-Deutung Eb. Jüngel*, «TZ» 40, 1984, 296 ss., 394 ss.; G. MATTHIAE, *La rivelazione*, 107 ss.; l'opera ha avuto una 3ª ed. nel 1985 con una notevole postfazione dell'A.; cfr. ora la trad. ital.: Casale Monferrato 1986); in senso più critico cfr. invece E. BRUNNER, *Dogmatique*, I, 254 ss.; B. GHERARDINI, *La parola di Dio nella teologia di K.B.*, 167 ss.; P. EICHER, *Offenbarung*, 250 ss.

[26] *D* 8, 110-118. 122-124. 131-150. 161-162. 176-177. 190-193. 198-204.

non dissimile da quella considerata legittima in questo contesto [27]; si pensi dall'altro al rinnovamento operato da Hans Urs von Balthasar per quanto attiene al carattere archetipale della figura [28]. Il rinnovamento trinitario consente un miglior equilibrio del rapporto teologia-cristologia nella dottrina dell'elezione; permette una migliore messa in evidenza del ruolo della trinità economica, secondo l'assioma *opera trinitatis ad extra sunt indivisa*; ammette una migliore valorizzazione della collocazione barthiana della dottrina dell'elezione nella dottrina-di-Dio. Il rinnovamento concernente il carattere archetipale della figura consente una lettura particolarmente intensa e ricca della categoria di mediazione, proprio nella linea che Barth intende preservare. Ogni linguaggio è legittimo, purchè ci si comprenda e ci si riferisca esattamente al nucleo concettuale che vi è sotteso; è però consentita la ricerca di un linguaggio migliore, più adeguato all'oggetto stesso del discorso; e qui ci sembra che, stando ai testi così come giacciono, si sia in presenza di un assorbimento nel Verbo delle funzioni proprie del Padre e dello Spirito Santo, cioè di una precisa forma di concentrazione cristologica che pone problema, ben al di là della singola tesi teologica che attribuisce a Gesù Cristo un ruolo di soggetto nell'elezione divina.

L'aporia quindi non sta nella tesi così come letteralmente essa giace; sta più a monte e più nel profondo ed è questo radicarsi nell'intimo che non consente un semplice scambio di concettualizzazioni, anche là dove esso sarebbe teologicamente possibile; sta nella concezione stessa di cristologia, in cui Barth accorda una preminenza eccessiva al soggetto divino [29], teste privilegiato l'interpretazione offerta della formula cristologica calcedonense [30]. Non si tratta evi-

---

[27] Cfr. soprattutto C. SCHÜTZ, *Gegenwärtige Tendenzen inder Gottes und Trinitätslehre*, in *Mysterium Salutis. Ergänzungsband*, Einsiedeln 1981, 264 ss; F. BOURASSA, *La Trinità*, in *Problemi e prospettive di teologia dommatica*, Brescia 1983, 337 ss.; B. FORTE, *Teologie trinitarie attuali*, «Credere oggi» 1986, n. 34, 56 ss.; A. MODA, *La Santa Trinità: invito alla lettura*, «Credere oggi» 1986, n. 34, 94 ss. (specialmente i saggi di J. Moltmann, G.H. Tavard, E. Jüngel).

[28] Cfr. soprattutto le opere di H. Heinz (1975), M. Albus (1976), G. Marchesi (1977), M. Jöhri (1981), M. Lochbrunner (1981), J. Schmid (1981) ed i saggi di T. Citrini (1969), P. Escobar (1978), F.G. Brambilla (1980); particolare attenzione meritano in questa linea R. Vignolo (1982) e G. de Schrijver (1983); cfr. i nostri *Balthasariana: per gli 80 anni di H.U. von Balthasar*, «Studia Patav» 32, 1985, 561-596 e *La ricezione dell'opera di H.U. von Balthasar in Italia*, «Teologia» 14, 1989, 6-58.

[29] Cfr. soprattutto *KD* I/2, 134-220 (1938: § 15) = *D* 3, 113-189; *KD* IV/2, 53-129 e 173-293 (1955: § 64) = *D* 20, 52-122 e 163-280; su questo aspetto della cristologia barthiana, con particolare attenzione all'idea ricorrente nella dottrina dell'elezione, cfr. G. RABEAU, *L'Incarnation du Verbe dans la théologie de K.B.*, «Bull Litt Eccl» 1946, 23 ss.; W. GÜNTHER, *Die Christologie K.B.*, Mainz 1954; H. VOLK, *Die Christologie bei K.B. und E. Brunner*, in *Das Konzil von Chalkedon*, Würzburg 1954, III, 613 ss.; R. PRENTER (fondamentale: cit. n. 10); M. STORCH, *Historie und Christologie*, in *Exegesen und Meditationen zu K.B. Dogmatik*, München 1964, 143 ss.; B. GHERARDINI, *La Seconda Riforma*, Brescia 1966, II, 158 ss.; H. STICKELBERG, *Ipsa assumptione creatur. K.B. Rückgriff auf die Klassische Christologie und die Frage nach der Selbständigkeit des Menschen*, Bern-Frankfurt 1979; il saggio di Ch. T. WALDROP, *K.B. Christology. Its Basic Alexandrian Character*, Berlin 1984 è illuminante, malgrado posizioni troppo massicce ed unilaterali, che non inficiano però la lettura (l'autore aveva già presentato la sua tesi più succintamente: *Karl Barth's Concept of the Divinity of Jesus Christ*, «HTR», 74, 1981, 241 ss.).

[30] *D* 3, 157; *D* 5, 202; *D* 20, 65-67. 69-70.

dentemente di sminuire la forza smagliante ed il fascino oggettivo della cristologia conseguente, unanimemente riconosciuto; quanto piuttosto di coglierne
la caratterizzazione specifica; ed in essa quegli elementi che rischiano di velare
la positività dell'apporto barthiano [31]. Crediamo che nessuno abbia colto meglio di Henri Bouillard questa caratterizzazione, allorchè ha parlato a questo
proposito di un monoenergismo, definibile più precisamente come monoattualismo: «questo termine ha il vantaggio di precisare un rimprovero assai
frequente rivolto alla teologia barthiana e riassunto nel termine generico di attualismo. Parlare il linguaggio dell'atto piuttosto che quello dell'essenza o della sostanza, non è cosa necessariamente colpevole; a volte è cosa indispensabile; la vera aporia del pensiero barthiano consiste piuttosto nel non vedere, per
così dire, che l'operazione divina, allorchè si tratta di Cristo e della salvezza» [32]. Si possono notare tre tipi di conseguenze. Inanzitutto: «l'idea che domina la cristologia barthiana è la seguente: il *soggetto* dell'Incarnazione (come
della Riconciliazione) non è nè la natura umana del Cristo, nè la natura divina, nè la loro unione, ma il Figlio di Dio, il *soggetto divino* che porta la natura
divina ed assume la natura umana. È Dio stesso che parla, agisce, soffre e trionfa, quando l'uomo Gesù parla, agisce, soffre e trionfa. Il *Verbo* si è fatto carne, dice il Vangelo di Giovanni; ed è là solamente, nell'*atto* di questo *soggetto*
che si effettua l'unione della natura divina e della natura umana» [33]. In secondo luogo è netta la tendenza a ridurre «la parte dell'umanità nella persona,
cone nell'azione del Verbo Incarnato» [34]. Infine una funzione troppo preponderante è aperta alla soteriologia, da cui è colorato lo stesso mistero dell'incarnazione: «quando Barth confessa che Gesù Cristo è Dio-con-noi accentua così
fortemente il termine Dio, che non s'intende in maniera bastante il con-noi;
tende a non vedere in lui che l'avvenimento dell'azione divina; Dio si nascon-

---

[31] H.U. VON BALTHASAR, *Karl Barth*, 124 ss. 186 ss. 210 ss. 335 ss.; H. KÜNG, *La justifi-
cation*, Paris 1965, 23 ss. 378 ss. (orig.: 1957; trad. ital.; Brescia 1969); H. BOUILLARD, *Karl Barth*,
I, 231-235; II, 21-123. 155-164; E. JÜNGEL, *Gottes Sein*, 74 ss.; per la caratterizzazione specifica:
H.J. IWAND, *Von Primat der Christologie*, in *Antwort. Festschrift zum 70. Geburtstag von K.B.*,
Zürich 1956, 172 ss.; J. DE SENARCLENS, *La concentration christologique*, in *Antwort*, 190 ss.;
J. HAMER, *Un programme de christologie conséquente*, «NRT» 1962, 1009 ss.; A. GEENSE, *Die
Bedingung der Universalität. Über die Rezeption der Theologie Barths*, «Verk und Forsch» 24,
1979, 4 ss.; A.E. Mc GRATH, *Karl Barth and the articulus justificationis. The Significance of
his Critique of Ernst Wolf within the Context of his theological Method*, «TZ» 39, 1983, 349 ss.;
egregiamente W. KRECK, *Grundentscheidungen*, 176 ss. e D. FORD, *Barth and God's Story*, 72
ss. 126 ss.; quanto sia operante il cristocentrismo si può vedere in E.H. FRIEDMANN, *Christologie und Anthropologie. Methode und Bedeutung der Lehrer von Menschen in der Theologie K.B.*,
Münsterschwarzach 1972; V. SUBILIA, *Presenza e assenza di Dio nella coscienza moderna*, Torino 1976, 45 ss.; J.L. LEUBA, *Dios salvados según K.B.*, «Estudios Trinitarios» 11, 1977, 23 ss.;
G.W. BROMILEY, *Introduzione alla teologia di K.B.*, «Studi di teologia» 9, 1986, 153 ss.

[32] H. BOUILLARD, *Karl Barth*, II, 122; cfr. H.U. VON BALTHASAR, *Karl Barth*, 255-257 in
maniera sostanzialmente corrispondente.

[33] H. BOUILLARD, *Karl Barth*, II, 120.

[34] H. BOUILLARD, *Karl Barth*, II, 122.

de nel suo contrario per agire da solo, al posto dell'uomo»[35]. Si comprende così che si sia potuto parlare di un cristomonismo[36], di una riduzione del dato cristologico, poichè la concezione barthiana non mette sufficientemente in rilievo la portata e la storicità dell'uomo Gesù Cristo[37], di un sogno cristologico proiettato su un cielo platonico[38], persino di un monologo divino nel cielo[39]. Sono tutte espressioni non esenti da critiche e da unilateralità, soprattutto se inserite in un contesto divulgativo[40]; esse hanno avuto il merito storico di obbligare allo studio delle forme di pensiero[41] e di struttura[42] del discorso barthiano, anche se questo cammino è sempre accidentato[43] e non esen-

[35] H. BOUILLARD, *Karl Barth*, III, 291.

[36] Soprattutto P. ALTHAUS, *Die Christliche Wahrheit*, I, 47 ss. 68 ss. e II, 32 s.; R. NIEBUHR, *Christian Realism and Political Problems*, New York 1953, 193 ss.; H. THIELICKE, *Theologische Ethik*, Tübingen 1965³, I, 192 s. e *Der evangelische Glaube*, III, 439 s.; K. OKAYAMA, *Zur Grundlegung christlicher Ethik. Theologische Konzeptionen der Gegenwart in Lichte des Analogie-Problems*, Berlin 1977.

[37] Soprattutto R. PRENTER, *Die Einheit von Schöpfung und Erlösung. Zur Schöpfungslehre K.B.*, «TZ» 2, 1946, 161 s. e *K.B. Umbildung*, 66 s.; E.H. AMBERG, *Christologie und Dogmatik*, 62 ss. 133 ss.; H. BINTZ, *Das Skandalon als Grundlagenproblem der Dogmatik*, Berlin 1969, 127 ss.; S.G. DAVANEY, *Divine Power*, Philadelphia 1986.

[38] H.U. VON BALTHASAR, *K. Barth*, 380; H. BOUILLARD, *Karl Barth*, III, 291; H. THIELICKE, *Theologische Ethik*, I, 583 ss. 596 ss.. Per un'esatta valutazione del «platonismo» barthiano: J.L. LEUBA, *Platonisme et barthisme* (1985), in *Études barthiennes*, Genève 1986, 71 ss.

[39] Queste due ultime critiche ci vedono oggi molto più reticenti, come abbiamo detto in *La dottrina dell'elezione divina* (1983), 58-63, rispetto ai saggi più antichi: *La sintesi barthiana*, 684 ss. e *La dottrina* (1972), 112 ss..

[40] Soprattutto H. ZAHRNT, *Aux prises avec Dieu*, Paris 1969, 105 ss. 147 ss. 233 ss. (orig.: 1966; trad. it.: Brescia 1969; 1975²) con le osservazioni di R. MARLÉ, «RSR» 55, 1967, 282 ss.; E. HÜBNER, «Ev Th» 21, 1971, 63 ss.; V. SUBILIA, *Presenza e assenza*, 92; ancora più reticenti ci vede K. BOCKMÜHL, *Atheismus in der Christenheit*, Wuppertal 1969 (trad. ital.: Torino 1981, 128 ss.); molto preciso nella caratterizzazione è invece V. SUBILIA, *Presenza e assenza*, 45 ss. 51 ss. 58 ss. 63 ss. 105 ss. e *Il protestantesimo moderno fra Schleiermacher e Barth*, Torino 1981, 131 ss.

[41] Ne abbiamo schizzato un rapido quadro in *La dottrina dell'elezione divina* (1983), 63 ss. 136 ss. 148 ss. Qui ricordiamo solo tre direzioni recenti: la riconsiderazione dell'influenza idealista nel pensiero barthiano; la ricerca dei rapporti fra Barth e l'Aufklärung (in piena fioritura dopo l'articolo-programma di T. Rendtorff); la portata narrativa della teologia barthiana, che richiama il ruolo dell'analogia.

[42] Soprattutto H.U. VON BALTHASAR, *K. Barth*, 93 ss. 124 ss. 201 ss. 263 ss. 278 ss. 335 ss. 372 ss.; H. BOUILLARD, *K. Barth*, I, 230 ss. e III, 287 ss.; P. EICHER, *Offenbarung*, 195 ss.; W. SCHLICHTING, *Biblische Denkform in der Dogmatik*, Zürich 1971; I. MANCINI, in *Dialettica e religione*, Perugia 1980, I, 260 ss. (testo del 1976); C. SCILIRONI, *Relazione opposizione e dialettica in K.B.*, «Studia Pat» 27, 1980, 127 ss.; G. WHITE, *Karl Barth's Theological Realism*, «NZSystT» 26, 1984, 54 ss..

[43] Si vedano le ampie indicazioni bibliografiche fornite in *La dottrina dell'elezione divina* (1983), 62 s. 138 s..

te da trappole quando si è tentato di offrire indicazioni generali [44]; preferiremmo però che fossero evitate in favore della caratterizzazione più precisa di monoenergismo o monoattualismo, così come oggi ormai è evitata l'espressione di occasionalismo teologico, che pur non è priva di meriti, ma troppo percorsa da possibili equivocità [45]. Alla luce di queste considerazioni generali non vi è dubbio che la proposizione «Gesù Cristo come Dio-che-elegge è il soggetto attivo dell'elezione» risulta aporetica, al di là di una sua possibile positiva lettura.

2. Passiamo alla seconda proposizione, concernente la preesistenza dell'Uomo-Dio. Brunner ha scritto: «Non vi è bisogno di alcuna prova particolare per mostrare che una tale dottrina non si trova mai nella Bibbia e che non fu mai insegnata dai teologi. Supponendo che s'insegni la preesistenza eterna dell'Uomo-Dio, l'incarnazione non sarebbe più un avvenimento, non sarebbe più il grande miracolo di Natale. Mentre per il Nuovo Testamento l'elemento inedito risiede proprio nel fatto che il Figlio di Dio per natura è diventato uomo e che mediante la sua risurrezione e ascensione, come un *novum* benedetto, l'umanità può partecipare alla forma della sua gloria celeste, tutto questo è ora anticipato, strappato dalla storia e trasportato nella pre-temporalità, nella preesistenza del Logos. Le conseguenze di una simile innovazione dovrebbero essere inaudite e per fortuna Barth non le sviluppa» [46]. Brunner equivoca indubbiamente la posizione barthiana. Come ha segnalato Bouillard: «Barth non sopprime l'avvenimento storico di Gesù; ne sottolinea semplicemente il suo presupposto eterno; ciò che precede la storia e preesiste eternamente è il *Verbum Incarnandum*, soggetto ed oggetto dell'elezione divina e non è il *Verbum Incarnatum* che, nel decreto divino, è solo l'oggetto. Così Barth non tradisce il Nuovo Testamento affermando: nell'atto divino della predestinazione preesiste Gesù Cristo, fondamento eterno dell'alleanza compiuta nel tempo per mezzo della sua opera riconciliatrice» [47]. Questa dottrina è tradizionale [48] e suscet-

[44] Così la critica di neortodossia (P. TILLICH, *Systematiche Theologie*, Stuttgart 1955, I, 11 s. 224 s. e recentemente P. BERGER, *The heretical Imperative. Contemporary Possibility of Religious Affirmation*, Garden City 1980, molto massiccio) o di positivismo-della-rivelazione (D. BONHOEFFER: *Akt und Sein*, Gütersloh 1931, 67 s. 76 s. = trad. ital.: Brescia 1986 e *Widerstand und Ergebung*, München 1955⁶ = trad. ital.: Milano 1969, 214); entrambe in M. HONECKER, *Das Problem des theologischen Konstruktivismus*, «Zeit Ev Ethik» 24, 1980, 97 ss.; d'altronde sono espressioni già di per sè concettualmente equivoche: R. PRENTER, *D.B. und K.B. Offenbarungspositivismus*, in *Die Mündige Welt*, München 1950, III, 11 ss.; M. STORCH, *Exegesen und Meditationen*, 11 ss.; P. EICHER, *Offenbarung*, 234 ss.; H.D. VAN HOOGSTRATEN, *Openbaringspositivisme voor en na. Bonhoeffer en de politieke Interpretatie van B. Theologie*, «Tijdschrift voor Theologie» 20, 1980, 40 ss.

[45] Cfr. soprattutto J. HAMER (in particolare pp. 167 ss.) con le osservazioni di J.L. LEUBA, *Karl Barth systématisé*, «Verbum Caro» 4, 1950, 182 ss. (= *Études barthiennes*, 37 ss.) e di H. BOUILLARD, *Karl Barth*, I, 235. Lo stesso Hamer ha consentito in seguito a queste osservazioni, in particolare *Le Christ est ressuscité*, in *L'Eglise et les Eglises*, Chavetogne 1954, 437 ss.

[46] E. BRUNNER, *Dogmatique*, I, 370 s.

[47] H. BOUILLARD, *Karl Barth*, II, 154.

[48] Cfr. l'ampia documentazione in H. KÜNG, *La justification*, 347 ss.

tibile di retta sistematizzazione teologica [49]. A noi pare che Barth voglia solo dire questo: «L'elezione gratuita ed eterna di Dio è una cosa; la creazione, la riconciliazione e la redenzione fondate su questa realtà dell'elezione gratuita sono un'altra; vi è l'alleanza che Dio nella sua eternità pretemporale ha concluso con se stesso in vista dell'uomo; ma essa non è senz'altro identica all'alleanza di grazia che egli ha stabilito fra sè e l'uomo, partendo di là, nel quadro temporale» [50]. La nozione di preesistenza, malgrado non sfugga a talune ambiguità [51], è in questo senso preziosa e persino irrinunciabile [52]. Tuttavia, anche qui, legittima in se stessa o meglio suscettibile di legittima interpretazione, la proposizione risente del monoenergismo di base; cosicchè è condivisibile il disagio di Brunner, anche se va precisato; è ancora Bouillard ad individuarlo pertinentemente: «giocando sull'identità personale del Verbo e di Gesù, Barth sembra strappare talora l'incarnazione alla storia per situarla nella pretemporalità; quest'apparenza è rafforzata dal fatto che Barth afferma, nel medesimo contesto la preesistenza dell'Uomo-Dio e la preesistenza dell'uomo Gesù, coincidente con la predestinazione eterna» [53]. Si tratta di un'impressione certo, ma non priva di fondamento, che richiama un elemento capitale della sistematizzazione barthiana, tale quindi da non sottovalutare; l'accentuazione del *soggetto divino* che porta la natura divina ed assume la natura umana, come la tendenza a ridurre la funzione dell'umanità nella persona e nell'azione del Verbo Incarnato, non può non avere conseguenze anche a livello di *Verbum Incarnandum*; non è quindi la nozione di preesistenza ad essere in causa e neppure la preesistenza dell'Uomo-Dio, quanto piuttosto, e nuovamente, la struttura monoattualista della cristologia barthiana, con la sua insistenza sul soggetto divino.

3. Veniamo ora alla risoluzione cristologica della *praedestinatio gemina*: Gesù Cristo è contemporaneamente l'Eletto e il Riprovato; nella sua elezione si radica cioè inestricabilmente la sua riprovazione; da questa relazione intrinseca nasce la nostra elezione, senza limiti. «Nell'elezione di Gesù Cristo (che è la volontà divina eterna) Dio ha destinato il sì all'uomo (e cioè: l'elezione, la salvezza e la vita) ed ha riservato per se stesso il no (e cioè: la riprovazione, la

---

[49] Parimenti H. KÜNG, *La justification*, 337 ss.

[50] *D* 8, 107.

[51] Cfr. l'ampia disamina in O. CULLMANN, *Cristo e il tempo*, Bologna 1965, 85 ss. (trad. sulla 3ª ed. del 1962; 1ª ed.: 1947); P. BENOIT, *Préexistence et Incarnation*, «RB» 77, 1970, 5 ss. (= *Exégèse et théologie*, Paris 1982, IV, 11 ss.; alle pp. 42-61 un preziosissimo supplemento estremamente chiarificatore); R.G. HAMERTON KELLY, *Preexistence, Wisdom and the Son of Man. A Study of the Idea of Preexistence in the New Testament*, Cambridge 1973.

[52] Cfr. la bellissima tesi di C.C. DICKINSON, *Pre-existence, Resurrection and Recapitulation. An Examination of the Pre-existence of Christ in K.B., W. Pannenberg and the New Testament*, Diss. Univ. of Pittsburg 1973.

[53] H. BOUILLARD, *Karl Barth*, II, 154; cfr. B. GHERARDINI, *La parola di Dio*, 107 ss. 177 ss.; P. EICHER, *Offenbarung*, 200 ss.; D. FORD, *Barth and God's Story*, 126 ss.

condanna e la morte)»[54]; «quest'avvenimento non si è solo verificato un giorno nella storia, ma costituisce la predestinazione divina ed eterna»[55]; «all'abbassamento totale del Figlio di Dio, accettato in favore dell'uomo perduto, corrisponde l'elevazione totale accordata per grazia divina proprio a questo figlio dell'uomo perduto»[56]. I meriti della svolta barthiana sono notevoli[57]; l'originalità non meno rilevante[58]; l'insoddisfazione è però altrettanto marcata[59]. Al centro della concezione barthiana della *praedestinatio gemina* vi sono tre affermazioni: Gesù Cristo compie una soddisfazione vicaria; la compie *ab aeterno*; la realizza come eletto e riprovato, cosicché non sussiste nessuna possibilità di predestinazione doppia e simmetrica per l'uomo. Tutte queste affermazioni sono accettabili: la soddisfazione vicaria gioca un ruolo importante nella Scrittura, è elemento corposo nella storia dei dogmi, vivifica sintesi come quella di Anselmo o di Tommaso, di Lutero o di Calvino, anima la recente sistematizzazione teologica[60]; la sua realizzazione *ab aeterno* non è irri-

[54] *D* 8, 171.

[55] *D* 8, 169.

[56] *D* 8, 182.

[57] La discussione deve aprirsi naturalmente a tutta la dottrina della riconciliazione come abbiamo mostrato soprattutto in *La sintesi barthiana*, 679 ss. e *La dottrina dell'elezione divina* (1972), 103 ss.; cfr. W. KRECK, *Die Lehre von der Versöhnung*, «TLZ» 85, 1960, 81 ss.; G. GLOEGE, *Die Lehre von der Versöhnung*, «TLZ» 85, 1960, 161 ss. (= *Heilsgeschehen und Welt*, I, 133 ss.); J.L. LEUBA, *Dios salvados ségun K.B.* (cit. n. 31); F.H. KLOOSTER, *La dottrina della riconciliazione secondo K.B.*, «Studi di teologia» 9, 1986, 256 ss.; R. SCHWAGER, *Der Richter wird gerichtet*, «ZKTh» 107, 1985, 101 ss. (ripreso in *Der Wunderbare Tausch. Zur Geschichte und Deutung der Erlöhsungslehre*, München 1986).

[58] Cfr. soprattutto *La dottrina dell'elezione divina* (1972), 73 ss. e *L'originalité* (n. 6).

[59] Cfr. soprattutto H. BOUILLARD, *Karl Barth*, II, 114 ss.; R.A. BAGNATO, *K.B. Personalizing of Juridical Redemption*, «AnglThR» 49, 1967, 45 ss. J. REILLY, *Athonement in the Church Dogmatics of K.B.*, «Irish ThQ» 45, 1978, 28 ss.; R. SCHWAGER (cit. n. 57); con riserve anche E. BRANDENBURGER, *Adam und Christus*, Neukirchen 1962, 267 ss.; con riserve ancora maggiori P. LENGSFELD, *Adam et le Christ. La typologie Adam-Christ dans le Nouveau Testament et son utilisation dogmatique par M.J. Scheeben et K. Barth*, Paris 1970, 169 ss. (orig.: 1964; cfr. soprattutto le critiche di J. FANGMEIER, «TLZ» 93, 1968, 581 s.).

[60] Importante è l'esatta fondazione scritturistica: L. MORALDI: *L'espiazione nell'Antico e nel Nuovo Testamento*, «RB» 9, 1960-61, 289 ss. e 10, 1962, 3 ss.; *Expiation*, Dict Spir IV, 2026 ss. (1961); *Per una corretta lettura della soteriologia biblica*, «Sc Catt» 108, 1980, 313 ss.; L. SABOURIN, *Redemption sacrificielle*, Paris-Bruges 1961; S. LYONNET: *De notione redemptionis*, «VD» 1958, 129 ss.; *De notione emptionis vel acquisitionis*, «VD» 1958, 257 ss.; *De notione expiationis*, «VD» 1959, 336 ss.; *De peccato et redemptione*, Roma 1963; L. LIGIER, *Péché d'Adam et péché du monde*, 2 voll., Paris 1963-1965; J. JEREMIAS, *Il messaggio centrale del Nuovo Testamento*, Brescia 1982^2, 31 ss. (orig.: 1965); S. LYONNET-L. SABOURIN, *Sinn, Redemption and Sacrifice. A Biblical and Patristic Study*, Roma 1971; M. HENGEL, *The Atonement. A Study on the Origins of the Doctrine in the New Testament*, London 1981 (trad. franc.: *La Crucifixion*, Paris 1981, 117 ss.; trad. ital.: Brescia 1988). Per la storia dei dogmi: DThCath XIII/2, 1912 ss. (1937); *RGG* II, 590 ss. (1958^3); *LThK* III, 1016 ss. (1959^2); B. STUDER (unter mitarbeit B. DALEY), *Soteriologie in der Schrift und Patristik*, Freiburg 1978 (Handbuch der Dogmengeschichte,

cevibile allorchè si intenda il fondamento[61]; il superamento della simmetria non è solo la soluzione di un nodo cruciale della teologia, ma il giusto spostamento teologico di una questione pericolosamente slittata in un contesto restrittivo ed antropologico[62]. Perchè allora il disagio? Perchè Barth interpreta la prima proposizione in maniera assolutamente aporetica; perchè la seconda risente in modo decisivo del monoenergismo; perchè la terza è segnata da entrambe le aporie precedenti. Barth legge infatti la *soddisfazione* vicaria come *sostituzione* vicaria; alla base della sua teologia vi è l'affermazione: in Gesù Cristo Dio *ha preso il posto* dell'uomo; la nozione di *Stellvertreter* (rappresentante) trapassa in quella di *Platzwechsel* (sostituto): Gesù Cristo è colui che è *an unserer Stelle* (al nostro posto) e che *Stelle einnimt* (prende il posto) degli eletti e dei riprovati. Anche qui Bouillard ha visto giusto: «L'idea di uno *scambio di situazione* corrisponde senza equivoco alcuno alla concezione paolina? L'Apostolo dice che Gesù è stato fatto peccato per noi (*hyper hemon*). Questo *per noi* ritorna assai spesso: Cristo è stato crocifisso per noi, per tutti gli uomini, per tutti i peccatori; è andato alla morte per noi; si è dato per i nostri peccati. La preposizione usata è *hyper* (eccezionalmente *perì*); queste espressioni significano dunque: *in nostro favore, a nostro vantaggio*; e non: *al nostro posto*. Paolo non dice mai che Cristo è morto *al nostro posto* (la preposizione sarebbe allora: *antì*). Barth al contrario si esprime come se Paolo avesse sempre parlato così. Un passaggio capitale della sua cristologia sviluppa questi quattro temi: Cristo ha preso il nostro posto come giudice; ha preso il nostro posto di peccatori; ha sofferto la morte al nostro posto; ha compiuto al nostro posto ciò che è giusto agli occhi di Dio. Per quanto questi sviluppi siano suggestivi,

III/2A); G. GRESHAKE, *Der Wandel der Erlösungsvorstellungen in der Theologiegeschichte*, in *Erlö sung und Emanzipation* (L. SCHEFFCZYCK hrsg.), Freiburg 1973, 59 ss.; R. SCHWAGER, *Der Wunderbare Tausch* (cit. n. 57). Su momenti che necessitano di particolari chiarimenti: M. SERENTHÀ, *La discussione più recente sulla teoria anselmiana della soddisfazione: attuale status quaestionis*, «Sc Catt» 108, 1980, 344 ss.; J. LECUYER, *Prolégomènes thomistes à la théologie de la satisfaction*, in *Studi Tomistici. San Tommaso e l'odierna problematica*, Roma 1974, 82 ss.; B. GHERARDINI, *La satisfactio vicaria in San Tommaso*, «Doctor Communis» 37, 1984, 103 ss.. Per Lutero: Y. CONGAR, *Regards et réflexions sur la christologie de Luther*, in *Das Konzil von Chalkedon*, III, 457 ss. (= *Chrétiens en dialogue*, Paris, 1964, 453 ss.) e *Martin Luther: sa foi, sa réforme*, Paris, 1983 (soprattutto pp. 18-81, 85-103, 105-133; trad. ital.: Brescia, 1984); J.K. SIGGINS, *M.L. Doctrine of Christ*, New Haven-London, 1970 (rec. D. OLIVIER, «Arch Ref» 63, 1972, 241 ss.); M. LIENHARD, *Luther, témoin de Jésus-Chist*, Paris, 1974 (la cui soluzione ci pare preferibile: cfr. la nostra recensione in «Studia Pat» 23, 1976, 410 ss.). Per Calvino: J.F. JANSEN, *Calvin's Doctrine of the Work of Christ*, London, 1956; P. VAN BUREN, *Christ in our Place. The Substitutionary Character of Calvin's Doctrine of Reconciliation*, Grand Rapids, 1957; E.D. WILLIS, *Calvin's Catholic Christology. The Function of the So-Called Extra Calvinisticum in Calvin's Theology*, Leiden, 1966; R.A. PATERSON, *Calvin's Doctrine of the Atonement*, Phillipsburg, 1983. Sulla situazione contemporanea: i nostri inviti alla lettura in «Credere Oggi» 26 (1985), 32 (1986), 37 (1987), 54 (1989).

[61] Cfr. soprattutto *La dottrina dell'elezione divina* (1972), 20 ss. 96 ss. 120 ss. per una lettura di testi barthiani molto chiarificatori.

[62] Cfr. soprattutto *La dottrina dell'elezione divina* (1972), 29 ss. 32 ss. 48 ss. 73 ss. 82 ss.

non possiamo impedirci di pensare che non corrispondono esattamente al pensiero di Paolo (e del Nuovo Testamento in generale). Non è *al nostro posto* (nel senso stretto della proposizione), ma *in nostro favore* che il Cristo è stato fatto peccato e si è donato alla morte. L'*admirabile commercium* non è propriamente uno *scambio di situazione*, ma l'*instaurazione di una solidarietà*. Il peccato non si è *trasferito* dagli uomini *a Cristo*, ma *si estende* dagli uomini *su Cristo*, rappresentante della natura umana. Personalmente Gesù non è né peccatore, né peccato; lo è come membro di una famiglia peccatrice di cui fa parte *per solidarietà*.

È così che diviene maledizione, come ramo di un albero maledetto. Rendendosi solidale della nostra sorte di peccatori, ci associa al suo destino di giusto: Dio lo ha fatto peccato (ci dice Paolo) perchè in lui noi diventassimo giustizia di Dio. Noi diventiamo giusti non perchè siamo posti nella situazione occupata dal Cristo (al posto di Cristo, come dice Barth), ma per il fatto che noi *viviamo in lui* (secondo l'espressione stessa di Paolo)»[63]. Tutto ciò avviene *ab aeterno*; ma ponendo Barth una stretta correlazione fra predestinazione e cristologia, tutto ciò avviene *a partire dal soggetto divino*; anche qui è il soggetto divino che porta la natura divina ed assume la natura umana che gode di una nettissima preminenza[64]. Ciò si riversa proprio sulla risoluzione cristologica della *praedestinatio gemina*; posto il concetto di sostituzione e posto il monoenergismo, com'è possibile concepire la riconciliazione *ab aeterno* e nel tempo come un fatto che ci associa al destino di Cristo, mediante la nostra cooperazione? com'è possibile, con l'esclusione di ogni possibilità sinergistica, dire che tutto ciò ci concerne e ci riguarda veramente, come pure Barth non cessa di ripetere?[65].

4. Le conseguenze di questa impostazione sono molteplici. «L'insistenza massiccia sulla realtà di Dio, sull'efficacia oggettiva della sua azione, l'esclusione di ogni possibilità sinergistica, il tenace proposito di predicare un messaggio definitivo e radicale di gioia e di liberazione, che sia senza smentite e senza limitazioni un evangelo per l'uomo, portano Barth a delle affermazioni che forse non hanno precedenti nella storia della teologia e che sembrano intese a sminuire le dimensioni e al limite la realtà stessa del male, del peccato, dell'incredulità, della reiezione, della perdizione»[66]; Berkouwer aveva dato una valutazione consimile[67]; e Bouillard aveva scritto: «Il Cristo Gesù si mostra

---

[63] H. BOUILLARD, *Karl Barth*, II, 117 s.

[64] H. BOUILLARD, *Karl Barth*, II, 129 s.

[65] Cfr. i molteplici testi citati in *La sintesi barthiana*, 679 ss. e *La dottrina dell'elezione divina* (1972), 23 ss. 29 ss. 32 ss. 48 ss. 73 ss. 103 ss.. Si rammenti la critica, su questo punto pertinente, di D. SÖLLE, *Stellvertretung: ein Kapitel Theologie nach dem Tode Gottes*, Stuttgart 1965 (trad. it.: Brescia 1974 con intr. G. PENZO); molto utile, proprio per le questioni qui accennate, l'analisi data da J. GRUBER, *La Représentation de D. Sölle*, «RHPR» 66, 1986, 179 ss. e 287 ss.

[66] V. SUBILIA, *Presenza e assenza*, 109.

[67] G.C. BERKOUWER, *Der Triumph der Gnade*, 209.

molto di più come il Dio unico, che non come l'unico mediatore fra Dio e gli uo-mini, l'uomo che si è dato in riscatto per noi tutti, rendendo la sua bella testi-monianza di fronte a Ponzio Pilato. Così impallidisce il riferimento di Gesù al-l'unico Sovrano, a colui che abita in una luce inaccessibile. Così impallidisce ugualmente il ruolo dell'uomo Gesù in seno alla storia degli uomini e di conse-guenza il carattere umanamente storico della storia della salvezza» [68]. Barth ha certamente ragione di propugnare un programma teologico in cui ha preminen-za il *Deus dixit* al di là di ogni antropologia ed esperienza umana ed emerga l'*aseitas Dei* (la sua libertà, il suo amore, la sua gloria) autodeterminantesi per l'uomo, in maniera definitiva, nella scelta di grazia; ma ha ancora ragione al-lorchè intende realizzarlo radicalizzando l'esclusione di ogni cooperazione uma-na (ivi compresa quella della umanità di Cristo!)? «Quando Barth afferma così energicamente che Dio è atto puro all'interno stesso della sua rivelazione, che non è mai oggetto, ma sempre soggetto, soggetto persino nell'atto di fede, che cosa è mai questo se non l'espressione, in linguaggio moderno di ciò che offre di più radicale il pensiero dei Riformatori: nell'ordine della salvezza Dio agisce tutto da solo?» [69]. Non sembri questa un'interrogazione semplicemente confes-sionale; essa lo è anche, certamente e persino in maniera corposa; ma è pure molto di più, poichè una qualche cooperazione dell'uomo alla storia divina di grazia, postulata dal ruolo giocato dall'umanità dell'Uomo-Dio nell'opera di sal-vezza, non può essere sottaciuta. Non si tratta beninteso di una cooperazione qualsiasi: «l'atto dell'uomo che risponde alla rivelazione ed alla riconciliazione non *completa* l'opera che Dio ha compiuto in Gesù Cristo; è piuttosto l'atto *per mezzo del quale* l'uomo si *sottomette* a quest'opera, per mezzo del quale se l'*appropria*, per mezzo del quale la storia della salvezza è la *nostra* storia; que-st'atto d'altronde *dipende strettamente* da quell'unzione dello Spirito Santo, di cui parla Giovanni, unzione che *suscita* la fede e l'intelligenza nella chiesa e nei singoli» [70].

Barth ha indubbiamente ragione di appoggiarsi ad una forma di pensiero attualista capace di conservare e di manifestare la pregnante azione che rivela, in essa e per essa, biblicamente, l'essere stesso di Dio [71], di esprimersi in un pensiero oggettivo suscettibile di preservare la signoria e l'iniziativa divina nel-la sua ricca presenza evenemenziale, reduplicata da una prospettiva teologica non apofatica [72], di svolgere una visione trinitaria in prospettiva cristocentri-

---

[68] H. BOUILLARD, *Karl Barth*, III, 291 s.

[69] H. BOUILLARD, *Karl Barth*, III, 293.

[70] H. BOUILLARD, *Karl Barth et le catholicisme*, «RThPh» 20, 1970, 365.

[71] Sono essenziali E. JÜNGEL, *Gottes Sein* (cit. n. 25); J. BROWN, *Subject and Object in Mo-dern Theology*, New York 1962 (tutto il cap. 4); P. DEN OTTOLANDER, *Deus immutabilis. Wij-sgerige beschouwing over onveranderlijkheid en verandelichheid volgens van Sint Thomas en K.B.*, Assen 1963; V. SUBILIA, *Presenza e assenza*, 51 ss..

[72] Nella linea indicata nel nostro *Hans Urs von Balthasar: un'esposizione critica del suo pen-siero*, Bari 1976, 457 ss. con ampia bibliografia. Si veda ora anche la mirabile prefazione di M. CORBIN alla nuova edizione francese dell'opera barthiana su Anselmo (Genève 1985, pp. V-XIX).

ca[73]; non ha però ragione di rifiutare una sorta di complementarietà fra Dio e l'uomo (dall'alto e per grazia, certo) rischiando di fare dell'uomo, della sua vicenda, della sua storia di salvezza una semplice funzione di Dio, per non rischiare, giustamente, di fare di Dio una funzione dell'uomo, riducendolo ad una dimensione della sua esistenza[74]. Occorre quindi risalire la china; già sappiamo delle tendenze del pensiero barthiano; prospettiamone ora le correzioni consistenti nell'adozione di categorie teologiche quali l'*instrumentum coniunctum* come equilibratore della tendenza monoenergista[75] e la solidarietà vicaria o espiazione solidale per quanto attiene all'esatta caratterizzazione della *Stellvertretung*[76]. Se questi problemi traversano tutta la teologia barthiana, è nella dottrina dell'elezione che emergono con particolare forza e si coalizzano inestricabilmente; Barth ha ragione nel sottolineare l'aspetto oggettivo della salvezza, della sua nuova creazione compiuta nel fondamento di tutte le opere di Dio, ma che ne è dell'aspetto soggettivo?; perchè Barth oppone libertà di Dio e responsabilità umana, invece di coordinarle?; si può ancora dire leggendo Barth (o almeno taluni passaggi) che si tratti veramente della *nostra* salvezza, se essa ci è semplicemente donata, mediante una *riprovazione sostitutiva*, senza che sia richiesta la cooperazione, subordinata ma reale, dell'uomo, quasi si trattasse di un'*elezione sostitutiva*? Barth ha certamente ragione nel volere lasciare aperta la situazione per ogni uomo e nell'eliminare i falsi problemi legati ad una concezione astratta del *decretum absolutum* e conosciuti nell'indagine teologica con il nome di *scrupulus de praedestinatione hominis irregeniti* e di *syllogismus practicus*[77]; in queste questioni la risposta non spetta né alla teologia, né alla comunità ecclesiale, né al singolo credente, ma unicamente alla libera grazia divina che non soffre condizioni o remore di sorta ed il cui mistero è per noi insondabile; ma se l'aspetto oggettivo deve essere sottolineato, quello soggettivo (dipendente, ma non meno richiesto dall'intima struttura dell'alleanza di grazia) non può essere sottaciuto o ridotto. La dottrina dell'elezione divina sta sempre fra due pericoli: la doppia predestinazione a destra e l'apocatastasi a sinistra; Barth ha il grande merito di respingere la pri-

[73] Soprattutto E. JÜNGEL, *Gottes Sein*, 12 ss.; V. SUBILIA, *Presenza e assenza*, 65 ss.; G.M. PIZZUTI, *La teonomia dell'essere. Lineamenti di ontologia trinitaria nella Kirchliche Dogmatik di K.B.*, «Filosofia» 28, 1977, 51 ss. (= *Ontologia trinitaria e antropologia teologica. Indagine critica sulle strutture speculative della teologia di K.B.*, Torino 1978, 93 ss.).

[74] È quanto si è sforzato di evitare E. JÜNGEL nell'insieme delle sue opere come ha mostrato egregiamente J.B. WEBSTER, *E.J. An Introduction to his Theology*, Cambridge 1986.

[75] Nella linea di H. BOUILLARD, *K. Barth*, II, 114 ss.

[76] Cfr. F. BOURASSA, *La satisfaction du Christ*, «Sciences Eccl» 15, 1963, 351 ss.; G. BIFFI, *Soddisfazione vicaria o espiazione solidale?*, in *Miscellanea Carlo Figini*, Venegono 1964, 643 ss.; L. ALONSO SCHÖKEL, *La Rédemption oeuvre de solidarité*, «NRT» 93, 1971, 449 ss.; M.D. HOOKER, *Interchange in Christ*, «JThSt» 22, 1971, 349 ss.

[77] *D* 8, 211 ss. 221 ss. 228 ss. 244 ss. 271 ss. 323 ss.; buone precisazioni in J. HAMER, *L'occasionalisme théologique*, 130 ss..

ma, innovando una lunga tradizione; ma considerando l'umanità di Cristo non nella sua funzione di *organon*, bensì semplicemente come la dimora in cui agisce il soggetto divino e mettendo in opera la nozione di *Platzwechsel*, non può evitare l'ombra della seconda, sminuendo decisamente l'apporto soggettivo [78]. Nella teologia di Barth infatti la riprovazione, ombra inevitabile dell'elezione (ciò che è giusto, accettabile e liberatore perchè appunto rinvia sempre anch'essa all'unico disegno divino) non acquista forse un carattere relativo e provvisorio (troppo relativo e troppo provvisorio!), sfiorando la dottrina dell'apocatastasi, non ritenuta improponibile (anche se mai affermata positivamente [79]) e rischiando di vanificare quel legame fra predestinazione divina e libertà umana, fra azione divina e responsabilità umana, fra salvezza e decisione di fede che invece è imprescindibile secondo l'unanime attestazione scritturistica? [80] E se la dottrina dell'apocatastasi ha riflessi inquietanti per la dottrina della riprovazione, non ne ha di meno per la dottrina dell'elezione la prospettiva di una fede semplicemente cognitiva ed attestativa: « se è vero che tutti gli uomini sono eletti in Cristo, indipendentemente dalla loro esistenza cristiana, se la fede si limita ad attestare e a conoscere l'elezione universale, non si riesce a comprendere come la salvezza finale non sia già acquisita per tutti, indipendentemente dall'atteggiamento assunto da ciascuno » [81].

Si può così parlare di un pericolo di evacuazione della storia [82], di uno svuotamento del peccato e della sua virulenza [83], di una contrapposizione solamente materiale fra Israele e la chiesa (cioè fra le due alleanze), troppo riduttiva rispetto alla dialettica formale che anima gli scritti paolini [84]. Bouillard ha

---

[78] Buone osservazioni in H. KÜNG, *La justification*, 117 ss. 322 ss..

[79] Cfr. soprattutto *D* 8, 414. 471 e *L'humanité de Dieu*, 48 ss.; buone osservazioni, che colgono la specificità della posizione barthiana rispetto alla visione tradizionale e la rilegano piuttosto a Schleiermacher, in J. HAMER, *L'occasionalisme théologique*, 127 ss.; H.U. VON BALTHASAR, *K. Barth*, 210 ss.; E. RIVERSO, *La teologia esistenzialistica di K.B.*, Napoli 1955, 380 ss..

[80] Cfr. soprattutto E. BRUNNER, *Prédestination et liberté*, «RHPhR» 32, 1952, 83 ss.; accenni anche in P. BOLOGNESI, *La dottrina*, 239 ss..

[81] H. BOUILLARD, *K. Barth*, II, 158; sulla fede attestativa: E. BRUNNER, *Dogmatique*, I, 370 s.; H. KÜNG, *La justification*, 97 ss. 294 ss.; H. BOUILLARD, *K. Barth*, II, 73 ss. e III, 21 ss.; E.A. Mc GRATH, *K.B. als Aufklärer?*, 276 ss. 281 ss.; P. BOLOGNESI, *La dottrina*, 241 ss..

[82] Soprattutto P. EICHER, *Offenbarung*, 203 ss.; V. SUBILIA, *Presenza e assenza*, 51 ss.; P. GISEL, *La création. Essai sur la liberté et la nécessité, l'histoire et la loi, l'homme, le mal et Dieu*, Genève 1980, 262 ss.; P. BOLOGNESI, *La dottrina*, 242 ss.

[83] Soprattutto E. BUESS, *Zur Prädestinationslehre*, 56 ss.; H. BINTZ, *Das Skandalon als Grundlagenproblem der Dogmatik*, Berlin 1969; V. SUBILIA, *Il problema del male*, Torre Pellice 1959, 57 s. (Torino 1987); *Presenza e assenza*, 105 ss.; *La predestinazione* (1985), 98; D. FORD, *Barth and God's Story*, 102 ss.; P. BOLOGNESI, *La dottrina*, 243 ss.

[84] G.C. BERKOUWER, *Der Triumph*, 94 ss.; E. BUESS, *Zur Prädestinationslehre*, 52 ss.; CH. BAÜMLER (n. 10); E.W. WENDERBOURG (n. 10); C.O. GRADY (n. 10); A. MODA (n. 6). Il discorso può anzi essere ampliato alla stessa concezione barthiana della storia della salvezza: H.J. KRAUS, *Das Problem der Heilsgeschichte in der KD*, in *Antwort*, 69 ss. e R. PRENTER, *Die Einheit* (n. 37). Anzi alla storia della chiesa itinerante nel tempo: L. MALEVEZ, *La vision chretienne de l'histoire dans le théologie de K.B. et dans la théologie catholique*, «NRT» 71, 1949, 113 ss. e A. BRANDEBURG, *Der Zeit und Geschichtsbegriff bei K.B.*, «ThG» 55, 1955, 357 ss.

visto giusto: «Quando si coglie l'interiorità della decisione eterna di Dio nella decisione temporale della fede, scompare l'idea calvinista della doppia predestinazione e svanisce pure l'ambiguità della dottrina che Barth ha sviluppato in senso inverso. La predestinazione non anticipa il giudizio finale indipendentemente dall'atto libero e personale della fede; così pure non anticipa la salvezza universale che la fede si limiterebbe a manifestare, senza cooperazione alcuna. Il mistero barthiano riveste, malgrado i suoi aspetti esistenziali, l'apparenza di un sistema in cui tutto è già dato in precedenza, proprio perchè rallenta il legame che unisce la grazia divina e la decisione umana. Solo rafforzando questo legame si possono evitare le conseguenze che Barth rifiuta, senza peraltro riuscire a scartarle coerentemente: una nuova concezione dell'apocatastasi, in cui la riduzione del peccato ad un accidente in fin dei conti necessario e senza gravità, è cosa fatta. Solo rafforzando questo legame si può mettere in evidenza, in tutta libertà, il carattere di avvenimento della predestinazione e il carattere esistenziale della fede nell'elezione, come Barth ha fatto energicamente in taluni passaggi»[85].

5. Sono problematiche emergenti in tanti punti cruciali; basti pensare alla nozione barthiana del rapporto eternità-tempo[86], al paragrafo capitale su Dio e la potenza del nulla[87], all'elaborazione della fede come risposta all'opera di riconciliazione[88], alle considerazioni sul battesimo[89]; Berkouwer lo ha notato forse più di qualunque altro[90] e da noi Subilia è stato forse il critico più perspicace[91]. Non vorremmo però limitarci a queste osservazioni; l'analisi svolta ha messo in evidenza (noi crediamo in maniera esatta) il disagio che co-

[85] H. BOUILLARD, *K. Barth*, II, 163. Molto importante, per i riflessi che può avere qui, l'opera di M. PLATHOW, *Das Problem des concursus. Das Zusammenwirken von göttlichem Schöpferwirken und geschöpflichem Eigenwirken in K.B. Kirchlicher Dogmatik*, Göttingen 1976.

[86] Soprattutto *KD* II/1, 685-701 (1940: § 39) = *D* 7, 363-396. Cfr. H. BOUILLARD, *Karl Barth*, II, 160 ss.; D. FORD, *Barth and God's Story*, 160 ss.; A. MODA: *La sintesi*, 687 ss. e *La dottrina dell'elezione divina* (1972), 116 ss.. Per una discussione metodologica resta essenziale A.D. SERTILLANGES: *La philosophie de st. Thomas d'Aquin*, Paris 1940, I, 229 ss. e *Le Christianisme et les philosophies*, Paris 1942², I, 279 ss..

[87] *KD* III/3, 327-425 (1950: § 50) = *D* 14, 1-81;

[88] *KD* IV/1, 826 ss. (1953: § 63) = *D* 19, 107 ss.

[89] *KD* IV/4 *Fragment* (1967) = *D* 26 (tr. ital.: Roma 1976). Per i problemi sollevati: E. JÜNGEL, *K.B. Lehre von der Taufe*, Zürich 1968 (trad. ital. con intr. F. GIAMPICCOLI: Torino 1971); A. DUMAS, *Faut-il démythologiser les sacrements?*, «Foi et Vie» 67, 1968, n. 3, 14 ss.; H. STIRNIMANN, «FrZPhTh» 15, 1968, 9 ss.; H. HARTWELL, «ScJTh» 22, 1969, 10 ss.; L. MALEVEZ, *K.B. Existence chrétienne et vie eternelle*, «NRT» 91, 1969, 225 ss. (= *Histoire du salut et philosophie*, Paris 1971, 51 ss.); *Zu K.B. Lehre von der Taufe*, Gütersloh 1971; V. SUBILIA, *La questione battesimale nel pensiero di K. Barth*, «Prot» 27, 1972, 235 ss.; A. MODA, *Le baptême chrétien: sacrement ou action humaine?*, «RHPR» 1974, 219-247.

[90] G.C. BERKOUWER (cit. n. 7); ma anche E. BUESS (n. 10) e W. KRECK (n. 12).

[91] Bisogna però ricordare il lavoro intenso di G. Miegge, V. Vinay e B. Gherardini che inflessibilmente hanno rammentato per anni la necessità di una lettura teologica di Barth, ora indiscussa, allora contestata.

glie alla lettura di una dottrina come quella concernente l'elezione divina in Barth ed in ciò siamo confortati da una notevole bibliografia; tuttavia se quanto abbiamo detto non è falso, Barth non è questo o non è solo questo: vi manca ogni accenno all'acutezza creatrice, al soffio profetico, alle profondità delle intuizioni barthiane[92]. Saremmo ingiusti se non aggiungessimo che Barth ha visto la quasi totalità delle obiezioni rivoltegli, le ha rifiutate nelle loro conseguenze, ha scritto non poche pagine chiarificatrici; nei nostri interventi sulla dottrina della predestinazione le abbiamo sempre citate lungamente per mostrare la mobilità dialettica del pensiero barthiano; d'altronde se un problema anima dal di dentro la *Kirchliche Dogmatik*, esso è proprio quello dell'incontro tra la Parola divina e l'esistenza umana, l'eterno rapporto fra natura e grazia, risolto in chiave cristologica[93]. Saremmo parimenti ingiusti se non notassimo che Barth ha accentuato decisamente il ruolo dell'umanità di Cristo e dell'azione dello Spirito a partire dal 1953, con l'inizio della dottrina della riconciliazione[94], con la conferenza del 1956 sull'umanità di Dio[95], con taluni accenni, forse esageratamente ritenuti, in conclusione di un intervento su Schleiermacher nel 1968[96]. Tutto questo non sopprime gli interrogativi; aiuta però a situarli, a circoscriverli, a non maggiorarli, anche là ove non si limitino a punti secondari, ma investano la struttura stessa del pensiero barthiano; si apre così la via ad una lettura *in meliorem partem*, cui d'altronde non si sono sottratti neppure i critici più severi. È così che suscitando reazioni non sempre pertinenti, quarant'anni or sono Jean-Louis Leuba ha proposto, per l'intera opera barthiana, la necessità di un'*interpretazione profetica* opposta ad un'asfittica e riduttivamente astratta *interpretazione sistematica*; qualche anno più tardi, recensendo criticamente il volume di J. Hamer, Leuba è ritornato sulla sua proposta; nella sua monografia del 1951 Balthasar non ha esitato ad aderirvi[97].

Si possono sempre discutere i termini, si possono ritenere inadeguate talune espressioni, la tesi di fondo però pare solidamente radicata. Partiamo dalle affermazioni barthiane: la teologia è scienza, insegnamento e ricerca; deve tendere alla precisione, all'esaustività, alla coerenza; deve quindi essere una dog-

[92] Ottime osservazioni in H. BOUILLARD, *K. Barth*, I, 15 s..

[93] Cfr. soprattutto *La sintesi* (1971) e *La dottrina dell'elezione* (1972).

[94] Soprattutto *KD* IV/1, 1 ss. = *D* 17, 1 ss.; IV/1, 83 ss. = *D* 17, 81 ss.; IV/1, 170 ss. = *D* 17, 164 ss. (§§ 57, 58, 59); IV/2, 1 ss. = *D* 20, 1 ss. (§ 64); IV/3, 1 ss. = *D* 23, 1 ss. (§ 69).

[95] Cfr. J. BOSC, *K.B. et l'humanité de Dieu*, «ETR» 1968, 179 ss.; E. FLORIS, *Divinité et humanité de Dieu*, «ETR» 1968, 159 ss.; S. ROSTAGNO, intr. alla trad. ital., pp. 5-28 (n. 1).

[96] *Nachwort um Schleiermacher*, in H. BOLLI hrsg., *Schleiermacher Aushwahl*, München-Hamburg 1968, 290-312; integrato alla trad. franc. di *La théologie protestante au XIX siècle*, Genève 1969, 445-465; cfr. H. BOUILLARD, *K.B. et le catholicisme*, 363 s.; ci siamo espressi ampiamente in *La dottrina dell'elezione divina* (1983), 127 ss.

[97] J.L. LEUBA, *Le problème de l'Eglise chez K.B.*, «Verbum Caro» 1, 1947, 4 ss. (= *À la decouverte de l'espace oecuménique*, Neuchâtel 1967, 87 ss.; *Études barthiennes*, 7 ss.); J.L. LEUBA, *Karl Barth septématisé* (n. 45); H.U. VON BALTHASAR, *Karl Barth*, 70 (cfr. pp. 67 ss.).

matica regolare. In questo senso certo «la dogmatica è qualche cosa come un sistema» [98]; come ha scritto Gollwitzer: Barth celebra «il carattere veramente razionale ed assolutamente non alogico della rivelazione, mostrando che il mistero di Dio e la sua razionalità non sono contraddittori fra loro» [99]; la teologia dev'essere un insieme dottrinale coerente. Ma, nonostante questo, anzi proprio perchè sono presi sul serio questi fattori, non si dà un sistema dommatico, cioè un insieme di proposizioni rette da un principio fondamentale da cui tutto è dedotto di necessità logica [100]; la teologia narra una storia [101]; «non definisce un'essenza» [102]. Donde una tensione insopprimibile che anima i due poli: Barth parla continuamente il linguaggio dell'atto; nel contempo però l'atto include l'essere; indicando *come* si srotola la storia fra Dio e l'uomo (riportando la testimonianza della Scrittura sulla Parola di Dio che la crea, la rinnova e la porta a compimento) svela anche *contemporaneamente e per il fatto stesso* il *che* dell'oggetto di tale storia. La teologia è *theologia viatorum* (quindi sempre incompleta), ma «sotto lo humor divino, si può in fin dei conti avere anche un sistema!» [103]. Appoggiandosi su questi elementi, Henri Bouillard ha scritto: «Se considerando il sistema così come esso si manifesta, riteniamo che l'autore non riesce a rendere conto esattamente degli oggetti di cui parla (il *che*), pur riuscendo ad enunciare con forza ciò per cui essi accedono alla loro autenticità (il *come*), diventa legittimo, a nostro avviso, distinguere fra le deficienze del sistema ed il valore della predicazione; si dirà quindi che è necessario evitare l'interpretazione sistematica, ed è necessario adottare l'interpretazione profetica; che occorre presupporre, in altri termini, ciò che Barth non dice (o dice male o meno bene: aggiungiamo noi) per situare (in maniera esatta) quanto dice effettivamente» [104]. Non è così celato che proprio qui, nella dottrina dell'elezione divina, un balzo enorme è stato compiuto per raggiungere le fonti scritturistiche e per aderire, in maniera che forse non ha precedenti, a quel *concretissimum* che è il Cristo [105]; che proprio qui, in misura più intensa e decisiva che in tutta l'opera barthiana, vi è un prodigioso ancoraggio di tensioni, di problemi, di possenti demistificazioni, derivante da quella libertà di Dio, libertà di amore, di grazia, di onnipotenza che genera la libertà dell'uo-

[98] *D* 5, 415.

[99] H. GOLLWITZER, *Intr. a Dogmatica ecclesiale*, Bologna 1968, 13 (orig.: 1957).

[100] *D* 5, 408 s. 415 s..

[101] Ottimamente D. FORD (n. 11) e P. CORSET, *À la recherche d'une théologie narrative: Karl Barth*, «RSR» 73, 1985, 61 ss.

[102] J.L. LEUBA, *Le problème de l'Eglise*, 17.

[103] Parole di Barth riferite da W. SCHNEEMELCHER, *Theologische Arbeitstagung*, «Ev Th» 10, 1950-1951, 570.

[104] H. BOUILLARD, *Karl Barth*, III, 290.

[105] H.U. VON BALTHASAR, *K. Barth*, 93 ss. 124 ss. 263 ss. 278 ss. 335 ss. 372 ss.; H. BOUILLARD, *Karl Barth*, I, 230 ss. e III, 287 ss.; P. EICHER, *Offenbarung*, 250 ss..

mo, che fa vivere l'uomo, che suscita la risposta dell'uomo[106]; che proprio qui, malgrado tutte le aporie in contrario, la teologia è colta non come teoria lontana dall'uomo e planante nei cieli, ma come un messaggio che sa parlare di un Dio che ad ogni momento resta il Signore della sua rivelazione e ad un uomo che vive la categoria della risposta[107]. Vi è una logica nel pensiero barthiano più forte di ogni sistematizzazione[108]; Barth ha riscoperto un modo di fare teologia, ha riscoperto l'audacia dell'evangelo, ha osato un pensiero che si snoda in vigorosa obbedienza[109]; con il passare degli anni ha saputo chiarire sempre di più il mistero dell'umanità di Dio, formula audace che riporta Barth alla irruenza della sua giovinezza (i termini sono di Ragaz, il socialista religioso) e che coniuga nella certezza del Regno (altro richiamo agli inizi, là dove si pongono le esperienze dei Blumhardt) l'essenza stessa del messaggio cristiano[110].

In nessuna parte si può costatare tutto ciò meglio che qui: «la comprensione dell'elezione che Barth ha acquisito in Gesù Cristo è chiaramente uno degli esempi più caratteristici del modo in cui Barth non solamente ha esposto la dottrina cristiana, non solamente l'ha ristrutturata, ma ha corso il rischio, pur nel totale rispetto verso i padri, di svilupparla in maniera nuova e differente. È partito dal centro. E come un pioniere ha aperto nuovi orizzonti prendendolo molto sul serio»[111]. Tuttavia esistono le aporie, che esigono spostamenti non indifferenti nei punti indicati. Tutto questo è indubbiamente possibile, senza alterare la grande luce della *Kirchliche Dogmatik*. Dobbiamo quindi chiederci perchè Barth non vi sia riuscito, anzi non lo abbia neppure rigorosamente tentato, pur intravvedendo il cammino.

6. Qui la nostra indagine non può non rivestire un aspetto confessionale, che però non vorremmo fosse troppo limitativo. Se Barth afferma sempre nettamente che la rivelazione, l'elezione, la riconciliazione sono opere divine *in maniera esclusiva*, è perchè intende evitare *nel modo più assoluto* una *teologia dell'et*, segnata dalla nozione di *cooperazione*; tutta l'opera barthiana risente di quest'esigenza insopprimibile; tutta l'opera barthiana risente di un confronto

[106] J. FANGMEIER, *Le théologien K.B.*, Genève 1974, 59 ss. (origin.: 1969); P. BURGELIN, in G. CASALIS, *Portrait de K.B.*, Genève 1960, 124 ss.; G. TOURN: *Prolegomeni per una lettura critica dell'opera di K. Barth*, «Protest», 1968, 193 ss. e *La predestinazione nella Bibbia e nella storia*, Torino 1978, 62 ss..

[107] Cfr. le ottime osservazioni di W. LIENEMANN, «Ev Th» 40, 1980, 537 ss..

[108] Cfr. soprattutto *La dottrina dell'elezione* (1983), 63 ss.

[109] H.U. VON BALTHASAR, *Karl Barth*, 35 s.; H. BOUILLARD, *Karl Barth*, I, 261; V. SUBILIA, *Il protestantesimo moderno*, 134 s..

[110] È evidentissimo dai frammenti dell'etica della riconciliazione pubblicati postumi: S. ROSTAGNO, *K.B. nella sua ultima etica*, Roma 1978 (ciclost. ad uso interno: Fac. Valdese); K. BLASER, *L'éthique en tant qu'invocation de Dieu: à propos des derniers cours de K.B.*, «RThPh» 28, 1978, 149 ss.; A. MODA, *La dottrina dell'elezione divina* (1983), 993 ss..

[111] J. FANGMEIER, *Le théologien K. Barth*, 54.

costante con il cattolicesimo, il protestantesimo liberale nelle sue varie ramificazioni, la versione bultmanniana di quest'ultimo per quanto attiene alla dottrina della riconciliazione, accomunati nell'accusa di essere *teologie antropocentriche*. Lo ha mostrato, riferendosi ad un'abbondanza di testi, Henri Bouillard in un articolo capitale [112]. «Agli occhi di Barth la nozione di cooperazione alla grazia segna in ogni campo la frontiera fra cattolicesimo e protestantesimo evangelico; è questa nozione a differenziare le loro concezioni della chiesa, dei sacramenti, della funzione di Maria, del ruolo della teologia naturale; ed è interessante notare che Barth riprende anche qui il parallelo con il protestantesimo moderno, prigioniero, a suo avviso, del medesimo falso problema della cooperazione della creatura alla rivelazione e alla riconciliazione divine» [113]. Se la *teologia dell'et*, la *Bindestrich-Theologie*, è così discriminante è perchè «con essa si è cominciato a minimizzare la maestà di Dio, fin dal momento in cui si volge verso l'uomo per introdurlo nella sua comunione» [114]. «Cattolicesimo e protestantesimo liberale, malgrado le loro differenze, commettono il medesimo errore: la relazione di Dio con l'uomo (rivelazione, grazia, chiesa) è concepita come una proprietà dell'uomo e non come l'avvenimento della libera iniziativa divina» [115]. Tale resta, malgrado mutamenti notevoli, l'ossatura della teologia barthiana. Prendiamo solo due esempi evocatori. Il primo verte sul passaggio barthiano, molto deciso, dalla condanna dell'*analogia entis* all'adozione di un'*analogia fidei*: lasciamo da parte il lungo lavorio di chiarificazione compiuto dai critici barthiani ed anche il sostanziale travisamento dell'analogia classica da parte del Barth degli anni 1930, complice una più che discutibile opera di Przywara [116]; lasciamo da parte pure la problematica molto specifica che accompagnava allora questa tematica, teste privilegiato l'*Akt und Sein* bonhoefferiano del 1931 [117]; lasciamo da parte inoltre testi precisi che illuminano appieno l'intenzione barthiana [118]; può l'*analogia fidei*, nel momento stesso in cui ricupera il rapporto esistenziale della fede, esprimere da sola anche la realtà di una cooperazione reale, seppure dipendente? [119].

Il secondo esempio è un celebre testo di critica mariologica, in cui Barth mostra in maniera estremamente chiara il perchè del suo conflitto con il cattolicesimo; questa pagina, che rifiuta nettamente ogni collaborazione dell'uomo

[112] H. BOUILLARD, *K.B. et le catholicisme*, «RThPh» 20, 1970, 353-367.

[113] H. BOUILLARD, *K.B. et le catholicisme*, 359.

[114] H. BOUILLARD, *K.B. et le catholicisme*, 357.

[115] H. BOUILLARD, *K.B. et le catholicisme*, 355.

[116] Abbiamo schizzato la problematica in H. BOUILLARD, *Fede o paradosso? Per una critica della ragione teologica*, Fossano 1973, 167 ss. e nel nostro *Hans Urs von Balthasar*, 131 ss..

[117] Cfr. l'egregia introd. di A. GALLAS alla trad. ital. (n. 44).

[118] Rinviamo ancora a M. CORBIN (n. 72) e a D. MUELLER, *Dieu caché - Dieu révélé*, «RHPR» 64, 1984, 345 ss..

[119] Egregiamente J.D. KRÄGE, *Rupture et continuité*, 497 ss..

alla salvezza, *ministerialiter*, sebbene sotto l'influsso della grazia preveniente, è del 1938; non lo si può tuttavia considerare superato, poichè la medesima idea si trova anche in quel resoconto del viaggio a Roma, all'estremo limite dell'esistenza barthiana, un testo ricco di grosse aperture [120]. Bisogna riconoscere che Barth non aveva tutti i torti; vedeva risorgere ogni giorno pericoli massicci di *teologie dell'et*; sul piano dottrinale, ove il cattolicesimo gli si presentava rinsecchito e troppo sovente scentrato [121] ed ove il protestantesimo offriva ogni momento tentativi ora di teologie cristiche con Brunner e Gogarten [122] ed ora di svolte antropologiche nell'interpretazione esistenziale e riduttiva di Bultmann [123]; sul piano pratico ove troppo palesi erano le collusioni al momento di Barmen [124], come più tardi nella critica alle sue posizioni politiche [125]. Ha combattuto tutta la vita, con tenacia e passione, sana intolleranza e grande attenzione, sia il cattolicesimo che Schleiermacher e i suoi epigoni [126]; con loro non ha cessato di fare i conti [127]; bisogna ritenere che avesse ragione di invitare alla vigilanza, se dopo tanta lotta, il protestantesimo liberale pare risorgere oggi dalle sue ceneri [128]. Vi è in questa protesta barthiana, a nostro modo di vedere, un elemento insopprimibile, un'interrogazione acuta, che Barth non ha mai voluto a senso unico, come fanno fede i testi barthiani consacrati a Schleiermacher [129]. Ed anche nei confronti del cattolicesimo la protesta barthiana resta un monito vigoroso; certo oggi le cose non sono più come ieri; ma se anche oggi noi non leggiamo più Trento e il Vaticano I come li si inter-

---

[120] *KD* I/2, 157 ss. = *D* 3, 132 ss.; *Entretiens à Rome*, Neuchâtel-Paris 1968, 17 (orig.: 1967; trad. ital.: Torino 1967); H. BOUILLARD, *K.B. et le catholicisme*, 358 s. 362 s..

[121] È merito storico delle grandi monografie barthiane di Balthasar, Küng, Bouillard e in Italia di Gherardini se si è potuto fare un notevole cammino non solo di dialogo, ma anche (e forse soprattutto) di riscoperta delle proprie radici.

[122] Cfr. H. BOUILLARD, *K. Barth*, I, 161 ss. e gli accenni in *La dottrina dell'elezione divina* (1983), 71 ss. (specialmente pp. 84 ss.).

[123] Cfr. H. BOUILLARD, *K. Barth et le catholicisme*, 358.

[124] Buone osservazioni in K. BLASER, *L'unica parola. La prima tesi di Barmen nel contesto teologico attuale*, in *Tra la croce e la svastica*, Torino 1984, 88 ss..

[125] Cfr. *La dottrina dell'elezione divina* (1983), 142 ss..

[126] Cfr. H. BOUILLARD, *K.B. et le catholicisme*, 360 s..

[127] Cfr. *Entretiens à Rome*, 15.31.64 con il commento di H. BOUILLARD, *K. Barth et le catholicisme*, 364 ss..

[128] In particolare contestando il ruolo di Barth nella chiesa confessante (cfr. *La dottrina dell'elezione divina*, 1983, 145 ss.) o interrogandosi, peraltro in maniera corretta da un punto di vista materiale, sul ruolo di risveglio della teologia barthiana, attribuendolo a fattori estrinseci (così in un volume pur ricco di dati B. REYMOND, *Théologien ou prophète? Les francophones et Karl Barth avant 1945*, Lausanne 1985).

[129] Cfr. le indicazioni offerte in *La dottrina dell'elezione divina* (1983), 124 ss. 1075 s.; un solo dato materiale può essere illuminante: Barth cita 137 volte Schleiermacher nella *Kirchliche Dogmatik* (Lutero 337; Calvino 296; Agostino 205; Tommaso d'Aquino 140) sempre con qualificante discussione.

pretava in anni non lontani, non per questo non si deve parlare di una visione sostanzialmente identica [130]. Così il confronto si sposta alle radici, là dove ogni teologia è sempre caratterizzata dal rapporto con la particolare contingenza di cui vive ed a cui intende offrire una retta impostazione di vita; là dove è sempre esposta ad inevitabili unilateralità; là dove vale più che per l'esposizione completamente coerente per l'insistente confessione e proclamazione dell'unico vero Dio. È in questa luce che occorre rileggere le aporie via via enunciate ed infine reduplicate nel monoattualismo e nel concetto di *Stellvertretung* come *Platzwechsel*; più che corrette materialmente, vanno lette profeticamente; va visto il messaggio, anche là dove la concettualizzazione è deficitaria. Ed il messaggio è radioso: non scelta arbitraria, ma canto di grazia, la predestinazione non anticipa il giudizio finale, indipendentemente dall'atto libero e personale della fede; cristologia, ecclesiologia e antropologia si uniscono intimamente in una visione globale della rivelazione di Dio in Gesù Cristo; il futuro di Cristo diviene così il tempo della chiesa.

[130] Nella linea di H. BOUILLARD, *K.B. et le catholicisme*, 364 s..

RIFLETTENDO SULLA DOTTRINA DELL'ELEZIONE IN KARL BARTH

di Brunero Gherardini

La nota del prof. Rostagno in preparazione del seminario sulla teologia dell'elezione in Karl Barth, dal punto di vista d'una rilettura *critica* del testo barthiano, è certamente esemplare. Problematizza quel testo e scandisce i ritmi della rilettura anzidetta con interrogativi così stimolanti, da far considerare come un punto d'impegno tanto l'analisi degl'interrogativi stessi, quanto la risposta alle loro sollecitazioni.

Si dimostra così l'umiltà, la disponibilità, ma anche la libertà con cui ci s'accinge a rileggere Karl Barth in uno dei passaggi centrali della sua dogmatica: non una piatta acquiescenza alla parola del grande Maestro e nemmeno un dissenso pregiudiziale, nascosto dietro i contrapposti steccati confessionali, ma un esame critico di tutto il suo contenuto, una sincera volontà di capirlo, un ragionato tentativo d'interpretarlo. Se infatti è vero che non esiste un'ortodossia barthiana, è anche vero ch'esiste una verità di Barth: la sua, le sue conclusioni, i suoi traguardi. Esiste soprattutto un'intuizione di fondo che sintetizza in Cristo tutto il suo insegnamento e nella quale il critico riconosce non un paradigma prestabilito, ma il segno d'un cammino compiuto e l'indicazione di marcia d'un cammino da compiere.

Con questo spirito faccio mie le sollecitazioni del prof. Rostagno e le sottopongo al vaglio d'una riflessione che, per muoversi nell'ambito dell'insegnamento barthiano, può esser soltanto una riflessione di fede, anzi, come lo stesso Barth suggerisce riferendosi a Rom. 12,3, d'*analogia fidei*.

1. *L'autodeterminazione di Dio*

Che nell'elezione Karl Barth abbia individuato l'autodeterminazione di Dio, non ci son dubbi. È una conseguenza dell'irriducibile *no* barthiano alla teologia naturale e della grandiosa concentrazione cristologica in cui Barth risolve noeticamente tutta la problematica teologica.

a) È risaputo ch'Egli, prima del problema sulla conoscibilità di Dio, si pone quello della sua effettiva conoscenza [1], nel secondo trovando la soluzione del primo: «Gott wird durch Gott und zwar allein durch Gott erkannt» [2]. In Dio.

---

[1] *KD* II/1, 2-4, 31-32.
[2] *KD* II/1, 47.67.

Cioè nella sua parola rivelata, nella testimonianza biblica della sua rivelazione, nell'atto del suo rivelarsi e nei limiti di esso. Pertanto, la conoscenza/conoscibilità di Dio non è un problema di dialettica filosofica, ma d'ascolto di Dio e di resa incondizionata a ciò ch'Egli dice di sé. Un problema di fede; o, meglio, d'obbedienza di fede[3].

E la fede, intendo ovviamente quella tratteggiata da Barth, avverte il problema come una duplice *Bereitschaft*: di Dio, nel quale altro non è che la sua libera determinazione a favore dell'uomo per farsi conoscere da lui ed assumerlo in comunione con sé; dell'uomo, nel quale, anziché una capacità autonoma della sua natura, è una *Willigkeit* obbediente e riconoscente, per l'accoglienza della grazia[4]. Ne consegue che non si dà conoscenza/conoscibilità di Dio «indipendentemente dalla sua rivelazione in Gesù Cristo»[5]. La teologia naturale, perciò, nell'atto stesso in cui mette Dio, il Signore, a disposizione dell'uomo, attenta «all'idea cristiana di Dio»[6] rivendicando davanti a Lui tutta l'autonomia del suo statuto ontico. Dio allora scompare dall'orizzonte gnoseologico ed etico dell'uomo, perde la sua identità di Signore che rivela il suo amore ed il suo disegno di salvezza in Cristo, e diventa l'idolo[7] dell'intelligenza umana, il supervalore stabilito o fondato dall'uomo per un suo rapporto vitale con esso senza la mediazione di Cristo. La qual cosa, in ultima analisi, significa un rapporto con se stesso, con il *molok* dell'immanenza o dell'alienazione, ma sempre indipendentemente e dalla disposizione di Dio di farsi conoscere dall'uomo e dall'effettiva rivelazione di sé in Cristo.

In Barth la dottrina dell'elezione batte in breccia pretese e risultati della teologia naturale, al di sopra e contro dei quali sta l'elezione stessa come autodeterminazione di Dio, come Dio, cioè, che sovranamente e liberamente e gratuitamente decide di rivelarsi all'uomo e di rivelare l'essenza stessa dell'uomo nella sua decisione.

b) Tale autocomunicazione non si conosce se non nella «Parola di Dio rivelata, testimoniata dalla Sacra Scrittura e predicata dalla Chiesa». Con queste parole Karl Barth stabilisce che il criterio unico di tutta la dogmatica è Gesù Cristo e che, pertanto, tutta la dogmatica «è fondamentalmente ed esclusivamente cristologia»[8]. Lungi da un'operazione riduttiva della teologia, la con-

---

[3] *KD* II/1, 27.

[4] Cfr. *KD* II/1, 70-72 e 142. Altrove Barth parla d'una *Fähigkeit* e d'un *Können* come capacità dell'uomo «in quanto soggetto della sua personale decisione» e come disposizione naturale a *vernehmen* (intendere, approfondire) la grazia della rivelazione; ma questa non ne dipende, è dono al di là d'ogni pretesa e possibilità della natura, cfr. *KD* III/2, 478. 627. Per questo non si dà conoscenza/conoscibilità di Dio «indipendentemente» dalla sua rivelazione in Cristo, *KD* II/1, 189.

[5] *KD* II/1, ivi.

[6] *KD* II/1, 140-141.

[7] *KD* II/1, 94.

[8] *KD* I/2, 135.975 *et alibi*.

centrazione cristologica di Barth è solo una lettura della fede cristiana alla sua fonte rivelata. La chiave di volta della fede e della stessa teologia è, dunque, la rivelazione[9].

Anche se le pagine dedicate alla rivelazione non sono tra quelle più facili di Karl Barth e ne raccolgono un'originalissima concezione sulla quale qui è giocoforza sorvolare, un dato devo ricordare: mi riferisco alla rivelazione, come squarcio di luce sul mistero di Dio in sé e nel suo rapporto con l'uomo, dovuto esclusivamente all'iniziativa di Dio. Ma anche come l'atto del suo riconciliarsi con l'uomo peccatore, oltre che espressione della sua assoluta sovranità, Dio stesso essendo il soggetto e l'oggetto della sua rivelazione. La conseguenza è che in Cristo Dio è il rilevante, il rivelato e l'atto della rivelazione. In Cristo, dunque, si ha la piena conoscenza del *che* e del *come* della rivelazione, o più precisamente della creazione, del peccato, della riconciliazione, della redenzione: un quadro grandioso, che Barth sintetizzò nei primi due volumi di *KD* (i famosi *Prolegomena*) e sviluppò quindi analiticamente in ognuno dei volumi successivi, senz'aver la gioia di veder compiutamente realizzata la sua geniale impresa. Per lui, tutto è in Cristo compresenza di domanda e di risposta: Cristo è il problema e la sua soluzione. Trinità, incarnazione, Chiesa, etica, escatologia non son tematiche formalmente e astrattamente sistematiche, ma aspetti concreti del Dio rivelante e rivelato; son cioè, nel senso forte della parola, cristologia. E lo sono perché sono il concentrarsi in Cristo di tutta la rivelazione, aspetti separati dell'unica sovrana ed eterna decisione di Dio a favore dell'uomo, ed altrettante conferme di quell'autodeterminazione con cui Dio, facendo grazia al peccatore, si fa carico del suo destino.

Specchio e sintesi di ciò è la dottrina dell'elezione, che Karl Barth approfondì ed espose con un'insistenza quasi puntigliosa dalle pagine del *RB* a quelle di *KD*, attraverso altri momenti intermedi non meno importanti per il suo punto di vista.

Per rispondere alle sollecitazioni del prof. Rostagno[10], bisogna prender sul serio alcuni termini nei quali è condensata la dottrina barthiana dell'elezione come autodeterminazione di Dio a favore dell'uomo, e cioè *Urentscheidung*, *Bund* e soprattutto *Gnadenwahl*: una scelta non condizionata da nulla e da nessuno, originaria e libera, che è insieme alleanza e grazia[11]. Che senso può avere allora la domanda «se non sarebbe più giusto impostare» l'analisi teologica della predestinazione «a partire dalla sovrabbondanza dell'amore [di Dio]

---

[9] Cf. p.es. *Schicksal und Idee in der Theologie*, in ZZ 1929, sp. p. 347-348.

[10] Questi, a p. 2 sub 1 del suo testo introduttivo, parlando dell'elezione, la dice «in un certo qual senso *doppia*, cioè includente anche l'uomo». Ho riflettuto non poco su tale osservazione e, tutto sommato, mi pare che esiga una precisazione. In termini barthiani, non si parla di «praedestinatio gemina» se non in riferimento all'uomo, nel senso, beninteso, non d'una sua autodeterminazione da imporre a Dio o da confrontare con quella di Lui, ma del *sì* e del *no* contenuti nell'autodeterminazione di Dio riguardante l'uomo, nel senso quindi dell'approvazione e della riprovazione come contenuto dell'autodeterminazione di Dio. Cf. al riguardo *KD* II/2, 187-188.191.

[11] Cfr. spec. *KD* II/2, 1-18.

nel creato intero»? Domanda legittima se, barthianamente parlando, non fosse pleonastica. La risposta, infatti, dovrà tener conto di due elementi, quali risultano dalla sintesi barthiana e senz'alcuna forzatura della medesima: alludo all'amore di Dio e al mondo come suo beneficiario e teatro.

Quanto al primo elemento, quello dell'amore, mi pare che, se pur convogliato preminentemente verso l'uomo dalla dottrina barthiana dell'elezione, esso sia il valore che domina e regge l'articolazione stessa di codesta dottrina. Si pensi a *Gnadenwahl*. Può sembrar un termine tradizionale e perfino banale nella secolare costanza del suo uso teologico. Ma se vi si coglie quel tanto di nuovo che Barth vi ha depositato, allora la domanda che Rostagno pone in chiave dialettica («se non sarebbe più giusto») viene soddisfatta dalla stessa novità barthiana. *Gnadenwahl* diventa allora sinonimo dell'amore che Dio riversa sulle sue creature. In effetti, il significato cristologico che Barth conferisce a *Gnadenwahl* rivoluziona in modo radicale la dottrina della predestinazione non solo perché ne corregge e in parte rifiuta l'insegnamento tradizionale [12], ma anche perché carica l'elezione di senso positivo, ne fa un atto d'amore, donde si sprigiona soltanto un messaggio e un canto di gioia. «Das Ganze Evangelium», scrivevo, citando *KD* II/2, 13, in «*Doctor Communis*» 37 (1984) 145-153. Ora, dinanzi alla lieta notizia del Dio creatore e redentore, qualunque particolarismo avrebbe il sapore d'un'amara contraddizione, né è particolarismo l'autodeterminazione divina che Barth coniuga tra Israele e la chiesa [13]. Dall'uno all'altra si disegna, infatti, l'arco di quel rapporto salvifico che l'unicità dell'alleanza in Cristo estende ad «ogni tribù, e lingua, e popolo e nazione» (Apoc. 5,9). È dunque qui la sovrabbondanza dell'amore che qualcuno auspica come correttivo dell'elezione in prospettiva barthiana. Qui e nella pretemporale gratuità che annulla in partenza ogni presunto merito e tutti mette sullo stesso piano, dinanzi ad uno stesso amore. Qui, nel *sì* che l'amore infinito di Dio pronuncia per tutti e dinanzi al quale il *no* è solo un effetto retroattivo, un rintocco opaco e sordo che non impedisce il gioioso squillare del *sì* perché cade su Dio, che in Cristo ha fatto sua la condanna o riprovazione, e non più sull'uomo, che in Cristo non è più il riprovato ma l'eletto [14].

Parlavo sopra d'un secondo elemento da tener nel debito conto, e individuabile nel mondo. Come dimenticarne la presenza nella dottrina barthiana dell'elezione, se Karl Barth stesso identifica nella «scelta gratuita di Dio ... l'inizio di tutte le cose?» [15]. Un'elezione destituita della sua dimensione cosmica non è più barthiana, mentre, al contrario, tale dimensione riposa sulla creazione come *Voraussetzung, innerer und äusserer Grund* dell'alleanza. Dell'opera creatrice l'uomo è certamente il culmine, il soggetto personale dell'invito

---

[12] *KD* II/2,15-16,40-57; e per la correlazione del concetto di *Bund* cfr. *KD* IV/1,57-70.

[13] *KD* II/2,215-219.

[14] Son le tesi sostenute in *KD* II/2,101-214 ed echeggiate poi in *KD* III/1,378-380.

[15] *KD* II/2,176.

che Dio gli rivolge d'aprirsi al suo amore e d'entrare in comunione con Lui. Ma il cielo e la terra, i mari e le stelle e gli esseri tutti che precedono l'uomo nell'ordine della creazione son anch'essi teleologicamente ordinati all'alleanza, ne costituiscono un anticipo, un segno sacramentale, una promessa. Indissolubilmente legati all'amore di Dio, ne annunciano il trionfo nella decisione dell'alleanza salvifica[16]. No, non è più giusto parlar d'elezione a partire dall'amore di Dio profuso nel mondo. È così.

2. Gesù Cristo e l'elezione

Il prof. Rostagno sposta quindi l'attenzione critica su Cristo «soggetto dell'elezione», dopo aver presentato l'elezione stessa «come elemento concreto di conoscenza di Dio e dell'uomo»[17].

Nulla da eccepire a tale riguardo, se non che avrei spostato ed invertito i termini del problema in modo da inglobarli e fondarli in Cristo, che, secondo Barth, non è soltanto il soggetto, ma anche l'oggetto dell'elezione. Ché, l'originalità di tale dottrina sta proprio qui: non tanto in una generica risoluzione cristologica dell'elezione, quanto nella tesi secondo la quale Cristo è Dio ch'elegge e l'uomo che vien eletto. Non per nulla, a quella della comunità e dell'individuo, Karl Barth premette l'elezione di Cristo, «il figlio di Dio che, con il Padre e lo Spirito Santo, decide di congiungersi con il perduto figlio dell'uomo, ed insieme il figlio dell'uomo che da tutta l'eternità è l'oggetto dell'elezione del Padre del Figlio e dello Spirito Santo»[18]. La tesi può sembrar innovativa; e rispetto al modo tradizionale di porre e risolvere il problema della predestinazione, può dirsi indubbiamente originale; ma è profondamente radicata in Ef. 1,4-5: «ἐξελέξατο ἡμᾶς ἐν αὐτῷ πρὸ καταβολῆς κόσμου... προορίσας ἡμᾶς εἰς υἱοθεσίαν διὰ Ἰησοῦ Χριστοῦ».

Alla luce di codeste parole, ogn'insistenza supra – o infralapsaria sarebbe solo puerile. Nella concretezza storica di Cristo, alla quale Rostagno giustamente si richiama, il *decretum absolutum* non solo prende il nome di Cristo, ma s'identifica con la sua stessa vicenda, attuandosi in essa attivamente e passivamente come autodeterminazione di Colui che lo emette e prolepsi di tutti coloro per i quali è emesso.

Solo a questo punto collocherei le domande di Rostagno riguardanti l'elezione com'elemento della conoscenza di Dio e dell'uomo. Infatti:

a) se l'elezione è il *sì* di Dio all'uomo, proprio per questo è anche rivelazione e proclamazione del suo amore infinito. In essa Dio si manifesta come amore. Essa, pertanto, è completiva della rivelazione: non soltanto dell'amore che crea e redime, ma anche dell'amore ch'elegge. Dunque tra Colui che si rivela e Colui ch'elegge non c'è né separazione né addizione: si rivela infatti come Colui

---

[16] *KD* III/1,4,103-112.133.239.261-264.

[17] Mi riferisco al documento *Piano di lavoro*, p. 2 sub 2 e 3.

[18] *KD* II/2,171-172.

ch'elegge e in quanto elegge. Ed ecco perché l'elezione è coefficiente e contenuto della conoscenza di Dio. Ma poiché ciò si verifica in Gesù Cristo, è anche coefficiente e contenuto della conoscenza dell'uomo: è anzi «la necessaria premessa (*Hintergrund*) d'ogni altro enunciato concernente il rapporto tra Dio e l'uomo»[19].

b) C'è una coincidenza, fino al limite dell'identità, tra l'elezione di Cristo e quella dell'uomo. È infatti elezione dell'uomo in quanto è elezione di Cristo, che è propriamente l'elezione dell'uomo Gesù da parte di quel medesimo Cristo in cui Karl Barth vede «la volontà divina eleggente». Ma l'elezione dell'uomo Gesù è l'elezione di lui alla riprovazione vicaria: per decisione eterna, su di lui «una collera esplode, una sentenza vien pronunciata, un castigo attuato, un rifiuto compiuto». Su di lui al posto nostro. Ognuno, in lui, è insieme eletto e riprovato, colpito e graziato. Anzi, nell'elezione di lui, Dio riserva «all'uomo solamente il *sì*, vale a dire l'elezione, la salvezza, la vita; e prende invece su di sé il *no*, vale a dire la riprovazione, la condanna e la morte»[20].

Se, dunque, il destino dell'uomo è già in quello di Gesù Cristo, la conoscenza dell'uno si perfeziona nella conoscenza dell'altro. Nella storia di Gesù Cristo è implicita, anzi è già vissuta, la storia d'ogni altro uomo. In quanto oggetto d'un'elezione che lo carica delle responsabilità di tutti gli uomini, la storia di Gesù è «inklusive Geschichte», la cui temporalità è quella originaria: «il tempo d'un uomo che è anche (*zugleich*) il tempo eterno di Dio»[21]. È pertanto la storia che contiene, e che in certo senso previene ed esperimenta in anticipo, quella di tutti i figli d'Adamo, come storia del loro esser posti dinanzi all'autodeterminazione di Dio.

Sullo sfondo della storia di Cristo, ecco allora precisarsi in Karl Barth una linea antropologica di stampo prettamente teologico; il volto dell'uomo che vien così disegnato non è più quello dell'animale ragionevole composto di spirito e di corpo, ma quello del peccatore graziato, cioè dell'eletto in Cristo soggetto ed oggetto dell'elezione, «der Erwählende und der Erwählte».

L'argomentare barthiano per stabilire la conoscenza dell'uomo in quella di Cristo non passa attraverso gl'incerti camminamenti della riflessione filosofica, nemmeno quando dimostra di sapersi muovere a suo agio sui camminamenti suddetti, come quando esprime il meglio di Heidegger, Jaspers e Sartre a proposito di temporalità ed antropologia, o come quando teorizza in modo originale *das Nichtige*. Il sapersi muovere sul terreno filosofico non significa far della filosofia e l'argomentare di Karl Barth resta sempre teologico. È allo-

---

[19] *KD*, II/2,161.

[20] *KD* II/2,177-188.

[21] *KD* III/2,557: per la coincidenza, sopra accennata, della conoscenza di Cristo e di quella dell'uomo, si veda, tra l'altro, *KD* III/2,626-627. Ma la vera documentazione è in tutta l'opera barthiana e nel fatto che tutta l'opera barthiana, come concentrazione cristologica e cristologia conseguente, ha in Cristo la sua unica fonte di conoscenza.

ra proponibile la domanda del prof. Rostagno: se, cioè, Karl Barth abbia avvicinato la dottrina dell'elezione alla sensibilità dell'uomo moderno?

La risposta comporta tutta la difficoltà della definizione d'uomo moderno. Ma se per uomo moderno dovesse intendersi univocamente l'uomo dell'immanenza, dovrei rispondere di no. La domanda, in realtà, non è proponibile perché determinerebbe o presupporrebbe il ribaltamento di quel centro cristologico, che Barth seppe faticosamente riconquistare, dal 1919 in poi, alla teologia evangelica, e questa ricaccerebbe nel *mare magnum* della teologia naturale, del neomodernismo protestante e della stessa teologia liberale. Finché si rimane fedeli all'ispirazione cristologica dell'elezione barthiana, non priva di risvolti sinceri ed oscuri, ma senza cessare per essi d'esser «il più importante contributo teologico da molto tempo a questa parte»[22], s'elude pure il pericolo, accennato da Rostagno[23], di «(ri)cadere così in una conoscenza naturale di Dio».

3. *Elezione ed etica*

Si sa quale sia stato l'interesse di Karl Barth per il problema etico. Ne parlò nel *RB*[24], in *Das Wort Gottes und die Theologie*[25] e ripetutamente in *KD*[26]. Una rievocazione barthiana non poteva ignorare un così marcato interesse. Trovo peraltro felice la formulazione dell'argomento nei termini indicati a p. 3 sub 4 del *Piano di lavoro*: «l'elezione come fondamento dell'etica». È una formulazione che dipende dall'ispirazione cristologica dell'elezione: Gesù Cristo, come è Dio ch'elegge e l'uomo eletto, così è Dio santificatore e l'uomo santificato[27].

Ciò, tuttavia, non basta per giustificare la formula in esame. Di per sé, l'elezione dice sovranità assoluta di Dio: in Cristo Egli si costituisce da sempre e per sempre il Signore ed il Salvatore dell'uomo, con la conseguenza che l'uomo in Cristo è innalzato alla dignità e responsabilità di *Partner* di Dio e testimone di Cristo.

Già tale conseguenza potrebbe funger da fondamento dell'etica. Karl Barth n'è convinto, ma perché l'etica possa darsi un respiro anche più teologico, egli ne cerca il fondamento definitivo nell'alleanza. Da questa discende il comandamento di Dio.

L'espressione, pacificamente usata anche da Rostagno, esige alcune spiegazioni. Non c'è dubbio ch'essa traduce l'intenzione barthiana, secondo la quale

[22] BOUILLARD H., *Karl Barth*, 2: *Parole de Dieu et existence humaine*, Paris, 1957, p. 141-142.

[23] *Piano di lavoro*, p. 2, sub 2.

[24] P. 188-210,276-278,286-289,410-510.

[25] München, 1922, p. 125-155.

[26] *KD* I/2,397-504,785-890; II/2,564-875; III/4; IV/2, 603-626 ed in numerosi altri contesti.

[27] *KD* II/2,564.

la soluzione del problema etico sta soltanto «nell'ascolto obbediente della parola e del comandamento di Dio»[28]. Ma il comandamento di Dio in che cosa consiste? Se si riesce a rispondere in un quadro di fedeltà barthiana, si chiarisce anche il limite della critica cui Barth sottopose l'ideale del «porsi al servizio di Dio».

Anche nel testo barthiano, due son le parole ricorrenti: *das Gebot* e *das Gesetz*. Ambedue chiariscono la posizione subalterna dell'uomo dinanzi al suo Signore e Salvatore. Ambedue, perciò, traggon il proprio significato dal loro rapporto con la parola di Dio. Ma la parola di Dio «è, in quanto tale, il comandamento (*Gebot*) di Dio», ossia «la pienezza, la misura e la fonte della santificazione» dell'uomo[29]. Una parola/comandamento, quindi, in cui l'etica ha la sua premessa, il suo criterio, il suo contenuto. Se ne deduce che questa stessa etica altro non è né può esser se non «la dottrina del comandamento divino»[30], con l'unico compito di comprendere e di presentare organicamente «la parola di Dio come comandamento di Dio»[31]. L'interrelazione tra i due concetti esclude che il comandamento si riduca ad un enunciato giuridico e ad un codice penale: è soltanto, è semplicemente, è propriamente *la* parola, cioè Gesù Cristo che, come parola di Dio, esprime le esigenze assolute di Lui e che, nella sua vita morte e risurrezione, rende esplicite codeste stesse esigenze.

Un'eco di ciò risuona in *Gesetz*, che anche Barth usa come sinonimo di *Gebot* col significato di legge. Si resta un po' stupiti nel seguire gli sviluppi del ragionamento barthiano, specie quando nella legge (*Gesetz*) riconosce «la forma dell'Evangelo, come a dire la santificazione dell'uomo per mezzo di Dio che lo elegge»[32]. Ma il ragionamento si fa chiaro nel momento stesso in cui assume *das Evangelium* non già come uno scritto o una collezione di scritti, ma come *Gnadenwahl* con al centro Gesù Cristo nella sua realtà di soggetto ed oggetto dell'elezione, implicante la riprovazione/salvezza dell'uomo. Sotto tale profilo, «la parola è Evangelo quanto al suo contenuto, e legge quanto alla sua forma e figura... L'Unica parola di Dio, rivelazione ed opera della sua grazia, è in pari tempo legge, previa decisione riguardante il determinarsi dell'uomo, requisizione della sua libertà, regola e criterio per l'uso (corretto) di tale libertà»[33]. È, insomma, un indicativo (*Gnadenwahl*) ed un imperativo (*Gebot/Gesetz*).

Di fronte ad una posizione così ben definita, è fuori discussione che, al di là delle formule, si dia anche barthianamente un «viver per Dio» come «obbedienza alla sua divina parola», totale disponibilità per le esigenze sovrane dell'Unico Signore e Salvatore, testimonianza a Cristo e al suo Evangelo, fe-

---

[28] *KD* III/4,2.

[29] *KD* III/4,2.

[30] *KD* I/1,XII; II/2,564.

[31] *KD* III/4,2.

[32] *KD* II/2,564.

[33] *KD* II/2,567.

deltà all'alleanza e all'elezione. Perfino nel momento in cui pronunciava il suo rifiuto del «porsi al servizio di Dio», cioè nel 1922, Karl Barth sintetizzò il problema etico nel rigore d'un giudizio che intravvedeva l'unico aspetto positivo dell'«intollerabile carattere della condizione umana» nel suo rapporto con Dio, nell'alterità quantitativa e qualitativa di tale rapporto, nel fatto per cui, Dio essendo il nostro *sì*, noi dobbiamo «inevitabilmente, radicalmente subire il suo *no*»[34]. Si è al tempo del *RB*, e non è un caso che riecheggi nelle citate parole la proclamazione che il *RB* fa, solenne e brutale, di Dio e dei suoi diritti sull'uomo.

Sì, «il porsi al servizio di Dio» fu effettivamente criticato da Barth. Ma il contesto nel quale la critica si trova accenna ad una volontà-di-vivere da rispettare qual è, senza tentare né di spiritualizzarla né di trasfigurarla mediante la sua destinazione al servizio di Dio. Insomma, non il servizio di Dio è criticato, ma la sua finalizzazione ad un ideale ascetico del tutto estraneo alla prospettiva barthiana.

Quanto al servizio umano o fraterno, richiamato dal prof. Rostagno, va detto ch'esso fa parte dell'eticità barthiana: un'eticità storica, per questa nostra storia e all'interno di essa; un ideale da compiere ora, «una missione da espletare quaggiù, nel tempo e non fuori di esso», con finalità che, in quanto umane, son tutte profane, terrestri, temporali. Né è da credere con ciò che Barth miri ad «una civilizzazione cristiana»: né tecnica, né arte, né scienza, né politica appartengono alle c.d. *Schöpfungsordnungen*, ma sono «opera manuum hominum» (Sal. 134,15), degli uomini che s'impegnan per un mondo migliore, più giusto, più pacifico, più fraterno[35]. S'intravvede nello specchio di codeste dichiarazioni l'immagine del teologo/socialista. Se non che, non appena il suo giudizio teologico si posa sui comportamenti umani e sul loro valore morale dinanzi a Dio, allora si teologizza anche il sogno socialista e *Dio solo* riprende il sopravvento nello sviluppo dell'eticità barthiana: «L'azione morale, in quanto azione morale, come azione di Dio, si compie soltanto nell'eternità e non sulla terra»[36]. Vien così fortemente accentuato il valore morale del servizio umano per un mondo umano, che in tanto ha rilevanza etica in quanto è parabola e testimonianza della decisione (*Entscheidung*), dell'esigenza (*Anspruch*) e del giudizio (*Gericht*) di Dio sull'uomo, e ha quindi nell'eternità di Dio il suo punto di riferimento

4. *L'elezione di fronte alla diversità delle tradizioni religiose*

È la sollecitazione critica che figura a p. 3 sub 5 del *Piano di lavoro* e che, a prima vista, parrebbe solo l'invito ad una rilettura attualizzata della pagina

[34] *Das Wort Gottes*, cit., p. 146-147.

[35] Ivi, p. 144-148.

[36] *RB*, 420.

barthiana. Parrebbe, ma non è così. Il problema del rapporto tra l'unicità dell'autodeterminazione divina in Cristo e la portata salvifica delle altre religioni e culture, è barthianamente legittimo. Il suo ancoraggio a Barth avviene attraverso l'arditezza singolare della soluzione barthiana alla questione predestinazionistica. Ricordiamone i passaggi fondamentali:

a) Colui ch'elegge non è un Dio astratto, ma Gesù Cristo;

b) l'eletto non è l'uomo in genere né un individuo in particolare, ma ancora Gesù Cristo, attraverso il quale l'elezione s'estende da Israele alla Chiesa [37], e quindi all'uomo.

L'impressione che a tutta prima se ne ricava è d'un particolarismo fin troppo riduttivo: l'elezione sembra imprigionata nella storia del Popolo eletto e nei confini storico-geografici della Chiesa. La domanda del prof. Rostagno è pertanto giustificata.

Ma, sia pur prendendo le dovute distanze dal cristomonismo che signoreggia la meditazione barthiana, devo dire che il temuto particolarismo s'apre ad una visione universalistica e che l'unicità di Cristo è in pari tempo centralità.

Infatti, Gesù Cristo non è un individuo qualunque sul quale scende il privilegio dell'elezione divina, ma, come eleggente ed eletto, è la sintesi prolettica di tutta la nostra storia. In lui, l'eletto, è quel popolo ch'Egli stesso elegge e convoca e raccoglie «d'ogni tribù e lingua e popolo e nazione» (Apoc. 6,9). Nemico d'un'apocatastasi che pur gli fu rimproverata e che imbriglierebbe la libertà di Dio mettendo Karl Barth in contraddizione con se stesso, il Teologo di Basilea si guarda bene, tuttavia, dal negare la *possibilità della salvezza universale*: contro la testimonianza biblica, secondo la quale Dio vuole tutti salvi (I Tim. 2,4), si vedrebbe altrimenti costretto ad incapsulare la salvezza stessa nel particolare [38]. Ma una volta ammessa la possibilità universalistica, riesplode anche per lui l'interrogativo graffiante che ha lasciato il segno su secoli e secoli di teologia: si dà salvezza fuori della Chiesa [39]?

Dico Chiesa, anche se la scelta lessicale di Barth, quasi eco di quella luterana, sembra preferire *Gemeinde* a *Kirche* [40]. Ma *Gemeinde* non accentua ancor più di *Kirche* una visione particolaristica? Il fatto è che «la testimonianza doverosamente resa dalla comunità a Cristo, e l'appello ch'essa rivolge a *tutti* perché credano in Lui», son già superamento d'ogni particolarismo, son infatti l'immagine d'una comunità «come comunità di *tutti* gli uomini».

Va pure notato che Barth, più che dell'appartenenza alla Chiesa/comunità come condizione di salvezza, parla della missione che caratterizza la Chiesa/comunità nel suo specifico compito d'annunziare al mondo che *tutti* appartengono a Cristo: è una conseguenza della sua dottrina dell'elezione, nonché del-

[37] Cfr. *KD* II/2,45-46.51-57.

[38] Oltre non poche pagine di *KD* II/2, sp. 462-468, cfr. *Die Menschlichkeit Gottes*, n. 48 di *Theol. Studien* 1956, sp. p. 10-18.

[39] Cf. *KD* I/2,232-233.

[40] *KD* II/2,215-216.

la sua *inklusive Geschichte*. L'*extra Ecclesiam nulla salus* suona perciò in chiave cristologica: *extra Christum nulla salus*[41]. Rigorosamente parlando, il problema se anche le altre religioni e culture sian salvifiche è mal posto: la salvezza non dipende dalle religioni, né dalle culture e nemmeno dalla Chiesa, ma da Cristo, nel quale *tutti* (quindi anche Chiesa, culture, religioni) sono eletti e salvati. Del resto, in anni ormai lontani (1927), Karl Barth s'era posto la domanda sulla possibilità d'un rapporto salvifico che prescindesse da Cristo. Si chiedeva se Socrate, Lao-Tsé, Budda potessero pensarsi coinvolti o no da codesto rapporto. E pur obbedendo ad esigenze di grande cautela, si mostrava restio a banalizzare la lezione biblica di Melchisedec, Ruth, Ciro, del centurione e degli uditori di Cafarnao; in ultima analisi, la sua era una valutazione positiva non solo di quanti già si trovan *all'interno*, ma anche di quelli che sono e forse saranno sempre *all'esterno*[42]. E la ragione è che Dio è sempre il Signore. Se pur luogo e strumento della sua grazia, la Chiesa non ne dispone; corpo terrestre del Signore celeste, è essa stessa a sua disposizione e non viceversa[43]. Nulla, pertanto, impedisce di pensare che il Signore operi anche astraendo dai suoi strumenti. Mi colpiron, fin dal mio primo contatto con Barth, queste sue inquietanti e suggestive parole: «Dio può parlarci attraverso il comunismo russo, un concerto di flauto, un ramoscello in fiore, un cane morto» e Francesco d'Assisi, al riguardo, non è più trasparente d'un Borgia[44]. Sì, la Chiesa è al servizio di Cristo; ma Cristo può servirsi di qualunque altra realtà mondana per l'irradiarsi della sua azione.

Può, ho detto. Quello barthiano, infatti, è un discorso di possibilità. Non appena esso verte sulla realtà, allora la Chiesa ritorna in evidenza e la sua contingente provvisorietà non impedisce a Barth di proclamar con fermezza che «*extra ecclesiam*» non solo «*nulla salus*», ma anche «*nulla revelatio, nulla fides, nulla cognitio salutis*»[45].

La risposta alla sollecitazione del prof. Rostagno è ora facile. L'elezione di Gesù Cristo assomma in sé, per l'autodeterminazione di Dio, i valori dell'unicità e della centralità. Con la Chiesa, anche se a titolo diverso, tutte le religioni non cristiane e tutte le altre culture rientran in quell'unicità e in quella centralità. Tutte, perciò, posson essere strumento di salvezza. Tutte infatti son a disposizione di Dio. D'altra parte, la possibilità diventa anche più plausibile se si ammette, almeno in ipotesi, la tesi barthiana secondo la quale l'uomo nuovo per la fede e il battesimo non è diverso dall'uomo vecchio, e la differenza stabilita da Paolo tra l'uno e l'altro è solo relativa[46]. L'atto creativo, in effetti,

[41] *KD* II/2,216; I/2,233. Ciò nonostante non esita Barth ad affermare che non si dà vera fede fuori della Chiesa, cfr. *KD* IV/1,769.

[42] *Die christliche Dogmatik im Entwurf: 1. Die Lehre vom Wort Gottes. Prolegomena zur christliche Dogmatik*, München, 1927, p. 135-137,249-252.

[43] Cfr. *Die Theologie und die Kirche*, München, 1928, p. 295-301.

[44] *KD*, I/1,55.

[45] *KD* IV/1,769.

[46] *KD* III/2,245.

non si distingue che formalmente dall'atto redentivo, coincidendo ambedue nell'indivisibile semplicità dell'autodeterminazione divina. E poiché questa si compie in Cristo, anche il non-cristiano vi è previsto, ha parte alla sua centralità, se non altro come ordinato ad essa.

5. L'elezione come scelta di Dio per gli ultimi

È vero, Karl Barth non trae «tutte le conseguenze dal fatto che Dio nella Bibbia elegge partendo dagli esclusi e dagli ultimi»[47]. Non certo nel senso ch'egli non conosca lo stile di Dio, ma in quello dell'assenza, nella sua opera, dell'ossessivo insistere dei moderni sui poveri e sugli emarginati.

Mi chiedo, tuttavia, se un'osservazione del genere sia compatibile con la cristologia conseguente del grande Teologo, al quale l'osservazione è rivolta. Né l'interesse etico, che abbiam visto molto pronunciato, né l'attività di pastore e di predicatore ch'egli svolse con partecipazione appassionata, e nemmeno il suo impegno politico, conferiscono alla sua teologia una caratteristica preminentemente pastorale. Essa risponde sempre, tanto nel suo criterio di fondo quanto nei suoi *excursus* storici ed esegetici, ad un intento dogmatico, ermeneuticamente e contenutisticamente incentrato in Cristo. Tutto egli apprese in- e da Cristo. La sua etica, come s'è dimostrato, non fu un ricettario di comportamenti cristiani o semplicemente buoni, ma un compito specifico della teologia dogmatica, fondato «sulla conoscenza di Gesù Cristo come santificatore e santificato». Sul ceppo dogmatico dell'elezione innestò perfino l'idea che lo Stato è un'istituzione della grazia per neutralizzar le conseguenze del peccato e render possibile una vita di fede[48]. Accanitamente fedele alla «purezza evangelica della teologia», ne curò e realizzò la «ricentrazione» in Cristo dopo la parentesi modernistico-liberale; anzi, in codesta «ricentrazione», si definisce la sua lunga fatica di teologo.

Non dico che non fosse sfiorato dal problema dei poveri, degli umili e degli emarginati; ciò ch'egli stesso racconta del suo pastorato a Safenwil in Argovia ce lo dipinge alle prese con le più inaudite contraddizioni dell'esistenza[49]. Ma il suo impegno sociale (tanto come socialista, quanto come socialdemocratico, Barth fu sempre un socialista *cristiano*) si sposò prima con la responsabilità della predicazione, poi con la ricerca della purezza evangelica della teologia. Direi, con terminologia scolastica, ch'egli operò sempre *formaliter*. Nell'atto stesso di comunicar tutta la sua umana partecipazione predicando ai detenuti, restava formalmente teologo e calava le peculiarità del suo messaggio teologico ai livelli dell'umanità più degradata[50].

[47] S. ROSTAGNO, *Piano di lavoro*, p. 4 sub. 8.

[48] *Christusgemeinde und Bürgergemeinde*, n. 20 di «Theol. Studien», 1946, p. 10, 14, 17-25.

[49] Mi riferisco alla nota conferenza del 1922, *Detresse et promesse de la prédication chrétienne*, in *Parole de Dieu et parole humaine*, tr. fr. di *Das Wort Gottes*, cit., p. 129.

[50] *Rufe mich an!*, Zürich, 1965.

Se ciò depone a favore della sua coerenza teologica, non l'estranea però ai problemi del tempo, né lo chiude in un alienante monologo nei cieli. Sta qui la miglior conferma del *syllogismus practicus*[51] con cui il prof. Rostagno chiude le sue stimolanti osservazioni.

Per chiuder le mie, credo che non sia del tutto fuori luogo un giudizio complessivo su quest'originalissima dottrina dell'elezione, che Barth inscrive nella vicenda di Cristo, l'eletto insieme ed il reietto in nome e al posto di tutti. La conseguenza sta nel fatto che c'è da sempre e per sempre un solo eletto ed un unico reietto, nella cui elezione-riprovazione Dio stesso sceglie questa per sé e riserva l'altra per l'uomo, e che quindi nella elezione-riprovazione di Cristo è già presente, predecisa e previssuta, la storia d'ogni singolo uomo come eletto e destinato da sempre alla salvezza.

Fin dagli anni nel *RB* Barth venne accusato di palingenesi universale proprio per questo: l'accusa gli fu poi rivolta negli anni successivi, e forse non gli è mai stata risparmiata del tutto. Contro di essa egli si difese sempre con passione e fermezza, anche se, mi pare di poterlo dire, non sempre convincendo. Resta, in effetti, il pericolo che una «inklusive Geschichte», dove tutto sia già predeciso e previssuto, assorba i singoli in Cristo e nullifichi per ciò stesso la loro personale responsabilità. A salvaguardare la dottrina barthiana da codest'accusa non basta l'affermazione che Dio in Cristo è, per l'uomo, soltanto grazia e che questa, pertanto, «sovrasta, controlla, eclissa e governa la reiezione». Anzi, è proprio una concezione siffatta a spazzar via anche i residui della responsabilità personale, tutto essendo predeciso nel destino di Cristo. Senza contare che la prospettiva di codesta salvezza, nonostante tutto, mal si concilia con la Parola del Signore, specie con quella che pronuncia i suoi terribili «vae»: «Guai a te, Corazim, guai a te, Betsaida» (Mt. 11,21): «guai a voi, scribi e farisei..., a voi, guide cieche» (Mt. 23,14 s), «a voi, ricchi... a voi, satolli... a voi, legulei» (Lc. 6,24-5; 11,46). La minaccia del «fuoco eterno» (Mc. 9,7), della «geenna» (Mt. 5,22), del «pianto e dello stridore dei denti» (Mt. 8,12 s), comunque la si voglia interpretare, sembra perdere ogni significato nella dottrina barthiana dell'elezione. È la logica della «inklusive Geschichte» che vuota fatalmente di contenuto e di significato la piccola-grande storia dell'uomo. E su queste secche sembra naufragare l'originalità stessa, da tutti riconosciuta, della dottrina barthiana sull'elezione.

[51] *Piano di lavoro*, p. 4 sub. 7.

UNIVERSALISMO ED ELEZIONE NEL PENSIERO DI KARL BARTH

di ALBERTO GALLAS

La concezione barthiana della dottrina della riconciliazione, cui è dedicato il volume IV,3 della *Kirchliche Dogmatik* (= *KD*), ha provocato da parte di alcuni – come del resto era accaduto già per opere precedenti – l'obiezione che in essa, di fronte alla sovrabbondanza, alla universalità della grazia, venga a perdersi la distinzione tra chiesa e mondo e, più ancora, tra credenti e non credenti. Davanti a questi ultimi, cadrebbe quella «Distanz» che i testi paolini non mancano di sottolineare (ad es. in II Cor. 6,14-18 e Fil. 2,15)[1].

Nel volume in questione, che contiene tra l'altro le note riflessioni sulla «luce» e le «luci», Barth legge effettivamente la storia del patto tra Dio e l'uomo come connotata nella sua interezza – cioè tanto nell'AT che nel NT – dall'«Universalismus». Nell'AT perché la storia d'Israele, che è storia specifica di un popolo, è però storia «esemplare»[2]; nel NT perché la profezia di Gesù Cristo, pur anch'essa specificamente israelitica, ha una portata universale[3] così evidente che questo carattere del patto nel NT può essere meno esplicitamente sottolineato che nell'AT stesso[4].

Poiché la «concentrazione cristologica» è a questo punto dell'itinerario barthiano pienamente operante, l'universalismo si accompagna, o, meglio, rappresenta l'altro lato dell'unicità ed esclusività di Cristo, che è *la* luce al di fuori della quale non c'è altra luce[5]. Ciò, tuttavia, riconosce Barth, non va da sé. Anzi, la negazione della «Koesistenz» di altre luci a fianco di quella di Cristo (si intende, che siano assolutamente indipendenti da essa) sembra inconciliabile con l'universalismo e provoca gravi obiezioni. Anzitutto, che si tratti di una tesi oscurantista. In secondo luogo, che essa impedisca ogni comunanza tra cristiani e non cristiani. In terzo luogo, che essa si rifletta sul piano politico sotto forma di intolleranza[6]. La ragione di ciò sta nel fatto che la tesi dell'as-

---

[1] Cfr. G. GLOEGE, *Zur Versöhnungslehre Karl Barths*, «Theologische Literaturzeitung» 85 (1960), col. 161-186. Ma si pensi anche al volume di G.C. BERKOUWER, *Der Triumph der Gnade* (1954), trad. ted., Neukirchen, 1957.

[2] *KD* IV/3,60.

[3] Ivi, 53.

[4] Ivi, 65.

[5] Ivi, 95.

[6] Ivi, 99.

solutezza di Cristo non può non essere interpretata da parte della «Umwelt» (ma, di fatto, è interpretata così anche da parte di molti cristiani) come affermazione dell'assolutezza del cristianesimo e della chiesa. Caratteristica decisiva della posizione barthiana è invece quella di proporre questa tesi in senso radicalmente cristologico, tale cioè da «porre di fronte» Cristo non solo ai non cristiani, ma anche ai cristiani. Infatti, in quanto unica luce, Cristo «souverän gegenübersteht» a tutti gli uomini, credenti e non credenti, cristiani e non cristiani. La tesi dell'assolutezza, proprio perché distingue radicalmente tra Cristo da una parte, e gli uomini e ogni realtà del mondo dall'altra, accomuna tutti gli uomini tra loro, senza distinzione. Di conseguenza, chi «confessa» l'assolutezza di Cristo, non «si separa» da chi non la confessa, ma anzi, è posto per ciò stesso «sullo stesso piano» con quest'ultimo[7].

Quanto detto contiene, in sintesi, gli elementi essenziali della posizione di Barth. Sarebbe facile mostrare come da qui derivino numerose e importanti conseguenze. Ora noi dobbiamo concentrare però la nostra attenzione su due punti. In primo luogo va verificato se l'universalismo comporti in Barth anche l'adesione alla dottrina della apocatastasi. In secondo luogo, dobbiamo cercare di indagare le origini di questa posizione barthiana, risalendo al di là della «concentrazione cristologica», e questo sia per tentare di individuare alcune sue fonti, sia perché la sua prima fase è quella meno studiata[8].

Una ricerca che si proponga di seguire nell'opera di Barth il tema dell'universalismo, cioè della volontà di Dio di estendere la sua grazia a tutti gli uomini e a tutte le cose, e della vittoria che questa volontà riporta su ogni ostacolo, in modo tale che si debba ad un certo punto scoprire, magari per taluni con disappunto – come ebbe a dire ironicamente lo stesso Barth – che l'inferno è vuoto[9], ebbene, una tale ricerca pone davanti, fin dalle prime battute, ad un quadro in parte chiaro, perché è facile registrare la presenza dell'universalismo, come pensiero dominante, nell'intero arco dell'opera barthiana, ma anche a un quadro reso complesso dalla presenza di numerose e a prima vista massicce contraddizioni, sia in Barth stesso che tra le diverse letture e interpretazioni date alla sua opera.

Il problema nasce dal fatto che l'idea dell'universalismo è difficilmente distinguibile da quella dell'apocatastasi; anzi, non si può respingere come infondata l'opinione di chi ritiene che con essa sostanzialmente coincida. Infatti, è possibile che l'universalismo eviti di convertirsi in una dottrina animata dal-

---

[7] Ivi, 100.

[8] Esistono due monografie, a mia conoscenza, sull'argomento: R. ROCHUSCH, *Untersuchung über die Stellung Karl Barths zur Lehre von der Apokatastasis in der Kirchlichen Dogmatik* (Inauguraldissertation), Berlin, 1974; e A. DEKKEN, *Homines bonae voluntatis. Das Phänomen der profanen Humanität in Karl Barths Kirchlicher Dogmatik*, Zürich (s.d., ma 1969). Ambedue sono dedicate alla *Kirchliche Dogmatik*, come risulta già dal titolo.

[9] *Die Botschaft von der freien Gnade Gottes*, Zollikon-Zürich, 1947, p. 8.

la pretesa di conoscere a priori e oggettivamente il destino finale da Dio riservato ad ogni uomo?[10]

Appunto l'apocatastasi però, intesa come dottrina, è stata costantemente rifiutata da Barth. Per limitarci al volume della *KD* dedicato all'elezione, possiamo ricordare un passo a prova di questo rifiuto: «[la dottrina dell'apocatastasi] è una tesi che non dobbiamo formulare, proprio per rispetto della libertà di Dio»[11].

Nell'ambito della medesima dottrina dell'elezione, però, è la stessa tesi portante – Cristo come Dio che elegge ed uomo che è eletto[12] – e il suo corollario, che Dio in Cristo ha assunto su di sé la riprovazione destinata all'uomo[13], a far apparire come affermata, di fatto, la tesi della salvezza estesa a tutti gli uomini, in modo tale che, negata a livello esplicito, l'apocatastasi sembra, come sostiene von Balthasar, una tesi inevitabile e necessaria, radicata nel cuore stesso della teologia barthiana.

Questa polarità (almeno apparente) di posizioni si rispecchia nella divergenza di valutazioni che si riscontra nella letteratura critica. Da una parte c'è chi ritiene che l'apocatastasi rappresenti l'effettiva posizione di Barth[14]. Dall'altra

[10] La difficoltà si accentua per l'assenza di un accordo sul significato dei termini in gioco. Nel lavoro sopra ricordato, Rochusch afferma che distintivo dell'apocatastasi – prospettiva che avrebbe la sua origine in Origene – è il collegamento con una concezione cosmologica ciclica; essa si nutre dunque di una specifica dottrina della creazione; l'idea di riconciliazione universale (o universalismo) si collega invece alla cristologia, e si muove nell'ambito della soteriologia. Comune ad ambedue le prospettive è invece il rifiuto di riconoscere conforme all'annuncio cristiano una predicazione che sostenga la divisione definitiva del genere umano in condannati e salvati. Nel caso dell'universalismo il superamento della divisione è oggetto di una speranza, fondata sul misericordioso agire di Dio, mentre nell'apocatastasi tale superamento si presenterebbe come un dato. Una proposta, avanzata da Berkouwer, di discriminare questi due diversi approcci distinguendo tra «Universalität» e «Universalismus» non ha modificato i termini della questione. In ogni caso, anche quando sia stata riconosciuta la differenza tra idea dell'universalismo, o riconciliazione universale, e apocatastasi, resta il problema: come può l'universalismo stesso evitare di dire sulla misericordia divina *più*, e sul giudizio di condanna *meno* di quanto sia lecito fare in base all'annuncio cristiano?

[11] *La dottrina dell'elezione divina*, ed. it. a cura di Aldo Moda, Torino, 1983, p. 817 [= *KD* II/2, 462].

[12] Cfr. ivi, 319 [= *KD* II/2, 110], e in generale il par. 33.

[13] Cfr., ad es., ivi 424 [= *KD* II/2, 181].

[14] Oltre a VON BALTHASAR, *Karl Barth. Darstellung und Deutung seiner Theologie*, Einsiedeln, 1976 (Iª ed. 1951) (tr. it.: Milano, 1985), - e, del medesimo autore, più recentemente, *Sperare per tutti* (1985), tr. it. Milano 1989; *Breve discorso sull'inferno* (1987), tr. it., Brescia 1988 - cfr. anche: E. BRUNNER, *Die christliche Lehre von Gott* (*Dogmatik*, Bd I), 1946; G.C. BERKOUWER, *op. cit.*; H. ZAHRNT, *Alle prese con Dio*, tr. it., Brescia, 1969; T. STADTLAND, *Eschatologie und Geschichte in der Theologie des jungen Karl Barth*, Neukirchen 1966; A. MODA, *La dottrina dell'elezione in Karl Barth*, Bologna, 1972; V. SUBILIA, *La predestinazione. Una dottrina di dissidenza e di missione*, «Protestantesimo» 40, 1985, p. 65-101. Notiamo, inoltre, che la *Erwählungslehre* barthiana è fatta propria in termini che accentuano l'universalismo da E. WOLF: «in Jesus Christus ist kein Mensch verworfen, sind *alle* Menschen erwählt» (*Peregrinatio II. Studien zur reformatorischen Theologie, zum Kirchenrecht und zur Sozialethik*, München, 1965, p. 256).

c'è chi ritiene che il rifiuto ad essa opposto da Barth sia, nella sostanza, coerente [15].

È possibile uscire da una situazione di stallo davanti a questo quadro contraddittorio? La premessa per far questo sta nel tener presente, con la massima attenzione, il fatto che la negazione della legittimità della dottrina dell'apocatastasi è effettuata sempre da Barth in maniera dialettica, cioè in connessione con la negazione dell'affermazione contraria, ovvero di ogni posizione antitetica all'apocatastasi. Inoltre, si deve tener presente che la negazione dell'apocatastasi si presenta sempre *iuxta modum*. Questo del resto si ricollega ad una caratteristica costante del modo di pensare barthiano, anche al di fuori della fase cosiddetta dialettica: quello cioè di essere polifonico e pluriaccentuato.

Se torniamo al passo di *KD* II/2 riportato sopra, allargando l'obiettivo alle frasi immediatamente seguenti, leggiamo infatti: «ma anche bisogna dire subito: la conoscenza della grazia che accompagna la libertà divina deve impedirci di formulare la tesi contraria, di affermare cioè l'impossibilità di considerare l'allargamento totale e supremo del cerchio dell'elezione e della vocazione» [16].

Il tema dell'universalismo, abbiamo detto, è presente nell'intero arco della riflessione teologica barthiana. La sua presenza viene messa in evidenza da Jüngel [17] già nel Barth «marburghese» della conferenza *Der christliche Glaube und die Geschichte* [18], dove si afferma che l'efficacia dello Spirito ha anche

---

[15] H. KÜNG, *La giustificazione*, tr. it., Brescia, 1969; R. ROCHUSCH, *op. cit.*; W. SCHLICHTING, *Biblische Denkform in der Dogmatik*, Zürich, 1971. A parte va forse menzionata la posizione di W. KRECK, che sembra voler mantenere aperto il giudizio. Nondimeno, Kreck stesso rileva in Barth una «tendenza al monismo» (*Grundentscheidungen in Karl Barths Dogmatik*, Neukirchen, 1978, p. 242).

[16] La successione di questi due passi corrisponde alla dichiarazione verbale fatta da Barth a Jüngel: «ich lehre sie [= apocatastasi] nicht, aber auch nicht nicht» (E. JÜNGEL, *Einführung in Leben und Werk Karl Barths*, in *Barth-Studien*, Gütersloh, 1982, p. 22-60, 51). La pagina della *KD* in questione corrisponde del resto sostanzialmente a quanto Barth aveva già scritto in *Die Botschaft* cit., p. 8: «*Apokatastasis pantôn*? No, perché la grazia che alla fine dovesse coinvolgere e raggiungere tutti e ciascuno in modo automatico, non sarebbe certo libera grazia. Ma lo sarebbe se noi potessimo in assoluto vietarle di fare tutto ciò?».
Criterio discriminante è, come si vede, il riconoscimento della libertà di Dio. La prospettiva universalistica barthiana, e il contestuale rifiuto della apocatastasi, nascono in effetti dalla volontà di render conto, in ogni senso, della libertà di Dio, quale si manifesta concretamente in Cristo. «Forse Cristo viene sacrificato solo per i nostri peccati? Non anche – come afferma I Giov. 2,2 – per quelli del mondo intero?» (ivi).

[17] E. JÜNGEL, *Einführung* cit., p. 31.

[18] *Der christliche Glaube und die Geschichte*, «Schweizerische Theologische Zeitschrift» 29 (1912), p. 1-19, 49-72, 70. A questa data l'orientamento universalistico porta Barth ad escludere la possibilità di attribuire canonicità alla Scrittura: «Sicher wird das neue Testament kraft seiner zeitlichen Priorität unter den Glaubenszeugen immer eine eigentümliche Würde und Wirksamkeit besitzen. Aber geht es an, daraus eine *prinzipiell* höhere Dignität zu machen?». Barth ritiene che alla «christliche Religionsgeschichte» si debba riconoscere una *Theopneutstie* «gleichartig» a quella del Nuovo Testamento; lo stesso vale per gli «altri canali». Solo in seguito l'esistenza di «parole vere» *extra moenia*, unicità della rivelazione in Cristo nonché canonicità della testimonianza offertane dalla Scrittura, saranno affermati *insieme*.

«altri canali», grazie a Dio, oltre a quelli dei «mediatori» in senso stretto; e tra questi canali sono da annoverare sia Francesco d'Assisi che Michelangelo, Bach, Mozart, Beethoven, Schiller e addirittura Goethe. Jüngel commenta osservando che, assieme ad idee che Barth in seguito considererà inaccettabili, sono in questa conferenza presenti prospettive di fondo durevoli; e tra queste appunto «l'interesse universalistico che punta sul Cristo operante anche *extra ecclesiam*».

Questo interesse si conferma a Safenwil, e trova espressione nel 1911 nella conferenza *Jesus Christus und die soziale Bewegung*, assumendo un'ulteriore impronta, anch'essa destinata a durare: e cioè l'individuazione, tra gli altri canali, del socialismo come canale di particolare rilievo (o addirittura principale). Questo interesse è condiviso da Thurneysen, il grande amico di Barth, pastore - nel periodo cui ci riferiamo - di una comunità argoviese vicina a quella di Barth, che nella lettera del 23 marzo 1915 scrive (rispondendo alla richiesta di Barth di valutare un suo sermone su Lc. 12,32) di non poter intendere la correlazione «piccolo gregge = Regno di Dio» se non nel senso che il Regno di Dio non si dà soltanto per il «piccolo gregge», e che il piccolo gregge rappresenta il Regno di Dio per tutti gli altri, coinvolgendo il mondo intero (p. 37-38). Questa prospettiva permette, sostiene Thurneysen, di eliminare quella falsa apocalittica che sfocia in una eterna separazione tra giusti e ingiusti. E conclude: sento il bisogno di mettere in rilievo «l'universalismo dell'agire di Dio» [19].

Quali impulsi spingono, o confermano, i due amici su questa strada? Mi sembra ne vadano ricordati soprattutto due (non privi poi di collegamento tra di loro).

1. C'è l'impulso proveniente dal socialismo religioso svizzero. Sull'esistenza o meno, per usare termini barthiani, di «altri canali», l'opinione di Ragaz era che la socialdemocrazia stessa dovesse essere considerata «un'annunciatrice» del Regno veniente. Da parte sua Kutter aveva affermato, in *Sie müssen* (1904), che il Nuovo Testamento non nega certamente il peccato e la sua potenza, ma nega però la sua «Geltung» per gli uomini, giacché Cristo sulla croce ha annullato, e per sempre, la sua «Berechtigung» [20]. Non a caso nella *KD* Kutter sarà ricordato come colui che ha sostenuto con la massima energia la tesi che il «Machtbereich Gottes» è realmente più ampio del «Bereich der Kirche» [21].

A proposito di queste fonti, è stato notato da Gotthold Müller come una diffusa simpatia per l'apocatastasi accomuni Kutter, Ragaz, i due Blumhardt,

[19] K. BARTH-E. THURNEYSEN, *Briefwechsel*, vol. I (1913-1921), Zürich 1973, p. 37-38.

[20] Cfr. G. MÜLLER, *Hoffnung für die ganze Welt. Gottesglaube und Heilsuniversalismus in der Theologie Hermann Kutters*, in *Gottesreich und Menschenreich. Ernst Stählin zum 80. Geburtstag*, Basel und Stuttgart, 1969, p. 555-567, 560.

[21] *KD* I/1,75.

Barth e Tillich. Il che fa nascere l'interrogativo se una escatologia universalistica non sia collegata ad una teologia orientata in modo «überindividuell-sozial»[22].

2. C'è l'impulso proveniente da Blumhardt il vecchio. In termini generali si può indicare nella famosa espressione blumhardtiana: «Gesù è il vincitore», tanto cara a Barth, un'affinità fondamentale con le affermazioni «trionfali» di Barth sulla grazia. Si possono però anche individuare delle connessioni più circostanziate. Nella lettera del 5 giugno 1915 Barth comunica a Thurneysen di essere intento alla lettura della biografia di Blumhardt il vecchio scritta da F. Zündel. E commenta: «sono colpito dalla forza con cui tutte le 'nostre' idee migliori siano qui già comprese ed espresse»[23]. Ora, in questa biografia, Zündel affronta in due riprese la posizione di Blumhardt rispetto alla dottrina della «riconciliazione universale», mettendo in evidenza una certa evoluzione di Blumhardt in proposito, e alcuni aspetti della sua posizione che sono effettivamente molto vicini a tratti che si ritrovano in Barth. Nella raccolta di *Adventspredigten* (1864), Blumhardt sostiene che la Scrittura presenta ai perduti, piuttosto una *Aussichtslosigkeit* che una *Endlosigkeit* della loro condizione. Tuttavia l'ipotesi dell'apocatastasi, sostiene Blumhardt, è inaccettabile perché non tiene nel dovuto conto la santità e la giustizia di Dio, da una parte, e la serietà del peccato dall'altra[24]. Zündel ricorda però anche che più tardi Blumhardt avrebbe interpretato il giudizio di Cristo sui vivi e sui morti come «herrichten» e non come «hinrichten». Inoltre, egli considerava Rom. 11,26 come riferito a tutto Israele, e dunque anche alle generazioni scomparse; infine Blumhardt sottolineava la correlazione tra lo «alles» di Col. 1,19 e lo «alles» di Col. 1,16; «tutto» è stato creato per mezzo di Cristo e Cristo ha dato se stesso per redimere questo stesso «tutto». La redenzione, affermava Blumhardt, è appunto «die Rache Jesu an allen seinen Feinden», la vendetta di Dio su tutti i suoi nemici[25].

Passiamo ora al *Römerbrief*, nella sua prima edizione. In essa la riconciliazione e la redenzione, il Regno di Dio e il suo farsi vicino, sono interpretati nell'ottica di una dinamica organicistica. Il nuovo mondo veniente[26], il Regno di Dio[27], hanno inizio sulla terra, e si rendono riconoscibili alla fede[28] come germi, come zone, come regioni dinamicamente attraversate da un movimento vitale. Il mondo veniente giunge «organisch»[29], così come la linfa vi-

---

[22] G. MÜLLER, *Hoffnung* cit., p. 556, nota 8.

[23] *Briefwechsel* cit., p. 51.

[24] F. ZÜNDEL, *Johann Christoph Blumhardt. Ein Lebensbild*, Basel, 1942[14], p. 314.

[25] Ivi, 323.

[26] *Der Römerbrief* (Erste Fassung) (1919), Zürich, 1985, p. 263 (in seguito: *RB* I).

[27] *RB* I, 235.

[28] *RB* I, 168.

[29] *RB* I, 21.

tale si diffonde per un organismo. Questo movimento è globale: coinvolge il «tutto»; ed è qualitativamente orientato verso l'affermarsi della vita sulla morte. La elezione e la reiezione, o, più precisamente, il rapporto che le lega, è inquadrato da Barth all'interno di questa prospettiva di fondo. L'elezione è il grande movimento, la forte corrente (*Strom*) dominante, mentre la reiezione è il contrattempo, il vortice che produce una corrente contraria, e il reietto è colui che si muove nella direzione opposta a quella del movimento di Dio [30].

Ora, questa condizione del riprovato non è *sine addito*, ma è qualificata. Essa, cioè, non è stabile [31], ma provvisoria [32]. Lo è proprio in quanto ha il suo fondamento nel Dio eterno, e l'eternità è altra cosa dal perdurare all'infinito di un determinato stato e condizione. Infatti, Dio è e resta *libero*; non è immobile, ma vivente. Da quello che noi vediamo dell'agire di Dio non si è mai dato un rigetto assoluto (*rein, vollständig, restlos*): neppure nel caso di Israele. È il rischio corso da Calvino, semmai, quello di intendere il *decretum absolutum* (espressione che di per sé in *RB* I Barth ritiene accettabile [33]) come «allzu absolut» [34].

Tutto questo viene riassunto in un'immagine: il reietto è simile a un controllore di treno, che risalga all'indietro dalla testa alla coda del convoglio (dunque in controtendenza rispetto al «movimento di Dio»), ma che comunque, visto nel movimento globale, si muove anch'egli in avanti [35].

Molte componenti del quadro concettuale in cui si nuove *RB* I vengono tuttavia presto abbandonate. Si ha in questi anni una svolta che è compiuta da Barth nella consapevolezza di vivere in «tempi straordinari». Gli eventi del novembre 1918 («rivoluzione d'autunno» in Germania, sciopero generale in Svizzera) sono letti, sia da Barth che da Thurneysen, come indizio del fatto che la «correlazione» tra eventi storici e lo «sperato frutto della giustizia» (Ebr. 12,11) dev'essere concepita in modo nuovo, senza illusioni sulla sua visibilità.

Già nel «discorso» di Tambach (1920) viene a cadere la prospettiva della crescita organica dei semi del Regno nel mondo, e compare l'idea – ripresa da Zündel – di una irruzione «verticalmente dal cielo» [36] del nuovo mondo.

La prospettiva organicistica del *RB* I viene infine radicalmente superata – di fatto, ma anche con alcuni riferimenti esplicitamente critici nei confronti

[30] *RB* I, 399-400.

[31] *RB* I, 427.

[32] *RB* I, 450.

[33] *RB* I, 377. In seguito Barth si soffermerà più a lungo sui «malintesi» cui il concetto di «decretum absolutum» può dar luogo. Cfr. *La dottrina dell'elezione* cit., p. 446-451 [= *KD* II/2,198-208].

[34] *RB* I, 431.

[35] *RB* I, 457.

[36] *Il cristiano nella società* (1919), in J. MOLTMANN (a cura di), *Le origini della teologia dialettica*, ed. it. a cura di M.C. Laurenzi, Brescia, 1976, p. 35.

della prima edizione – in *RB* II, e con essa anche l'idea di progressione, di sviluppo del Regno inteso come germe in crescita. Questo viene fatto, per quanto riguarda più direttamente il nostro tema, specialmente nei confronti della lettura proposta in *RB* I del passo di Rom. 9 sui vasi «per uso nobile» e «per uso volgare». Lì si diceva che il fatto che i vasi più nobili e meno nobili vengano a trovarsi fianco a fianco è in realtà una «condizione *di passaggio*», un momento all'interno di un processo lavorativo in movimento e orientato verso un innalzamento globale della qualità del prodotto. Il prodotto più nobile non sta staticamente di fronte a quello meno nobile, ma rappresenta l'«avanguardia» di una produzione che, nel suo insieme, progredisce verso standard qualitativi più elevati [37]. Al Barth di *RB* II questa lettura sembra prigioniera di una concezione «causale» del rapporto tra Dio e l'uomo, quasi che l'operare di Dio, i suoi scopi, la sua creazione, potessero essere inscritti in una prospettiva seriale, evolutiva. L'idea della doppia predestinazione deve essere invece intesa come testimonianza della assoluta libertà che Dio conserva, in ogni caso, di «proporsi ora questo ora quel fine», di creare vasi nobili e vasi meno nobili. E la libertà di Dio è illustrata appunto – all'uomo in questo mondo – dal fatto che egli elegge *e* rigetta. «Dio *deve* essere concepito come il Dio di Giacobbe e *al tempo stesso* [dunque, al di fuori di ogni idea di progresso nel tempo] come il Dio di Esaù» [38]. L'elezione e la reiezione dicono, insieme, che «Dio è Dio»; la misericordia non può essere compresa e messa in luce a scapito della libertà, perché ciò sarebbe riduttivo della divinità stessa di Dio e dunque – contro le intenzioni – della grazia.

In luogo dell'idea di «movimento» inteso in senso organicistico, si sviluppa in *RB* II l'idea di una relazione dialettica tra elezione e reiezione – che del resto si affacciava, ma timidamente, in *RB* I [39]. Ciò è conforme alla linea «dialettica» complessiva di *RB* II. Così, il rapporto tempo/eternità significa, per il nostro tema, che «nel tempo è deciso, che noi tutti siamo nella carne» e che «nell'eternità è deciso, che noi tutti siamo nello spirito». E nella carne siamo rigettati, nello spirito eletti [40]. Oppure: il peccato trova (e non trova) la sua spiegazione nella predestinazione dell'uomo alla reiezione, che segue alla sua eterna elezione in Cristo come l'*ombra* segue la *luce* [41].

È poi nota l'interpretazione qualitativa dell'eterna doppia predestinazione, in riferimento a Rom. 9,10-13 (e ad altri passi), e la polemica contro l'interpretazione quantitativa, mitologizzante, dei Riformatori [42]. Quello degli eletti non è un «numerus clausus» [43].

[37] *RB* I, 382-383.

[38] *Der Römerbrief* (zweite Fassung) 1922, Zürich, 1976, p. 341 (in seguito: *RB* II. Tra parentesi quadre indicheremo la pagina corrispondente dell'edizione italiana, Milano, 1974. In questo caso, 339).

[39] Cfr. *RB* I, 427.

[40] *RB* II, 267 [265].

[41] *RB* II, 149-150 [150].

[42] *RB* II, 331-332 [328-329].

[43] *RB* II, 344 [342].

Ciò che ci interessa mettere in evidenza è che questa interpretazione dell'elezione e della reiezione comporta l'universalismo, e che questo costituisce un momento centrale del commento barthiano, come viene esplicitamente detto del resto in relazione a Rom. 11,32, in conclusione cioè della grande sezione dedicata ai capitoli 9-11 e alla sorte di Israele. Qui Barth afferma che il versetto 11,32 («Dio infatti ha rinchiuso tutti nella disobbedienza, per usare a tutti misericordia») costituisce la «chiave» dell'intera lettera ai Romani; ma che la costituisce in quanto offre al lettore la doppia predestinazione come criterio al quale ogni cosa deve essere commisurata; ma, ancora, che offre tale criterio in quanto si intendano i due «tutti» in senso pregnante: e particolarmente il secondo «tutti» (che si riferisce alla misericordia di Dio), anche a costo di esser considerati per questo da Calvino tra coloro che «nimis crasse delirant» [44].

Tuttavia, nella diversità dell'impianto che caratterizza le due edizioni del *Römerbrief*, emergono alcune linee che configurano una costanza di indirizzo, e la cui evoluzione sarebbe possibile seguire e riscontrare analiticamente anche nello sviluppo successivo del pensiero barthiano, sullo sfondo di ulteriori e non secondarie variazioni. Ne indichiamo sinteticamente tre.

1. Anzitutto, l'inessenzialità delle doti religiose e morali dell'uomo davanti alla decisione di Dio che si manifesta nell'elezione e nel rigetto [45]. Anche questa relativizzazione delle qualità soggettive dell'uomo è un frutto della «forza della coscienza della predestinazione» [46]; forza che, da parte sua, è legata a quell'«e», sottolineato da Barth, in virtù del quale il sì e il no di Dio si presentano come legati e solidali tra di loro. La predestinazione rende affilate le armi della critica alla religione, della critica cioè alla «possibilità visibile» [47] che l'uomo si renda giusto davanti a Dio. Non esiste una terza via, la via dell'uomo che crede, spera, ama (fosse anche Mosè), oltre alle vie di Adamo e di Cristo, in alternativa cioè alle «possibilità invisibili del ''vecchio'' e del ''nuovo'' uomo» [48], che è accolto *e* riprovato senza riguardo alle sue qualità visibili. «La grazia non è grazia, se colui che riceve grazia non è il condannato» [49].

Un'obiezione è qui spesso formulata: se religione e morale sono, in forza della predestinazione, inessenziali in ordine alla salvezza; e se, ulteriore aggravante, la predestinazione concerne ogni uomo nella duplice forma di riprovazione *ed* elezione, quale spazio resta per la responsabilità dell'uomo e per una valutazione seria della gravità del peccato? [50].

---

[44] *RB* II, 407 [404].

[45] *RB* I, 365.

[46] *Il cristiano nella società* cit., 62.

[47] *RB* II, 162 [162].

[48] *RB* II, 161-162 [162].

[49] *RB* II, 166 [166].

[50] Cfr. G. GLOEGE, *Zur Versöhnungslehre* cit., p. 176.

L'obiezione è tanto ovvia che Paolo, nella lettera ai Romani, suppone venga avanzata dagli stessi destinatari del suo scritto (Rom. 3,8;6,1;6,15;9,19). Da ciò, d'altra parte, risulta che questa obiezione non riguarda solo una teologia, ma si insedia nella Scrittura stessa, e investe l'annuncio di salvezza nella sua formulazione paolina. Nelle pagine che Barth dedica alla questione [51] è questo l'aspetto che viene messo in risalto: sul tappeto sta un'obiezione che «sorge con immancabile certezza nel punto ove si pensa seriamente l'idea di Dio» [52]. Dunque è in gioco, con essa, la stessa *Gottesfrage*, è in gioco la dura sopportabilità per il giudizio umano dell'asserzione, apparentemente infeconda, perché tautologica, che «Dio è Dio». La risposta non può consistere, pertanto, che nella contestazione della proponibilità dell'obiezione come tale: «l'uomo che rispetta Dio come Dio non avrà alcuna occasione di formulare quella obiezione» [53]. Infatti, «l'uomo che rispetta Dio» è appunto colui che non sfrutta la temuta crisi della morale che la predestinazione (e l'universalismo) porta con sé per agire irresponsabilmente, ma riconosce che quella crisi apre lo spazio per una nuova, «relativa» responsabilità: cioè per un nuovo *ethos*, vincolante nella libertà e nel disinteresse. Un *ethos* agapico. «Egli *non* diventerà insano, *non* immorale, *non* criminale, *non* suicida». E lo stesso vale per la gravità del peccato: il suo peso viene adeguatamente compreso appunto quando ha luogo il riconoscimento che esso grava su Cristo, colui che ne ha liberato l'uomo facendosene carico totalmente [54].

2. Non solo religione e morale, ma nemmeno la fede mantiene funzione di condizione rispetto alla salvezza. Le opere non svolgono funzione previa; e se, d'altra parte, fosse la fede a svolgere tale funzione, essa stessa si trasformerebbe in opera. Con ciò ricomparirebbe una divisione tra gli uomini, una divisione *essenziale* là dove non sussistono in realtà che *piccole* contrapposizioni. In *RB* I ciò viene detto – sia pure con non ancora raggiunta chiarezza – affermando che la fede costituisce il «Grund» dell'elezione, e precisando però che

[51] *RB* II, 338-342 [336-340].

[52] Ivi.

[53] *RB* II, 340 [338].

[54] Cfr. E. JÜNGEL, *Evangelium und Gesetz. Zugleich zum Verhältnis von Dogmatik und Ethik*, in *Barth-Studien* cit., p. 180-209, 194. Analogo discorso va fatto (ci riferiamo ora più direttamente alla *KD*) sul peso del giudizio di condanna. Se il «giudizio finale» consiste fondamentalmente per Barth (che peraltro parla anche del «fuoco eterno», che da vivi dobbiamo temere, *KD* II/1, 687) nello svelamento definitivo ed universale del fatto che la condanna è stata attirata su di sé da Cristo, questo rappresenterà per ogni singolo colpevole un evento meno duro di una sentenza che commini a lui stesso la pena? Il giudizio finale non può essere pensato entro schemi giuridici o morali prolungati nell'escatologia, ma nel contesto del compiuto rivelarsi dell'amore di Dio che in esso ha luogo. In questa logica di amore disvelato acquista senso la tesi di Blumhardt ricordata sopra, secondo la quale appunto la redenzione rappresenta la «vendetta» (*Rache*) di Gesù su *tutti* i suoi nemici. È un'eco di questa tesi che rivive in Barth, quando afferma che Dio «vendica» (*rächt*) i peccati *perdonandoli* (*KD* II/2, 35; cf. *La dottrina dell'elezione divina* cit., p. 203, che traduce però diversamente).

la fede non è «cosa» che si possa «avere»[55]. In *RB* II la fede viene definita ancora «Grund», ma ponendo subito dopo la domanda: se la fede è fondamento dell'elezione, chi però «è credente»? E chi «*non* è non credente?», spostando cioè il «Grund» in Dio stesso, perché è in lui che fede e incredulità sono fondate[56]. Nella KD la fede verrà poi coerentemente presentata come il *riconoscimento*[57] dell'evento, indipendentemente da essa reale per «tutti», della salvezza[58]. Questo mostra, tra l'altro, che l'impostazione da alcuni ritenuta gnoseologistica della soteriologia barthiana, non è in effetti che lo sviluppo sul piano antropologico della lettura realistica ed universalistica della riconciliazione[59].

L'obiezione – collegata a quella che abbiamo preso in considerazione al punto 1. – che viene spesso mossa a questo punto, è che Barth non dia adeguato rilievo alla fede considerata come decisione. Così ad es. Brunner[60], Kreck[61] e Stadland[62]. La problematica connessa a questa obiezione è troppo complessa per essere trattata in questa sede. Per il nostro discorso è sufficiente

---

[55] *RB* I, 448-449.

[56] *RB* II, 396 [393].

[57] Il tema del «riconoscimento» acquista peso nel passaggio da *RB* I a *RB* II. Commentando Rom. 3,21-22 Barth, in RBI, cerca di evitare il soggettivismo affermando che Cristo e la fede costituiscono un «geschlossener Kreis». In margine a questo passo, sul suo esemplare personale del RBI successivamente annotò: «Ciò che avviene nell'uomo non è compimento, ma solo *Erkenntnis* del compimento» (*RB* I 91, n. 24).

[58] La fede pertanto non soltanto non è condizione soggettiva, ma neppure oggettiva (neppure cioè condizione in quanto dono). Diversa sembra essere, in *Paolo e Gesù*, la posizione di Jüngel, che nega bensì, sulla scorta di Bultmann, che la fede possa essere intesa come «condizione soggettiva (antropologica) della giustizia», ma sostiene anche che la fede stessa deve essere intesa come «la causa efficiente che porta la giustizia all'uomo» (*Paolo e Gesù. Alle origini della cristologia*, tr. it., Brescia 1978 [1962], 59). Questa diversità dipende dalla (o si rispecchia nella?) diversa interpretazione di Rom. 3,22, che Jüngel legge come genitivo oggettivo, mentre Barth traduce: «Treue [Gottes] in Jesus Christus für Alle, die glauben» (RB I 86; e cf RB II 66): genitivo oggettivo, come viene confermato in *Vangelo e Legge* [1935] tr. it., Torino, 1986, 151.

[59] Gloege (*art. cit.*, 177, n. 40) rileva, riferendosi a KD IV, 3, 897, come la «Grenze» tra l'uomo e il cristiano corra per Barth non nell'ambito dell'essere, ma in quello del conoscere. Obietta tuttavia che se questa prospettiva è valida nell'ambito della dottrina della creazione, non lo è in quello della dottrina della riconciliazione, perché la riconciliazione stessa diventa «predicato del cristiano» solo se colta con un atto di conoscenza-riconoscimento. Ma appunto questa distinzione è inaccettabile per Barth perché se è vero che i cristiani sono «di Cristo» «aktuell», «effektiv», «de facto», è vero anche che *tutti* gli uomini lo *sono* «virtuell», «perspektiv», «de iure» (cfr. *KD* IV, 3, 321): ad essi pure pertiene dunque, sebbene in forma diversa, il *predicato* della riconciliazione, anche in assenza di un atto di «conoscenza-riconoscimento».

[60] Cfr. ROCHUSCH, *op. cit.*, 209.

[61] W. KRECK, *Die Lehre von der Prädestination*, in WEBER, KRECK, WOLF, *Die Predigt von der Gnadewahl*, München 1951, 52.

[62] T. STADTLAND, *Eschatologie und Geschichte in der Theologie des jungen Karl Barth*, cit., 73.

far notare che appunto a questa obiezione può collegarsi il sospetto dell'apocatastasi [63].

3. Se non c'è divisione «essenziale» tra gli uomini, allora non c'è dualismo «metafisico» (cioè stabile), ma solo dualismo «dialettico» (cioè in movimento) tra eletti e riprovati [64]. Intendere seriamente che Dio è Dio significa anche intendere che il suo «no» ed il suo «sì» non stanno in equilibrio, ma che il peso del secondo prevale sul primo, e ciò, tuttavia, *senza* sminuirne la gravità di giudizio pronunciato contro l'uomo.

Due asserzioni, queste, logicamente incompatibili? È quanto affermava Jülicher nella recensione al *RB* I, quando osservava che il «"tanto più" [*um viel mehr*] privo di ogni logica di Rom. 5,15 (e 16-17) trova in Barth un'eco entusiasta» [65]. «Entusiasmo» confermato in *RB* II dove, «prendendo alla lettera» Paolo, Barth sottolinea ancora più fortemente il valore «diacritico» del πολλῷ μᾶλλον (tradotto ora con «um so gewisser», tanto più certamente). «Certo» è il primo termine di paragone; «più certo» è il secondo; ma può essere «più certo» solo «tanto» quanto resta certo il primo. Qui le coordinate della posizione di Barth rispetto all'apocatastasi sono offerte nella forma più sintetica. Gesù Cristo è il «vincitore», ma ciò non si traduce in un «trionfo» (indifferenziato) della grazia. Il «comparativo diacritico» svolge un ruolo delicato e primario nella teologia di RB I e RB II; e resta un elemento caratteristico della *Denkform* barthiana [66] anche al di là del periodo «dialettico». Se perciò, davanti ad una presa di posizione sull'universalismo come quella contenuta in *KD* IV,3,550 (la riconciliazione universale [*Allversöhnung*] non può essere rivendicata, ma «noch bestimmter» siamo chiamati a farla oggetto della nostra speranza) ci si chiede, come fa Gloege, «perché c'è qui un comparativo?» [67], si pone un punto di domanda non su un passaggio, ma sull'intera teologia barthiana.

Resta ancora da fare un'osservazione sul rilievo dell'universalismo per l'ecclesiologia. Dobbiamo aggiungere infatti a quanto detto sull'obiezione esami-

[63] Cfr. ROCHUSCH, *op. cit.*, 294.

[64] RB II 155 [155].

[65] A. JÜLICHER, *Un moderno interprete di Paolo*, tr. it., in *Le origini della teologia dialettica*, cit., 127; cf RB I 189-197. In verità, il πολλῷ μᾶλλον del v 15 è tradotto da Barth con «wie ganz anders»; quello del v 17 con «um so sicherer».

[66] Questo è stato compreso da H.U. von Balthasar (cf. *Christliche Universalismus*, in *Antwort. Karl Barth zum siebzigsten Geburtstag*, Zollikon-Zürich 1956, 237-248, 242). Da qui deriva un profilo unitario alla teologia barthiana. Interpretazione «qualitativa» della doppia predestinazione, comparativo diacritico, l'idea che la legge sia «forma dell'evangelo», che il battesimo possieda una *necessitas praecepti* e non una *necessitas medii*, che il patto sia «innerer Grund» della creazione, che la fede sia riconoscimento di una situazione che si realizza indipendentemente da essa, tutti questi sono momenti della teologia barthiana profondamente collegati tra loro e sostenuti, pur nell'evoluzione della ricerca (si pensi alla *Taufelehre*!), da una medesima intenzione.

[67] G. GLOEGE, *art. cit.*, 177.

nata al punto 1., che essa può avere in chi la formula, secondo Barth, un'ulteriore, nascosta motivazione: la paura cioè che l'universalità della grazia possa minacciare le basi stesse dell'esistenza della chiesa [68]. Se la chiesa (o Israele) deve riconoscere la possibilità che ci sia salvezza anche *extra ecclesiam*; se constata che «Dio ha sempre compiuto *accanto* ad essa e *senza* di essa l'opera che è il suo dono e il suo compito e la legittimazione della sua esistenza» [69], potrà ancora mantenere la fiducia nella propria missione?

Questo davanti a se stessa. E davanti agli altri, davanti alla società, potrà ancora rivendicare il ruolo di fattore di sostegno, di conservazione della società stessa e del mondo? È per questi motivi che la chiesa non ama l'universalismo. In altri termini: la doppia predestinazione rappresenta – intesa secondo la lettura di Barth – un fattore di critica alla chiesa e al cristianesimo in situazione di cristianità. Essa annulla le pretese della *Zivilreligion*.

A conclusione di questa analisi, risulta chiaro che la soppressione delle differenze visibili tra gli uomini viene ad insediarsi nel cuore stesso della lettura barthiana di Paolo, poiché essa nasce dalla invisibile efficacia del Totalmente Altro nei confronti dell'uomo. È l'infinita differenza qualitativa che tiene insieme chiesa e mondo come una graffa di ferro («eiserne Klammer») [70]. Poiché Dio è Dio, non ci è dato di aver ragione gli uni contro gli altri: né nell'ambito ecclesiale, tra ecclesiastici e profeti, o tra "partiti" diversi (come a Corinto) [71]; né nella contrapposizione tra quelli di fuori e quelli di dentro, perché più vera dell'aver ragione dei primi e dell'aver torto dei secondi è la libertà di Dio [72].

Dunque non è un caso, afferma Barth nel commento al capitolo 3, vv. 22-24, che appunto Paolo, il quale in Gesù trova il coraggio di confidare nella sola fede, in Gesù veda anche la divina soppressione di tutte le differenze umane; la sua azione missionaria stabilisce un inaudito legame tra uomo e uomo, che viene svelato proprio dalla inaudita e salutare separazione («Trennung») tra uomo e Dio [73]: esatta contrapposizione dello stile missionario successivamente dominante.

Universalità e realtà della riconciliazione vengono collegate dunque da Barth per mezzo del riferimento a Gesù al tradizionale «sola fide» della Riforma; in modo così conseguente, da dover escludere esplicitamene che tale universalità si riferisca a quel paio di pagani convertitisi a Roma, Corinto ed Efeso, o ai pagani nobili e eminenti come Seneca; o, infine, ad atei inconsapevolmen-

---

[68] Cfr. RB II 333 [331].

[69] Cfr. RB II 349 [347].

[70] RB II 390 [388].

[71] RB II 318 [316].

[72] RB II 405 [402].

[73] RB II 75 [74].

te cristiani. Se menzione di questi dev'esser fatta, dev'esser fatta solo riconoscendoli come segno della luce nella quale, in Cristo, *tutti* si trovano [74].

La solidarietà di cui qui si parla, è solidarietà infatti che ha la sua origine nell'*extra nos* di Cristo, in cui si rivela il giudizio e la grazia di Dio per l'uomo. Thurneysen scriverà nel 1923: «Ciò che conta è... qualcosa che noi, che lo abbiamo, possiamo e dobbiamo veramente avere solo in comune con coloro che non lo hanno: cioè questo essere in attesa di un giudizio ultimo, questo stare nel giudizio di Dio» [75].

Dialettica e polifonia

Ora, dopo aver analizzato alcuni contenuti del pensiero barthiano, dobbiamo ritornare sulle difficoltà segnalate in apertura da un punto di vista più propriamente metodologico.

Un aspetto importante della questione che ci interessa è stato messo in luce da Walter Kreck. Egli ha richiamato l'attenzione sul carattere di «An-rede» proprio delle affermazioni barthiane intorno ad elezione e reiezione. È lo stesso Barth a dichiarare che le affermazioni formulate dalla dogmatica in terza persona rivelano il loro vero senso solo quando sono intese nella seconda persona: «l'oggetto della predestinazione sei tu stesso; è di te che si tratta» [76]. Del resto già in RB I si leggeva: «non sei tu, uomo, colui che esce dall'origine ora come accettato, ora come rigettato?» [77].

La dogmatica fallirebbe il suo compito, e mancherebbe di fedeltà al suo tema, se mirasse all'oggettività della dottrina. In massimo grado questo vale, per Barth, davanti all'elezione e alla riconciliazione. Le sue affermazioni in proposito devono essere intese come affermazioni «dialogiche» e «polifoniche» (nel senso che a questi due termini è stato dato dal grande interprete di Dostoevskij, Michajl Bachtin).

Il Barth maturo affermava, ne *L'umanità di Dio*, che la teologia non può essere «monologica» [78]. Essa non può che essere «dialogica», perché la sua forma fondamentale è la preghiera e la predicazione. La predicazione, poi, rappresenta una «condizione aperta» [79]. Quasi quarant'anni prima, ribadendo in polemica con Erik Peterson il «carattere dialettico» della teologia, Barth aveva sostenuto che ogni asserto teologico è qualificato dalla «Gebrochenheit», dalla «Paradoxie», dalla «radikale Ergänzungsbedürftigkeit», dal «prinzipielles

---

[74] RB II 368 [366].

[75] *Socialismo e cristianesimo*, in *Le origini* cit., 652.

[76] *La dottrina dell'elezione divina* cit., 659 [= KD II/2, 355].

[77] *RB* I 382.

[78] *L'umanità di Dio*, tr. it., Torino 1975, 57.

[79] *La dottrina dell'elezione divina* cit., 915 [= KD II/2, 528].

Offenbleiben» [80]. Aggiungendo: «devono esistere dei conventi, nel cui refettorio il posto d'onore è imbandito di tutto punto ad ogni pasto – e tuttavia *non viene occupato*. Lasciar libero *il* posto dove dovrebbe esser detta la parola decisiva, questo è il senso della dialettica in teologia» [81].

La teologia barthiana di conseguenza (non solo quella degli anni «dialettici») si sviluppa – e tanto più là dove essa possiede il vigore necessario per svolgersi in piena coerenza – non come discorso che fornisce la definizione dell'oggetto che costitusce il suo tema, ma come discorso che delinea, servendosi anche di asserzioni «assiomatiche», il campo di tensione in cui questo oggetto tematico può essere individuato nel rispetto della sua pluridimensionalità originaria (e, ultimamente, del suo esser soggetto), e dunque anche di quei lati che, di volta in volta, non sono visibili in primo piano.

Il tema dell'elezione e della riconciliazione offre, dicevamo, un esempio paradigmatico di questo procedimento. Tornando al *RB* II, chi volesse parlare di «dottrina» barthiana dell'elezione dovrebbe parlare di un doppio insegnamento che solo nella sua duplicità costituisce un'unità [82]. Barth infatti sostiene tanto l'elezione che la reiezione dell'uomo, di *tutti* gli uomini. Si ricordi il commento a Rom. 11,32, e la sottolineatura del termine «tutti», in ambedue i casi in cui compare [83]. Oppure l'affermazione che Dio non può essere conosciuto altrimenti che nel miracolo rappresentato dalla «svolta» che conduce dalla reiezione all'elezione [84]. Poiché è miracolo, questa svolta è cosa seria, e il passaggio da una condizione all'altra è passaggio *reale*. Oppure, infine, a proposito del fatto che tra reiezione ed elezione non c'è identità di peso, perché il secondo aspetto è preponderante, la precisazione che questa prevalenza (o vittoria) resta per l'uomo *nascosta* in ogni momento del tempo [85].

Queste affermazioni possono essere giudicate concettualmente problematiche, ma non possono in nessun caso essere ridotte ad artifici retorici. Barth ne deriva infatti non meno che questa conseguenza: che non si può parlare in senso univoco di «Heilsgewissheit» (certezza della salvezza). Il concetto stesso

[80] *Kirche und Theologie* (1925), «Zwischen den Zeiten» 4 (1926), 32.

[81] Ivi, 35.

[82] In quegli stessi anni Althaus scriveva: «noi dobbiamo formulare ambedue queste idee, cioè quella del doppio esito finale, e quella dell'apocatastasi» (*Die letzen Dinge*, Gutersloh 1933, 188). Egli motivava questa necessità con la «Polarität» dell'escatologia, che costringe il cristiano a collocarsi sul terreno dell'eternità mentre la storia non è ancora conclusa. Va in ogni caso sottolineato, per quanto riguarda Barth, che duplicità non significa dualismo. Infatti, anche se in RB II 154 il termine *Zweiheit* è impiegato per indicare il rapporto Adamo-Cristo, si aggiunge però subito che tale dualità viene soppressa dalla loro «unità». La distinzione tra duplicità e dualismo è stabilista esplicitamente nella KD: la «Doppeltheit» della decisione di Dio non può essere ridotta a «Zweiheit» (*La dottrina dell'elezione divina* cit., 432 [= KD II/2, 187]) (e confronta tuttavia ivi 418 [= KD II/2, 176], dove la volontà di Dio è definita «zweifacher»).

[83] *RB* II 407 [404].

[84] *RB* II 333 [331].

[85] *RB* II 332 [330].

è considerato in *RB* II «fraglich». La «Heilsgewissheit» senza la più esclusiva doppia predestinazione, afferma Barth, è peggiore del paganesimo: appunto perché essa, se è autentica, e dunque proprio in coloro che *amano* Dio, non può non accompagnarsi al *timore* di Dio cui Paolo esorta il suo ipotetico interlocutore in Rom. 11,20[86].

È in questo contesto che può risultare chiarificatore il riferimento al concetto di «polifonia» elaborato da Bachtin nella sua lettura di Dostoevskij.

Il termine «polifonia» è legato alla tesi fondamentale di Bachtin, secondo la quale, nelle opere di Dostoevskij, non esistono idee dominanti, ma esiste un confronto di idee. I diversi personaggi, e le loro convinzioni, non entrano in scena secondo una gerarchia dipendente dalla vicinanza alle convinzioni dell'autore: ma ciascuno si trova impegnato nel confronto con l'interlocutore a partire da un piede di assoluta parità. Ogni punto di vista possiede, in quanto si incarna in un personaggio, una propria relativa assolutezza; è presentato, sostenuto da Dostoevskij con la massima forza e persuasività anche se esso non è il punto di vista suo personale[87], ovvero non si concilia con quel punto di vista più potente cui tuttavia il romanzo può tendere (senza però che, per questo, tale punto di vista sia mai presentato come un dato).

A differenza del romanzo «monologico», quello di Dostoevskij è dunque pluriaccentuato e contraddittorio[88], ed è tutto «dialogico» anche al di fuori del dialogo in senso stretto. Possiede perciò una caratteristica «incompiutezza» e «apertura»[89]. La verità come dato per Dostoevskij non esiste; esiste solo una verità in sé, ma essa è la verità vivente, incarnata in Cristo[90].

C'è anche da ricordare una concezione del tempo qualitativamente connotata, in cui assume particolare risalto l'attimo eccezionale che permette una tangenza tra l'armonia pienamente realizzata e il mondo consueto. Si dà in Dostoevskij una intersezione tra diverse dimensioni del tempo per cui, afferma Bachtin, «sul piano della contemporaneità si incontrano e si contraddicono il passato, il presente, il futuro»[91]. Com'è noto, anche Barth conosce un tempo «qualificato», ed è ancora Kreck a sostenere che le espressioni contraddittorie da Barth spesso usate tentano di descrivere quell'«altro modo» della realtà

---

[86] Il fatto che l'amore non escluda il timore di Dio non comporta neppure in RB II che si debba parlare di un «Gemisch» di spavento e di gioia. Tuttavia, quando in KD Barth esclude che un siffatto «Gemisch» possa essere provocato in noi dall'idea di predeterminazione divina (cf *La dottrina dell'elezione divina* cit., 436 [= KD II/2, 190]) e sottolinea che può nascerne solo «Freude, eitel Freude», ci troviamo davanti ad un esempio dello spostamento di accenti che la «concentrazione cristologica» ha provocato nella sua concezione del problema.

[87] M. BACHTIN, *Dostoevskij. Poetica e stilistica*, tr. it., Torino 1968, 93-94.

[88] Ivi, 24.

[89] Ivi, 355.

[90] Ivi, 46.

[91] Ivi, 119.

cui si riferisce l'annuncio dell'evangelo, e cioè un evento deciso «von Gott her», che però non è passato, ma anche presente e futuro [92].

È facile osservare la vicinanza di alcuni elementi che caratterizzano la *Denkform* barthiana con alcuni elementi propri della poetica dostoevskiana: critica della monologicità, dialogicità, apertura, contraddizione, qualificazione del tempo. Così come sono anche evidenti le dissomiglianze: il tempo qualicato di Dostoevskij non è esplicitamente collegato all'annuncio evangelico e all'evento di grazia; il suo genere letterario è quello della creazione artistica, e non quello della riflessione intensiva propria del teologo, anche di un eventuale teologo «irregolare» come il Barth di *RB* I e *RB* II; e nell'ambito di quella creazione artistica non ha luogo l'attesa (o, eventualmente, questa è a sua volta *una* delle molte voci), fondata sulle promesse ricevute, che il «posto d'onore» lasciato libero dalla polifonia venga occupato dall'ospite cui è destinato.

Tuttavia l'accostamento con la polifonia di Dostoevskij può aiutare a comprendere l'intenzione barthiana, e la natura del compito che egli si assume proponendosi di elaborare un pensiero teologico fedele al «tanto più certamente» paolino, nonostante l'assenza «di ogni logica» che ogni pensiero monologico è destinato a riscontrare in esso. Ciò che Barth si propone di tener vivo è, detto nei termini del *RB* II, la serietà di un doppio annuncio, e la verità per ogni uomo di ambedue i lati che costituiscono codesto annuncio. Tu sei riprovato. Tu sei eletto. La voce che dice: la grazia vince, è nel giusto, ma ciò non toglie che sia nel giusto anche la voce che dice: il giudizio è severo. Detto nei termini della *Kirchliche Dogmatik*: l'ira divina resta ira divina, terribile nel suo manifestarsi, anche se della sorte che Dio ha riservato all'uomo peccatore non abbiamo altra conoscenza che quella che ci deriva dalla storia di Gesù Cristo, storia che ci mostra come la sofferenza derivante da quella stessa ira divina Dio abbia voluto assumerla su di sé in Cristo [93].

---

[92] W. KRECK, *Die Zukunft des Gekommenen*, München 1966, 144 s.

[93] Appunto l'intenzione di mantenere la fedeltà al «tanto più certamente» rappresenta l'elemento di continuità tra *RB* (specialmente *RB* II) e *KD*, pur in presenza dell'evoluzione che si verifica nell'arco di tempo che intercorre tra queste opere, e che dà luogo quasi ad un chiasma. In *RB* II viene infatti sottolineata l'unità *a parte Dei* dell'azione di Dio nei confronti dell'uomo, che diventa dualità (*posta* nel tempo, *soppressa* nell'istante critico) *a parte hominis*: Adamo e Cristo sono «irreconciliabilmente divisi dal contrasto oggettivo di quello che in essi si oppone», e «indivisibilmente uniti dalla causa comune del contrasto, la quale trovasi nella predestinazione divina» (RB II 154). E inoltre: in Dio Adamo e Cristo «si dividono come si dividono le sorgenti alla linea di displuvio delle Alpi, come la corrente si divide alla pila del ponte» (*RB* II 157-158 [157]).

In KD si ha invece duplicità *a parte Dei* ed unità *a parte hominis*: l'eterna predeterminazione di Dio è «eine doppelte» (*La dottrina dell'elezione divina* cit., 418 [= KD II/2 174]), giacché è costituita da elezione e reiezione, ma all'uomo Dio ha destinato l'elezione, riservando la riprovazione a se stesso (ivi 419 [= *KD* II/2, 177]).

Il motivo di questa differenza va ricercato nello sviluppo che la cristologia subisce dal *RB* II alla KD, e in particolare nel rilievo attribuito allo «scambio» avvenuto sul Golgota, dove Dio fa sua la croce riservata ai malfattori. Ciò peraltro non significa che in RB II non sia già presente il legame tra dottrina della predestinazione e cristologia: «Nell'unico Gesù Cristo si rende visibile l'invisibile fatto che Dio non cessa di dire «sì» nei nostri riguardi» (*RB* II 157 [156]).

Quelli di fuori

Fino a questo punto abbiamo affrontato i temi della predestinazione e dell'universalismo prevalentemente dal punto di vista del rapporto Dio-uomo, ovvero della «grande contrapposizione». La grande contrapposizione, abbiamo visto, relativizza le piccole contrapposizioni, quelle che si stabiliscono tra uomo e uomo (tra gruppi, partiti, chiese...) anche in nome di Dio, ma che proprio davanti a Dio non sono essenziali. La relativizzazione tuttavia non significa soppressione. Sia pure liberate dal loro *pathos*, ridimensionate e in ultima istanza private di ogni rilievo decisivo, queste piccole contrapposizioni permangono, e fanno parte del carico di problemi, di interrogativi, di conflitti che la storia, l'esistenza dell'«individuo psicologico», la vita quotidiana portano con sé. È su questi aspetti che ora dobbiamo soffermarci. Dobbiamo cioè seguire Barth nella determinazione e specificazione di quella piccola contrapposizione che sussiste *a parte hominis*, a seconda della posizione di ciascuno davanti all'annuncio evangelico.

In termini più semplici, se finora è stato al centro il rapporto verticale Dio-uomo, adesso, sempre rimanendo determinante questo rapporto, si tratta di vedere più da vicino il rapporto orizzontale uomo-uomo. Questo compito potrebbe essere svolto completamente solo seguendo fino in fondo l'itinerario barthiano, ed evidenziando l'evoluzione del ruolo della cristologia nel suo pensiero. Noi ci limiteremo però ancora al periodo cui abbiamo dedicato più direttamente la nostra attenzione.

La chiesa, così come nel *RB* II appare quella che è sempre tendenzialmente gelosa, e non lieta, della parola che risuona *anche* fuori delle sue mura, appare pure quella che tendenzialmente si pone in concorrenza con la signoria di Dio. L'uomo di chiesa, l'ecclesiastico (israelita, laico o pastore che sia) è nel discorso barthiano colui che tipicamente possiede i mezzi della salvezza, colui che è "proprietario" del vangelo e della testimonianza della rivelazione, colui che per diritto di nascita è destinato a ricevere la benedizione e l'elezione divina. È lui che, per merito di sangue, è nato lungo le sponde dei canali dove scorre la grazia di Dio. È lui che possiede i depositi della manna.

La manna però non si lascia conservare; essa è donata nuova ogni mattina. Ogni mattina va attesa; se riposta nei depositi, si corrompe (Es. 16,19-20). Per questo l'ecclesiastico, l'uomo di chiesa, è contemporaneamente colui che possiede una ricchezza vana, è colui che abita lungo canali resi da tempo ormai aridi dalla sua stessa pretesa di controllare il corso della grazia. È colui che si vanta di una sua legalistica giustizia umana con ciò impedendo alla giustificazione di Dio di giungere fino a lui. È la chiesa, infatti, che crocifigge Cristo[94].

Ma la libertà sovrana[95] di Dio prosegue la sua strada. Davanti al popolo eletto, alla chiesa, che sono caduti (Rom. 11,11), la sua giustificazione si diri-

[94] RB II, 387 [385].
[95] RB II, 386 [384].

ge a «quelli di fuori»; e cioè si distoglie da Israele per giungere ai pagani, e si distoglie dalla chiesa per giungere a quanti si trovano *extra muros*.

E in questo consiste la dimostrazione che la grazia dà di se stessa. Dio vuole dimostrarsi, davanti alla chiesa, sempre di nuovo come colui che è *der Allein-mächtige*, il solo-potente [96]; e perciò volta la pagina: chiude quella della chiesa e apre la pagina di quelli di fuori. Nella loro totale nudità, quelli di fuori diventano una similitudine («Gleichnis») della nudità propria di ogni uomo che sia giustificato da Dio, in opposizione agli altri uomini che, appunto perché rivestiti della loro propria giustizia, non possono essere giustificati [97].

Sembra allora darsi una condizione singolarmente felice, per quelli di fuori. Privi della promessa, e della eredità data a quelli di dentro, sembrano immuni dal rischio di costruirsi a loro volta grandi depositi di grazia destinati alla corruzione. Sembra che a loro sia dato di trovare senza cercare, e senza rischio di perdere.

La loro sorte è invece intrinsecamente legata a quella della chiesa. Infatti, «a causa della loro caduta [di quelli di dentro] è giunta la salvezza ai pagani» (Rom. 11,11). Nella lettura barthiana del passo, è proprio la catastrofe della chiesa che genera quelli di fuori alla salvezza. Precisamente per questo la durissima critica barthiana alla chiesa non ha come obiettivo il superamento della chiesa stessa, ma la sua conversione, o meglio, il suo farsi spazio vuoto per Dio. E ciò è conforme al rapporto da lui istituito tra elezione e reiezione, secondo il quale la seconda sussiste solo in quanto ombra generata dalla luce della prima. E, viceversa, l'elezione ha luogo solo come «svolta», come rovesciamento del «no» nel «sì» di Dio [98]. Pertanto: «i pagani sono giustificati solo di fronte alla chiesa, e non diversamente» [99].

E appunto perché la reiezione non è l'ultima parola [100], anche alla chiesa viene data una speranza. Il fallimento del suo tentativo di portare alle estreme conseguenze le possibilità umane, di giungere cioè a Dio, anziché attenderlo, apre la stessa chiesa alla possibilità di ricevere con mani vuote la grazia. Perché rigettata può essere eletta. Nel mondo, le è dato uno specchio scorgendo nel quale le libere gesta di Dio, essa sia mossa a gelosia ed inquietudine [101], e riconosca che Dio è Dio.

Pertanto, si deve dire che reiezione *ed* elezione, e il movimento dominante che dalla prima conduce alla seconda, non comportano come tali uno scambio di posto tra quelli di dentro e quelli di fuori, ma piuttosto li riguardano nel loro starsi di fronte in relazione dialettica. Ciò elimina ogni desiderio di proselitismo.

---

[96] RB II, 387 [385].

[97] RB II, 389 [387].

[98] RB II, 386 [384].

[99] RB II, 387 [384].

[100] RB II, 391 [389].

[101] RB II, 337 [335].

In questa relazione chiesa e mondo non sono da considerarsi grandezze storiche, ma grandezze appunto «dialettiche»[102]. Donde anche una notazione «esistenziale»: il pagano cui Paolo si rivolge non è il pagano come tale, ma il pagano nel pagano, così come è in gioco anche il pagano nell'ebreo. La chiesa e il mondo di cui si parla sono la chiesa e il mondo coinvolti nell'evento storicamente non constatabile dell'elezione. Ma in modo storicamente non constatabile questo evento riguarda la chiesa e il mondo storici.

D'altra parte, tra quelli «di fuori» e quelli «di dentro», non c'è alcuna opposizione «metafisica», così come non c'è opposizione «metafisica» tra eletti e riprovati. La «non ecclesiasticità» di quelli di fuori è solo relativa[103] e può essere messa a tema solo come ipotesi. Infatti, anche quelli di fuori, anche l'esteta, il pagano, il socialista, l'ecologista, sono nel rischio di far nascere nuove piccole chiese; e sicuramente si trova nuovamente tra «quelli di dentro» chi crede di potersi vantare della propria maggiore libertà. Bisogna ricordare, afferma Barth, che il tono di vittoria che quelli di fuori hanno spesso usato di fronte alla chiesa è stato sempre la campana che annunciava una nuova chiesa[104].

Si torna così alla relativizzazione della piccola contrapposizione rispetto alla grande. Ed infatti si dà una sola assoluta non ecclesiasticità: la povertà di spirito, dichiarata beata da Cristo. Ma di questa nessuno si è ancora potuto gloriare[105].

Solidarietà nella disperazione

Abbiamo considerato la solidarietà che lega quelli di dentro e quelli di fuori sulla base della universalità della grazia, cioè secondo la prospettiva dell'unità che l'azione di Dio nei confronti degli uomini crea tra di loro. Abbiamo poi considerato la piccola contrapposizione che intercorre tra «quelli di dentro» e «quelli di fuori», figli della chiesa e figli del mondo, credenti e non credenti. Abbiamo visto che Barth considera questa piccola contrapposizione dialettica, non statica. Ma con questo non siamo ancora arrivati agli «individui psicologici», cioè agli aspetti visibili, quotidiani, storici, operativi che tale solidarietà presenta. Cercheremo di farlo ora, individuando un interrogativo, che da «quelli di fuori» può esser posto ad una solidarietà così delineata. La grande contrapposizione, abbiamo visto, vorrebbe come conseguente atteggiamento, da parte di quelli di dentro, la sollecitudine a riconoscere ed accogliere quanto la grazia opera *extra muros*. Infatti, le parole «vere», non bibliche né ecclesiali, pronunciate da quelli di fuori, dovrebbero essere accolte lietamente proprio

[102] RB II, 390 [388].

[103] RB II, 385 [383].

[104] RB II, 396 [394].

[105] RB II, 394 [391].

da chi crede nell'unicità di Cristo [106]. Questo stile di sollecitudine nell'accogliere le parole dell'altro, e questa assenza di carica di separazione nella confessione di fede, non toglie ovviamente le differenze, ma coesiste con esse. Ma fino a che punto è possibile questa coesistenza? E più in particolare: l'impossibilità da parte di quelli di dentro – se tale impossibilità veramente si desse – di condividere con quelli di fuori l'esperienza della disperazione, cioè del dolore nella sua radicalità, di quel dolore rispetto al quale ogni altro dolore si distingue per una differenza qualitativa, non provocherebbe una separazione decisiva?

Questa domanda ha, com'è evidente, un carattere soggettivo. Essa ha tuttavia anche un rilievo cristologico. E tale rilievo può essere mostrato chiamando in causa un autore apparentemente non di casa in questo contesto, come Cesare Pavese.

Ne *Il mestiere di vivere*, alla data del 26 novembre 1937, si leggono queste righe: «La croce del deluso, del fallito, del vinto – di me – è atroce a portare. Dopotutto il più famoso crocifisso era un Dio: né deluso, né fallito, né vinto. Eppure con tutta la sua potenza, ha gridato: «Eli». Ma poi si è ripreso, e ha trionfato, e lo sapeva prima. A questo patto, chi non vorrebbe la crocefissione?

Tanti sono morti disperati. E questi hanno sofferto più di Cristo» [107].

Alla data del 16 agosto 1950, a poca distanza dal suicidio, si legge poi: «Ho lavorato, ho dato poesia agli uomini, ho condiviso le pene di molti» [108].

Così Pavese. Si dà per quelli di dentro la possibilità di condividere «le pene di molti» nel modo radicale inteso da Pavese?

Torniamo a Barth per cercare almeno i frammenti di una risposta, distinguendo ancora la prospettiva *a parte hominis* e quella più propriamente cristologica.

Per quanto riguarda quest'ultima, il contributo di Barth può essere individuato per una via indiretta: l'utilizzazione che del suo pensiero viene fatta nel *Mysterium Paschale* di von Balthasar [109]. Si tratta di un testo in cui è presentato il tentativo di radicalizzare le considerazioni tradizionali sul racconto dell'orto degli ulivi e sul cammino verso i morti (discesa agli inferi). Balthasar dichiara esplicitamente che questo tentativo – quello cioè, per usare le sue parole, di «descrivere in maniera più profonda l'unione ipostatica come condizione della possibilità di un reale portare-in-sé del peccato degli uomini» [110] – è per lui possibile sulla base di un preciso presupposto, e cioè del fatto che l'interpretazione barthiana dell'elezione ha fatto cadere un ostacolo antico su

---

[106] *KD* IV,3,128.

[107] C. PAVESE, *Il mestiere di vivere*, Torino 1973 (1952), 59.

[108] Ivi, 361.

[109] In *Mysterium Salutis*, III, 2, tr. it., Brescia 1971.

[110] Ivi, 249.

questa strada: quello dell'esclusione che da parte del Cristo sofferente si desse sofferenza espiatrice o preghiera di intercessione per coloro che erano destinati ad una dannazione certa. Ciò che importa in questa sede non è indagare più in profondità sugli impulsi barthiani accolti da von Balthasar, quanto mostrare i risultati concreti cui, sulla base del presupposto indicato, quest'ultimo può giungere.

Possiamo limitarci a segnalarne due.

Anzitutto, per Balthasar è possibile raccogliere diversi stimoli presenti nella tradizione, in particolare patristica (l'autore più citato è Robertus Pullus) e farli convergere in questa conclusione: «L'angoscia nell'orto degli ulivi è un siffatto con-patire con i peccatori che la perdita reale di Dio incombente a costoro è stata assunta dall'amore di Dio fattosi uomo nella forma di un *timor gehennalis*... Gesù non distingue più se stesso o il proprio destino da quello dei peccatori... e sperimenta perciò l'angoscia e il terrore che essi avrebbero ricevuti di diritto» [111]. Per quanto riguarda la prospettiva che durante la vigilia della morte Gesù aveva davanti a sé («e lo sapeva prima», scriveva, come abbiamo visto, Pavese) [112] ciò significa che «nel giardino degli ulivi è preclusa qualsiasi prospettiva in avanti, verso la glorificazione» [113] e che «Gesù ha percorso il suo cammino fino all'estremo, cioè senza prospettiva sull'al di là della morte di vergogna» [114].

In secondo luogo, Gesù morto in croce è solidale con tutti gli altri uomini morti [115]. Ciò è emblematicamente indicato dalla deposizione e dalla sepoltura del cadavere; inoltre, dalla discesa agli inferi. La radicalizzazione degli spunti offerti dalla tradizione comporta in questo caso che la discesa non deve essere interpretata come un «trionfale corteo di vittoria» di Cristo attraverso l'Ade, ma come condivisione delle conseguenze ultime dell'umano morire: «Se l'esperienza della morte dovette oggettivamente contenere un superamento interiore, e quindi un trionfo sulle potenze opposte, dall'altra parte non ci fu alcun bisogno che soggettivamente si avesse esperienza di questa lotta [e trionfo]: in tal caso sarebbe venuta a cessare infatti la legge della solidarietà. Non si dimentichi infatti che tra i morti non esiste alcuna comunicazione vitale. La solidarietà qui significa soltanto: trovarsi nella stessa solitudine» [116].

Per quanto riguarda la prospettiva *a parte hominis* possiamo rivolgerci direttamente ai testi barthiani, in particolare al *RB* II e a testi coevi.

E ancora veniamo rinviati alla grande contrapposizione. L'aspetto di essa che qui ci interessa è quello per cui Barth esclude che l'uomo possa appropriarsi

[111] Ivi, 251.

[112] Cfr. nota 107.

[113] In *Mysterium Salutis* cit., p. 252.

[114] Ivi, 253.

[115] Ivi, 301.

[116] Ivi, 306. Le riflessioni di Balthasar sul *descensus ad inferos* sono state riprese anche da J.B. Metz, e utilizzate all'interno del suo discorso sulla «solidarietà memorativa». Cfr. *La fede, nella storia e nella società*, tr. it., Brescia, 1978, p. 129.

di alcunché che renda stabile, «disponibile» la sua relazione con Dio. Compresa la fede: colui che crede, abbiamo visto, non «ha» la fede, ma la riceve sempre di nuovo, e dunque la attende come cosa non mai sua. E anche la speranza. Essa è un prodigio, un evento, al pari della fede. Se Dio non compie il miracolo, non si dà alcuna speranza. Questo deve imparare anzitutto la chiesa [117]. Il che significa che essa deve rispettare la disperazione. La disperazione è la disperazione, il punto morto è il punto morto, dice Barth commentando i vv. 7-10 del c. 11. Nessuno può trasferire la propria speranza ad un altro, appunto perché la speranza non è «propria»; ci può essere solo un rinvio a colui in cui si dà la connessione tra chi spera e chi non spera.

Ma, oltre al rispetto, anche la condivisione. Sempre in *RB* II si dice della chiesa che essa non è chiesa della giustizia di Dio nella misura in cui non è capace di far sosta nella posizione originaria del cristianesimo prima della resurrezione. La chiesa cerca di dimenticare, di coprire la vuotezza della propria storia, della storia ecclesiastica, con ogni sorta di sentimentalismi, anziché restare a condividere le sofferenze del Cristo rigettato [118]. Ricordando le considerazioni di von Balthasar a proposito di Cristo nell'orto degli ulivi, possiamo concludere che la chiesa è chiamata a «far sosta» in una condizione in cui non si dà prospettiva sull'al di là della morte di vergogna.

Infine, l'ultimo testo barthiano che dobbiamo ricordare è una pagina della seconda conferenza di Aarau (1920). Un testo scritturistico che in questa conferenza viene messo in particolare rilievo è Apoc. 21,5: «Ecco, *io* faccio nuove tutte le cose». Una «novità» che si trova secondo Barth «al di là di ogni pensiero e di ogni cosa» [119]: è la vita che viene dalla morte, perché il nuovo sta al di là, rispetto alla vecchia vita, della linea della morte. Perciò si deve stare in guardia dall'avere troppa fretta. Realmente: la vita *dalla* morte? Se sì, se realmente, proprio allora la morte non è tappa fittizia di un procedimento dialettico. Nella morte bisogna «far sosta». Nemmeno «quelli di dentro», coloro che sono «certi» della salvezza, possono correre avanti a quanti stanno «pieni di angoscia e di miseria *davanti* alla parete chiusa della morte» [120]. Non lo possono «per amore della sofferenza dei milioni di uomini, del molto sangue versato, che grida contro noi tutti» [121]. Solo dopo aver ascoltato il «no» si potrà parlare del «sì» di Dio, che è la resurrezione di Cristo. Ma «il presunto possedere, il banchettare e il distribuire in eterno, questo cattivo modo, privo di luce, di intendere la religione, deve una volta cessare, per far posto ad un onesto e rabbioso cercare, domandare e bussare alla porta».

È con questa svolta che si apre la possibilità di una vera solidarietà tra «quelli di dentro» e «quelli di fuori».

---

[117] RB II 384 [382].

[118] RB II, 352 [350].

[119] *Domande, criteri, prospettive bibliche*, in *Origini* cit., p. 95.

[120] Ivi, p. 98.

[121] Ivi, p. 99.

IL DIO CHE AMA NELLA LIBERTÀ
La dottrina barthiana della libera scelta di Dio

di SERGIO ROSTAGNO

1. Il problema della predestinazione

«Il Dio che ama nella libertà». Questa formula si trova nella tesi iniziale del rispettabile capitolo della dogmatica di K. Barth dedicato all'elezione, lungo più di 500 pagine e costituente una parte essenziale della dottrina di Dio (Barth 1983; salvo altra indicazione, i rinvii si riferiscono a questa edizione). L'identica affermazione forma il titolo del par. 28: «Gottes Sein als der Liebende in der Freiheit». Si stabilisce così per chi legge un richiamo che fa intendere che ci troviamo sempre nello stesso ambito della dottrina di Dio.

Il tema del capitolo (il settimo dell'intera opera) è quello della *predestinazione*. Un tema molto poco moderno e forse troppo lontano dalla nostra sensibilità. V. Subilia parla di «violenta allergia al tema». Ci troviamo forse davanti ad uno di quei dogmi che non offono più nulla, ma che piuttosto impediscono di vedere la terra e quel che succede in essa, uno di quei dogmi che ci affaticano come l'aria delle vette o del cielo divenuta irrespirabile, come dice Hölderlin in un suo poema?

> Lontani risuonano gl'inni della comunità, in cui, simili a vino santo, le sentenze più segrete, invecchiate, ma possenti, sorte da temporali estivi divini, già mi sopivano cure e dubbi, ma, – non seppi mai come mi accadesse, – infatti, appena nato, perché mai mi stendeste sugli occhi una notte? Sicché non vidi la terra, ed a fatica dovevo respirarvi, voi arie celestiali (Hölderlin, *Versönender, der du nimmergeglaubt...*).

O forse, ora che anche l'aria terrestre è divenuta irrespirabile, la dottrina della predestinazione torna ad interessarci?

L'impostazione della questione risale alle polemiche di Agostino, ma essa fu soprattutto discussa nel XVII secolo. Si è detto anche che la teologia riformata avrebbe un carattere «mascolino», che si esprimerebbe fra l'altro nella dottrina della predestinazione (Weber, 283). Che cosa crediamo di sapere comunemente sulla predestinazione? Ridotta alla sua più semplice espressione, la predestinazione non è altro che il decreto eterno di Dio che decide, senza averli consultati e in fondo senza averli ancora nemmeno creati, che una parte degli uomini sarà eletta, quindi salvata, mentre un'altra parte, esclusa dal computo degli eletti, sarà dannata.

La *divina electio*, scrive Tommaso d'Aquino, è la causa della distinzione compiuta da Dio tra i graziati e coloro «quibus ab aeterno disposuit se gratiam non daturum» (C.G. III, 163).

O, nei termini della teologia riformata: «praedestinatio hominum est, qua Deus ex universo genere humano condendo et lapsuro, alios ad vitam aeternam alios ad mortem aeternam praeordinat» (Rijssen, in Heppe, 121). Le citazioni di tal tipo potrebbero moltiplicarsi.

Messa in questi termini, che sono quelli familiari alla maggior parte di noi, la dottrina non poteva non suscitare varie obiezioni. La coscienza moderna si ribellava a quest'idea. Tanto fuori quanto dentro le chiese organizzate si elevarono voci contrarie.

Vorrei soltanto ricordare un critico eterodosso, ispiratore del pietismo ma molto più radicale, e cioè il mistico Jacob Böhme, il quale nel 1623 dedica un'opera alla dottrina di Dio sotto il titolo *Von der Gnadenwahl*. Il decreto di Dio è per Böhme una cosa inanimata, che egli, giustamente del resto, rifiuta. Per Böhme il difetto fondamentale della dottrina della predestinazione sta nel fatto che parla di un Dio remoto, un Dio troppo in alto, astratto e in fondo inesistente. Non dobbiamo cercare Dio così in alto, egli è invece presso di noi. Egli rivela il suo amore come unico principio della realtà (e non vi possono essere due princìpi). La prova di questo amore si trova nella dottrina trinitaria, scrive Böhme.

Di fronte alle critiche mossele, la dottrina classica della predestinazione si arrocca in una ripetizione abbastanza severa, ma sostanzialmente sterile, improduttiva, dei suoi princìpi e delle sue motivazioni. Nel XIX secolo alcune chiese votano emendamenti esplicativi che la rendono più elastica ed accettabile o la passano sotto silenzio nelle loro nuove formulazioni della fede (BSRK 870, 31 s.; 944, 22-30; Atto dichiarativo del Sinodo valdese 1894, art. 2).

Poco alla volta la dottrina perde importanza pratica.

Essa si rinnova appunto con Barth, che le dedica molta attenzione suscitando tutta una serie di repliche e di critiche per l'originale impostazione che egli le conferisce (vedi Bolognesi, Moda).

La data della nuova impostazione è il 1936. Vi sono accenni alla dottrina della predestinazione nel *Römerbrief* e poco più tardi essa assume una parte non secondaria nella discussione che impegna Barth con A. v. Harnack nel 1923 (Henke) e in altri saggi. Infine nel 1929, in un articolo programmatico di ZdZ intitolato *Schicksal und Idee in der Theologie*, Barth si serve ancora di un richiamo esplicito alla dottrina dell'elezione per esporre e chiarire il suo metodo teologico. Su questo torneremo più avanti.

Ma è solo nel 1936 che Barth approfondisce e precisa la sua strada nella dottrina dell'elezione, mediante quella che fu chiamata la sua «concentrazione cristologica». Il testo chiave di questo periodo è lo scritto *Gottes Gnadenwahl*, una conferenza tenuta in varie facoltà teologiche ungheresi. Il testo è suggestivo e, insieme con le risposte alle domande sorte dalla discussione della conferenza, estremamente vivo e ricco di insegnamento. La conferenza, apparsa nel 1936, verrà ristampata a Ginevra negli anni del secondo conflitto mondiale e, come desumiamo dall'esemplare in nostre mani, distribuita dalla commissione ecumenica per l'assistenza spirituale ai prigionieri di guerra.

Nel 1936 ha luogo anche il Congresso internazionale di teologia calvinista. Qui il pastore Pierre Maury, riformato francese, aveva tenuto l'unica relazione decisamente nuova sul tema della predestinazione, suggerendo proprio quella impostazione cristocentrica che Barth farà sua e per la quale esprimerà sempre il suo debito all'amico Maury (Barth 1983, 406; Maury, 5).

La dottrina barthiana è stata esposta e studiata molte volte in dettaglio (già Miegge, 1943, 1947). Non c'è che da riportarsi all'edizione curata da A. Moda ed all'articolo di P. Bolognesi. Nei limiti di questo contributo ci soffermeremo soltanto su alcuni dei punti salienti della posizione barthiana.

Perciò parleremo nell'ordine:
– della posizione della dottrina nella dogmatica;
– del rapporto tra la scelta di Dio nella libertà e l'amore, considerato come generica benevolenza divina verso tutti gli uomini;
– del problema della (cosiddetta) «doppia» predestinazione (i salvati e gli altri): la solidarietà tra eletto e non eletto.

2. La posizione della dottrina dell'elezione nella dogmatica

Possiamo trattare di sfuggita questo punto. Esso naturalmente non è secondario. Assegnare questa o quella posizione ad una dottrina nell'architettura della dogmatica dà precise indicazioni ermeneutiche. Schleiermacher la colloca per esempio nei rapporti chiesa-mondo e la tratta in modo senza dubbio originale.

I teologi riformati e luterani hanno usato presentare la dottrina della predestinazione secondo schemi diversi. Barth li raggruppa in cinque categorie (pp. 279-304) indicando queste varie successioni: Dio-predestinazione-creazione; Dio-cristologia-creazione-elezione; escatologia-predestinazione; cristologia-predestinazione-opera dello Spirito Santo; peccato-elezione-cristologia. Quest'ultima collocazione è divenuta classica in molte confessioni di fede riformate. La CF valdese 1655 fa seguire alla dottrina della creazione e del peccato la dichiarazione:

> [Crediamo] che Iddio cava da quella corruttione e condannatione le persone ch'egli ha elette dinanzi la fondatione del mondo, non perché egli prevedesse in loro alcuna buona dispositione alla fede o alla santità, ma per la sua misericordia in Jesu Christo suo figliuolo, lasciandovi gli altri secondo la raggione sovrana et irreprehensibile della sua libertà e giustizia (CF 1655, 11).

Nell'Istituzione Cristiana Calvino tratta della predestinazione al termine del libro III. Gli studiosi si chiedono se per Calvino la dottrina della predestinazione costituisca la chiave di volta dell'intero edificio teologico (O. Ritschl, 165 s.) o un *locus* importante, ma non centrale (F. Wendel). Per una valutazione sfumata di Barth, vedi p. 294. Questa discussione esula dai nostri interessi in questa sede. Prendendo il testo della *IC* osserviamo che il capitolo si apre con un incisivo «Or», in latino «Iam vero» (*IC* III, 21, 1).

Per Calvino la dottrina della predestinazione risponde alla domanda: perché alcuni credono ed altri, in maggior numero, non credono? Al termine dell'esposizione dell'opera di salvezza di Dio, che si compie nella persona e nell'opera del Figlio e raggiunge il suo scopo nella figura dell'umanità cristiana, è abbastanza curioso che ci si debba porre tale domanda. Potrebbe essere il segno di una dolorosa ed amara sconfitta.

Barth rivendica qui, se non l'intera originalità, almeno una certa originalità. Egli colloca tutta questa problematica al cuore della dottrina di Dio. Infatti è là che la domanda si pone. In un certo senso la domanda va rivolta a Dio stesso. Nel 1929 Barth dichiara che non si può fare della dottrina della predestinazione «eine harmlose kleine Erlauterung zu der Frage der Heilsaneignung» (una piccola, innocua aggiunta esplicativa alla questione dell'accoglimento della salvezza), in quanto, «proprio perché *di ciò* si tratta, essa va posta con tutta l'energia degli antichi dogmatici riformati al vertice di ogni ponderata teologia» (1957, 91 s.). Perciò il concetto di Dio nella teologia deve non solo includere la predestinazione, scrive sempre Barth, ma anche farla diventare un elemento centrale della dottrina di Dio, criterio vero e proprio di una teologia che può parlare di Dio soltanto perché *a questo chiamata, e non per propria scelta* (ivi, 90 s.; sottolineatura nostra cfr. *KD* I, 2, 956, ma anche 976).

3. L'amore di Dio e la sua libertà

Possiamo così passare al nostro secondo argomento. Il problema dell'elezione è infatti un problema di Dio, un problema in Dio. Ma innanzi tutto è un problema del Dio rivelato. La libertà di Dio è una libertà che «si apre alla nostra conoscenza». Qui Barth rivendica di nuovo una certa originalità rispetto alla tradizione:

> Questo modo positivo di concepire la libertà del Dio che predestina come una libertà che non si rifiuta, ma che anzi si apre alla nostra conoscenza, indica precisamente il punto in cui ci allontaniamo dalla tradizione ed in cui si deve ricercare l'innovazione portata dalla nostra tesi. La nostra posizione infatti è tutta quanta determinata dal riconoscimento della seguente verità: anche per quanto concerne la predestinazione, non abbiamo né il diritto né il dovere di allontanarci dalla rivelazione divina così come essa è, poiché precisamente nel quadro della rivelazione divina la predestinazione ci è svelata e non oscurata; il Dio che si rivela a noi è proprio

in se stesso e come tale il Dio-che-elegge; la volontà pretemporale di Dio altro non è che la sua volontà sopratemporale, la quale si manifesta come tale proprio nel tempo, in cui inscrive la propria azione. Dobbiamo riconoscere la prima nella seconda; ciò è possibile; poiché come l'eternità di Dio è una sola, così Dio stesso è uno e non lo si può conoscere se non tutto intero, altrimenti non lo si conosce affatto (p. 409).

Barth afferma che la dottrina dell'elezione riguarda il Dio rivelato e che non esiste un Dio-sorpresa (che sarebbe in sé medesimo ancor incerto o forse contro l'uomo, dopo che palesemente gli si è mostrato favorevole); tuttavia quel che Barth dice c'introduce nel cuore della dottrina di Dio e del suo rapporto con la realtà. S'intrecciano qui tre argomentazioni che noi cercheremo di presentare separatamente.

a) In cima a tutto: amore o libertà?

Specialmente a partire dai tempi moderni, vi è chi trova più corretto fare dell'*amore* un elemento primario e diffuso. Tocca poi all'uomo concentrare questo amore in un fascio e quindi renderselo percepibile. «Dieu est la bonté, la charité éparses dans l'univers: qui est charitable et bon s'unit à lui» (Hazard, 279, a proposito di Shaftesbury).

Quest'opinione è stata soprattutto valorizzata da Feuerbach. Feuerbach scopre che l'amore dell'uomo per l'uomo, in realtà, costituisce il significato più autentico del discorso teologico tutt'intero. È un'affermazione cui sarebbe difficile negare una profonda attualità. In questo senso Feuerbach dice che l'uomo deve diventare Dio per l'altro uomo: «L'amore per l'uomo non dev'esser derivato da altro; deve essere posto invece all'origine di tutto ... *Homo homini Deus*: questa è la più alta massima pratica; questo è il punto di svolta della storia del mondo» (p. 409).

Risolvere Dio nell'amore è comunque un'operazione che la teologia cristiana ha sempre creduto di non poter fare. Una tensione tra amore e libertà sussiste sempre. Lo stesso Feuerbach, per il quale la teologia cristiana non ha segreti, come ben si sa, nel doppio senso che gli sembra di conoscerne ogni risvolto e che egli la spiega integralmente in termini di amore, dichiara e riconosce che in Dio resta pur sempre qualche cosa che non si può spiegare ed è appunto la sua libertà. «Ma Dio non è oggetto della fede solo quale amore. Al contrario il caratteristico oggetto della fede come tale è Dio come soggetto» (p. 517 s.).

Lasciando ora Feuerbach, è la stessa tradizione del pensiero occidentale ad interessarsi al tema della libertà di Dio. La tradizione agostiniana ripensa questo tema a partire dal racconto biblico. Anche negli insegnamenti di Plotino l'Uno è libera volontà, che si dimostra veramente libera nel fatto che l'Uno sceglie di non scadere da tale bontà (*Enneadi* VI,8,10; cit. da Kafka-Eibl, 229 s.).

Ora in che modo Barth coniuga amore e libertà? I due elementi sono legati reciprocamente, perché, mentre il contenuto della decisione libera è l'amore, l'amore stesso, tuttavia, è un decidersi, è una scelta. Barth distingue questa scelta di Dio da ogni altro concetto di scelta più generale e autonomo (p. 191). Nella tensione tra libertà e amore tuttavia prevale la libertà. Da un lato infatti «nella decisione prima e fondamentale in forza della quale Dio vuole essere Dio e lo è effettivamente, nel mistero di quanto è accaduto da tutta eternità e per sempre nel suo essere più recondito, nella sua essenza trinitaria, Dio non è altro che il Dio-che-elegge nel suo Figlio o nella sua Parola...». Dall'altro lato «poiché non è solamente amore, bensì ama, Dio sceglie. Sceglie nell'atto del suo amore che determina strutturalmente la sua essenza. E poiché tale atto è una scelta, è nel medesimo tempo e come tale, l'atto della sua libertà» (p. 279). O, secondo l'argomentazione di P. Maury, «Dieu choisit d'aimer, ce qui revient à dire qu'il aime librement, ou plus explicitement encore, qu'il aime véritablement; car pourrait-on parler encore d'amour si cet amour n'était pas pleinement libre?» (p. 23 s.).

L'atto di amore di Dio è per Barth un atto di indipendenza. L'autonomia di Dio è totale. Se non ci fosse questa libertà non ci sarebbe nemmeno un vero amore.

Certamente Dio è amore, ma in Dio, e non al di là dell'amore, l'amore stesso si fonda sulla libertà. Dio resta decisamente Colui che sceglie. Dio si autodetermina come grazia, come amore, ma prima di tutto si autodetermina. Possiamo quindi concludere che l'amore esiste nella realtà non come forza diffusa, come presupposto, ma al contrario, per un atto preciso della libertà divina. Il Dio che sceglie, sceglie appunto l'amore, il che toglierà alla scelta ogni carattere arbitrario e aleatorio.

L'amore di Dio è dunque diverso da una generica benevolenza chiamata grazia la cui scoperta resta affidata alla buona volontà degli uomini.

Al cuore della realtà divina vi è dunque, secondo Barth, nell'ordine: elezione, mediazione, comunione. L'elezione viene per prima e qualifica il rapporto con Dio in modo molto formale. Tale rapporto è basato su una distinzione e non sulla partecipazione. E questo può esser un buon motivo per trattare il problema nel luogo in cui Barth lo tratta.

b) Al cuore di tutto: il rapporto istituito con l'atto libero

Dio ha scelto, è vero, ma «Dio ha scelto l'uomo» (p. 418). Dio sceglie se stesso scegliendo Cristo, e nello stesso tempo, «in lui e con lui, sceglie il popolo dei suoi» (p. 279). G. Miegge trovava qui uno dei punti maggiormente nuovi e suggestivi dell'impostazione barthiana (1943,151). Si era sempre pensato che l'elezione riguardasse strettamente gl'individui; per Barth essa riguarda invece Gesù Cristo e, mediante lui, tutti gli uomini. Si ha dunque una visione totale, a tutto campo, dell'elezione. «Egli [Gesù Cristo], come uomo eletto, è Dio stesso che li elegge tutti nella propria umanità. In quanto egli (come Dio) vuole se stesso, (come uomo), vuole anche tutti loro. Perciò il suo essere eletto si distingue dal loro non soltanto come un esempio, non soltanto come un archetipo, non soltanto come rivelazione e specchio della loro elezione. Tutto questo si deve certamente anche dire dell'elezione di Gesù Cristo; ma si deve aggiungere che la sua elezione è l'elezione originaria e comprensiva; è l'elezione assolutamente unica e, appunto in questa unicità, universale, di colui che è egli stesso colui che elegge» (*KD* II,2,125; trad. di G. Miegge; Moda traduce in modo lievemente diverso: p. 342).

Quel che a noi interessa metter in evidenza, in questa sede, è il rapporto che in tal modo Dio stabilisce e istituisce con l'umanità. Nel dialogo interno alla Trinità tra Padre e Figlio è prefigurato il rapporto tra il Dio trinitario e l'essere umano. Dal primo si svilupperà il secondo. L'amore di Dio si esplicherà in una relazione concreta. «Dio è perfetta libertà ... E tuttavia, conformemente alla libera decisione del suo amore, gli appartiene di fatto di essere Dio nel quadro di una precisa relazione con un altro ... Una dottrina di Dio che pretendesse di parlare di Dio solamente e semplicemente, che non volesse riconoscere che, parlando di lui, dobbiamo subito parlare, conformemente alla libertà divina ed alla sua libera decisione, della relazione che egli stesso ha istituito, una tale dottrina cadrebbe in una falsa astrazione» (p. 159).

Mediante la sua scelta Dio esercita la sua intera libertà e mediante questa stessa scelta Dio stabilisce il suo legame con l'umanità. Nella sua originaria decisione egli è «Dio per noi»: «Dio è di per se stesso già *Dio*, e proprio Dio *per noi*, ben prima che questo fatto si traduca in uno specifico evento riguardante un qualsiasi essere umano, prima che ciò si realizzi in un rapporto particolare tra Dio ed un determinato individuo» (*KD* II,2,618). L'essere di Dio è *nel patto* (Klappert).

c) La verità come causa

La scelta di Dio ci porta al cuore della realtà, che sussiste nel rapporto istituito con lui dalla scelta stessa.

Ci troviamo qui perfettamente nella linea platonico-agostiniana (su Barth e Platone vedi Barth 1957, 77; Bouillard I, 104 s. e 109, nota 1; McLelland). Su K. Barth si riflette una ricerca impostata dal fratello Heinrich circa la polarità tra idea e realtà in Platone e, secondo McLelland, soprattutto in Kant. Al cuore della realtà troviamo una «causa» non naturale: un atto personale di libertà. La causa del reale è una verità detta, un proponimento espresso ed efficace. Secondo la terminologia barthiana esso è nello stesso tempo fondamento della realtà e della sua conoscenza (*Realgrund* ed *Erkenntnisgrund*). In tensione, come vedremo, con il messaggio biblico, può esser utile richiamare l'intuizione di Platone (almeno come affermazione di principio, senza legarla ora ad una discussione con l'interpretazione delle dottrine platoniche): la verità è causa del reale. Heidegger (p. 36-41, e 43) traduce aitia con *Ur-Sache* rinviando a Platone, *Polit.* VI,517 c.

Questa *Ur-Sache* non è Dio stesso, ma il suo decidersi (IV,3,135), anche se in lui entrambe le cose coincidono. Per Barth, «la predestinazione è l'inizio di tutte le cose» (p. 407). «L'autore di ogni cosa è il Dio-che-elegge, il Signore! Infatti, non è forse giustamente perché è il Dio-che-elegge che Dio è l'onnipotente e non viceversa?» (p. 222). Ovviamente ciò non è del tutto nuovo.

Certo, la teologia ha attribuito a Dio l'immobilità, l'onniscienza, l'onnipotenza. Ma ha anche sempre saputo che l'onnipotenza andava intesa come il potere di realizzare le proprie scelte e non quello di realizzare qualsiasi scelta. «Quod Deus ex eo tantum dicatur omnipotens, quod omnia potest que vult, non quia omnia possit» (*Magistri P. Lombardi Sent.* I, XLII, cap. III, 2). L'accentuazione barthiana è comunque interessante.

La causa della realtà sta nella decisione mediante la quale Dio attesta a sé medesimo la sua scelta nell'atto di relazione che si esprime nel Figlio, già destinato (si direbbe) a divenir uomo. Quindi Dio "vede" già l'uomo (e la storia) fin dal suo "primo" atto trinitario. La storia appare qui potenzialmente quella dell'uomo vero, amato da Dio e non subito come una conseguenza del peccato. Questo può avere la sua importanza.

Di che natura è la storia di Dio con l'uomo alla luce dell'elezione? Questa è la domanda-chiave di tutta la dottrina barthiana dell'elezione. Provvisoriamente possiamo dire che Dio non ci appare prigioniero della sua dcisione mentre l'uomo non "serve" ad un piano divino predeterminato. Il patto, l'alleanza come si diceva con termine che suona forse meglio di quello di patto, è qualche cosa di fondamentalmente diverso da un disegno divino o da una "storia della salvezza" di cui l'essere umano diventa una pedina. Vi è posto per un dialogo tra uomo e Dio il cui senso può esser sempre nuovo e sempre da riscoprire. Ma sorgono alcuni dubbi.

d) le aporie della storia

Come già sapevano i teologi francescani medievali, la scelta assoluta di Dio può esser nota soltanto mediante la rivelazione storica; possiamo seguirne le tracce non dovunque, ma nell'ambito della storia di tale popolo e del suo Messia (Hamm, 471).

Mediante il suo atto originario, infatti, Dio si lega a Israele, a Gesù, ai pagani. Egli è ancora una volta il Dio che ama nella libertà. È prima di tutto il Dio che si lega ad un determinato ceppo, a singoli uomini e alla loro storia. Ma è anche, e con lo stesso rigore, libero di realizzare in modo imprevedibile e con tutt'altre persone, le sue promesse. La storia d'Israele è il prolungamento della decisione trinitaria di Dio, e ne è la realizzazione concreta ad extra. Non è Dio senza la storia d'Israele (p. 161 s.). Ma essa resta storia di contestazione, che ha il solo scopo di rinnovare l'esperienza della libertà di Dio.

La storia diventa il luogo dove è percepibile la Ur-Sache (la decisione di Dio come causa), ma stranamente (e conseguentemente), la decisione di Dio non può esser nota a partire dalla storia, o per così dire la via della conoscenza non conduce (come sarebbe logico) da qualunque storia verso Dio, ma solo dalla storia di Gesù Cristo verso Dio. E questo per la ragione che, dipendendo da un atto di libertà, resta sempre una storia di libertà, come dovremo ancora vedere. Questo fatto però deve essere registrato come una difficoltà nel pensiero di Barth, che, restando perfettamente nella linea agostiniano-platonica (peraltro l'unica finora espressa dalla teologia, pur con tutte le variazioni e correzioni) riesce ad integrare il reale completamente nel suo schema, ma sembra non avere i mezzi per una valutazione della realtà al di fuori dell'unica causa divina. Da qui le obiezioni che gli vengono rivolte.

Siamo di fronte ad un dilemma: o Dio e la sua decisione diventano percepibili a partire dalla storia oppure la teologia barthiana è una teoria che esaurisce tutta la realtà nella decisione divina e che dichiara la fede essere l'unica possibilità dell'uomo, come afferma appunto un critico come Sparn: «La dottrina di Dio che viene sviluppata nella dottrina della predestinazione modificata cristologicamente da Barth, potrebbe essere definita la teoria di un ordine chiuso della realtà» (p. 62).

Secondo Thielicke la teologia barthiana può esser ricondotta alla tautologia: «Dio è Dio». Non vi è posto per un vero «Nuovo Testamento», ma soltanto per il progressivo svilupparsi, a cerchi concentrici, della conoscenza che Dio ha di se stesso e che si fonda sul suo decreto eterno di autodecisione. La rivelazione non porta novità, ma soltanto una conoscenza più estesa; il progresso è noetico, non ontico. Si tratterebbe allora di qualche cosa di molto somigliante all'idea hegeliana dello spirito assoluto che sviluppa se stesso. L'accadimento in Barth non sarebbe un vero accadere, ma un semplice esplicitarsi e perciò sarebbe minima la differenza tra Barth e Bultmann, poiché, anche in quest'ultimo, il *Selbstbewusstsein* ha il sopravvento sul fatto (Thielicke, 439).

4. Solidarietà tra eletto e riprovato

Nessuno più di Barth ha sottolineato la luminosità della grazia (per es. p. 408, in basso). Molti hanno qui visto adombrata la dottrina dell'apocatastasi (Bolognesi). Barth ha risposto a queste critiche dicendo di non voler affermare tale dottrina, ma neppure il contrario di essa (Jüngel, 51, nota 263; cf. qui sopra, p. 122 n. 16). Barth d'altronde rifiuta sistematicamente gli schematismi teologici (Sauter, 487).

Barth ha preso energicamente posizione in difesa dei vecchi dogmatici che sostenevano l'elezione *e* la riprovazione. Non ha perciò accettato le posizioni arminiane ed illuministiche con le loro ragioni. Ma la posizione che egli sostiene è molto diversa sia da quella dei vecchi dogmatici sia da quella degli illuministi.

Esiste una condanna *(Verwerfung)*, ma essa non può esser separata dalla croce, dove Cristo soffre la condanna al nostro posto. Non esiste un'altra «episteme» del fatto della condanna, un altro «sapere» intorno ad essa che non sia legato alla croce: qui sta il concreto; ogni altro accesso al problema non potrebbe aver esito e costituirebbe anzi una forma tipica di «disinformazione» (cfr. Heron, 398).

La condanna quindi non diventa evanescente: esiste una esclusione, ma l'escluso è rigorosamente ciascun eletto rappresentato nell'eletto/escluso numero uno che è Cristo.

In altre parti della *Dogmatica* (il caso tipico è la cristologia) l'esposizione deve procedere con due affermazioni complementari. Nella dottrina dell'elezione, invece, accade il contrario. Mentre la tradizione dogmatica parla di «doppia» predestinazione, Barth afferma che elezione e riprovazione devono diventare una dichiarazione unica («Ein Satz», *KD* II,2,358). *lance*

Su questa base esiste una reciprocità tra eletto e riprovato e quindi una solidarietà tra di loro (p. 666 s., 707, 877; *KD* II,2,360 s., 386, 502).

Eletto e riprovato sono complementari (p. 702); tra di essi esiste una opposizione relativa (p. 707); il riprovato esiste «impropriamente» (p. 875), sempre in relazione con l'eletto (p. 877). Se per lui vale una «predestinazione» il riprovato «è destinato ad ascoltare la predicazione della verità e ad accedere alla fede, cioè a divenire, da testimone involontario e indiretto, un testimone volontario e diretto dell'elezione di Gesù Cristo e della sua comunità» (p. 885).

Lasciando da parte le diverse critiche che questa impostazione ha suscitato (Bolognesi, McGrath, Subilia), cerchiamo di seguire l'idea che Barth ci suggerisce.

Nella storia i giochi sono ancora aperti: dire che gli ultimi saranno i primi ed i primi ultimi costituisce uno dei più fondamentali aspetti dell'annuncio evangelico. «Chissà – esclama Barth – che tipi di ultimi potrebbero ancora diventare primi!» («Wer weiss, was für Letzte da noch einmal die Ersten sein könnten!» 1947,8).

Anche questo è un aspetto del Dio che ama nella libertà. La decisione di Dio come decisione misericordiosa (non nel senso di una astratta remissione di colpa, ma nel senso di far esistere ciò che non è) è causa di cambiamento. Dio sovverte le precedenze codificate e attesta il suo amore mediante la sua libertà.

L'elezione rimette in gioco priorità acquisite e consolidate nei secoli. Il Dio che ama nella libertà non è obbligato a scegliere chi ha già scelto, anzi egli fa proprio il contrario per manifestare tutto il senso del suo amore come autonoma decisione. È fuorviante porre qui la domanda su chi meriti di più di esser eletto: Dio va a cercare chi avrebbe meno ragioni di esserlo per far capire che chi è eletto lo è per un atto creativo, un atto che stabilisce una sola precedenza, quella della novità di nuove coordinate in rapporto alle quali tanto i primi che gli ultimi, tanto i deboli che i forti sono invitati a collocarsi, dando espressione a questo nuovo loro collocamento mediante intendimenti etici anch'essi nuovi. All'eletto non è lasciata alcuna possibilità di fruire della propria elezione al di fuori dell'evento in cui Dio sceglie *paradossalmente*, e non secondo una priorità stabilita dalla fondazione del mondo. Il tempo in cui questo avviene è sempre un presente nel quale Dio agisce senza deleghe di sorta.

L'amore è quindi questo auto-attestarsi di Dio in una libera scelta, come quando Gesù va a pranzo dal pubblicano o proclama l'evangelo al povero. Lo scandalo che accompagna ogni gesto di Gesù fa parte del suo agire in nome di Dio. Perciò Gesù è la presenza del Dio che ama nella libertà.

Sta qui la risposta alle obiezioni di cui sopra. Soltanto nella dialettica delle successive trasposizioni della fondamentale alleanza di Dio con l'umanità, nella dialettica del rapporto con Ebrei e pagani, nella necessità paradossale di un Messia crocifisso, la storia si apre al suo vero senso. Essa non è lineare, ma imprevedibile. Essa include tutti, ma riserva delle sorprese a chi pensa di stare dalla parte giusta.

Dalla relatività e reciprocità di eletto e reprobo nasce la loro *solidarietà*. Dopo Schleiermacher è Barth a sottolineare questo punto. A Debrecen nel 1936 fu posta a Barth la seguente domanda: «quale forza ci dà la fede nella predestinazione nella lotta contro le masse paganizzate?». Barth dà la seguente risposta: «la forza che la predestinazione ci dà in rapporto alle masse paganizzate può solo consistere in questo, che noi ci sappiamo *solidali* con esse» (1936,55).

Sul piano etico, questo significa anche amore per i nemici e vuol dire che un gesto di attestazione della verità, fosse pur fatto *contro* qualcuno (come avvenne durante le lotte antifasciste), è pur sempre fatto anche *in suo favore*, vicariamente per lui, ancora nemico. Un gesto vero non schiaccia nessuno.

Eppure, senza nulla togliere a quanto si è detto, dobbiamo riconoscere che il discorso sulla solidarietà tra eletto e reprobo può essere frainteso, se non si sottolinea nello stesso tempo il rigore dell'elezione e dell'esclusione. Non è la decisione dell'uomo quella che lo rende testimone dell'amore di Dio, secondo le proprie opportunità e le proprie scelte. Nel legame di associazione tra uomo e Dio esiste sempre un carattere di novità che sta accanto alla dimensione più nota della continuità e la mette in questione, la prova, la esamina. Ecco perché si entra nel Regno per la porta stretta (Mt. 7,13; Lc. 13,24). È questo il vero senso dell'elezione. Non si tratta dell'impotenza dell'uomo determinato metafisicamente da un potere estraneo e lontano, ma, molto più esegeticamente vicino ai testi biblici, del carattere cogente del momento opportuno, dell'attimo in cui tutto si gioca e che non si sceglie prima.

Questa «porta stretta» fa sorgere in ognuno di noi delle associazioni sbagliate, quando pensiamo alle «strettezze della morale». Si entra nel Regno non già per la porta stretta di una morale inflessibile o di una coscienza incapace di vedere oltre le proprie regole, ma per la straordinaria novità dell'occasione offerta.

Per questa ragione è opportuno anche affermare il carattere *rigoroso* dell'alleanza tra Dio e la creatura umana. Non si esce e non si entra liberamente dal patto e nel patto secondo le proprie inclinazioni e versatilità. L'ermeneutica del discepolato decifra nel tempo le analogie delle situazioni tipiche che gli evangeli hanno descritto come corrispondenti al cammino di Dio attraverso la storia. Non puoi entrare nel patto quando piace a te, non puoi uscirne quanto ti farebbe comodo. Il Dio che ama nella libertà ti ha preceduto: la tua vocazione consiste nel seguirlo. La tua unica chance è la porta stretta.

Essa non è mai definitivamente chiusa per nessuno, anche se è per tutti diversa da un passaggio qualsiasi sempre disponibile nei due sensi. Ed è soprattutto qui che Dio si lega definitivamente all'uomo.

BIBLIOGRAFIA

BARTH K., 1936: *Gottes Gnadenwahl*, München, Th. Ex. h. 27 Rist. Genève s.a. Reprint: München 1980.

BARTH K., 1947: *Die Botschaft von der freien Gnade Gottes*, Zollikon-Zürich, Th. Studien 23.

BARTH K., 1957: *Schicksal und Idee in der Theologie*, in: Id. *Teologische Fragen und Antworten*, Ges. Vortr. 3, Zollikon-Zürich [2]1986, pp. 54-92. Prima ediz. in ZdZ 7, 1929, 309-348.

BARTH K., 1962: *L'epistola ai Romani*, trad. ital. a cura di G. Miegge, Milano, 1970.

BARTH K., 1983: *La dottrina dell'elezione divina*. Dalla *Dogmatica ecclesiastica* di Karl Barth, a cura di A. Moda, Torino. I numeri senz'altra indicazione si riferiscono a quest'opera.

BARTH K., *KD; Die Kirchliche Dogmatik*, 4 voll. in 13 tomi, Zürich 1932-1947.

BÖHME J., 1977: *Von der Gnadenwahl oder von dem Willen Gottes über die Menschen*, hg. von G. Wehr, Freiburg i. Br.

BOLOGNESI P., 1986: *La dottrina della predestinazione secondo K.B.*, «Studi di Teol.» 9, 233-255.

BOUILLARD H., 1957: *Karl Barth, I; Genèse et évolution de la théologie dialectique*, Paris.

BSRK: *Die Bekenntnisschriften der reformierten Kirche*, hg. von E.F.K. Müller, Leipzig 1903.

CALVINO G., IC - *Istituzione della religione cristiana*, a cura di G. Tourn, 2 voll., Torino 1971.

CF 1655: *Confessione di fede valdese*, varie ediz.

FEUERBACH L., 1956: *Das Wesen des Christentums*, hg. von W. Schifferhauer, 2 voll. (paginaz. unica), Berlin.

GROSSI V., 1985: *Il termine «praedestinatio» tra il 420-435: dalla linea agostiniana dei 'salvati' a quella di «salvati e dannati»*, «Augustinianum» 25, 27-64.

HAMM B., 1977: *Promissio Pactum Ordinatio. Freiheit und Selbstbindung Gottes in der scholastischen Gnadenlehre*, Tübingen, BHTh, 54.

HAZARD P., 1961: *La crise de la conscience européenne*, 1680-1715, Paris.

HEIDEGGER M., 1947: *Platons Lehre von der Wahrheit*, Bern, [2]1954.

HENKE P., 1976: *Erwählung und Entwicklung. Zur Auseinandersetzung zwischen Adolf von Harnack und Karl Barth*, NZfST 18, 194-208.

HEPPE H., 1958: *Die Dogmatik der evangelisch-reformierten Kirche*, Neukirchen [2]1958.

HERON A.I.C., 1986: *Karl Barths Neugestltung der reformierten Theologie*, EvTh 46, 393-402.

JÜNGEL E., 1982: *Barth-Studien*, Zürich, Köln, Gütersloh, Ökumenische Theologie 9.

KAFKA G. - EIBL H.: 1928 - *Geschichte der Philosophie in Einzeldarstellungen*, vol. 9, Neudeln, Reprint 1973.

KRECK W., 1986: *Dogmatica evangelica*, Torino, pp. 273-276.

KLAPPERT B., 1975: *Tendenzen in der Gotteslehre der Gegenwart*, Ev Th 35, 189-208.

MAURY P., 1957: *La Prédéstination*. Prefazione di K. Barth, Genève.

MCGRATH A., 1984: *Barth als Aufkärer. Der Zusammenhang seiner Lehre vom Werke Christi mit der Erwählungslehre*, KuD 30, 273-283.

MCLELLAND J.C., 1974: *Philosophy and Theology*, A Family Affair: Karl and Heinrich Barth, in: M. Rumscheidt, ed., Footnotes to a Theology, The K.B. Colloquium 1972, SR Supplements, Waterloo, Ontario, pp. 30-52.

MIEGGE G., 1943: *Della predestinazione divina*, «L'appello» 8, 140-152.

MIEGGE G., 1947: *Eletti e reprobi nel pensiero di K. Barth*, «Protest» 2,51-56.

PIETRO LOMBARDO, Sent.: *Magistri Petri Lombardi Sententiae in IV Libris distinctae*, ol. 1,2, Grottaferrata, 1971.

RITSCHL O., 1926: *Dogmengeschichte des Protestantismus*, vol. III, Göttingen.

SAUTER G., 1986: *Weichenstellungen in Denken Karl Barths*, EvTh 46, 476-488.

SCHLEIERMACHER F., 1985: *La dottrina della fede esposta sistematicamente secondo i princìpi fondamentali della chiesa evangelica*. Tr. it. a cura di S. Sorrentino, vol. II, Brescia, §§ 117-120.

SPARN W., 1975: «*Extra internum*». *Die christologische Revision der Prädestinationslehre in Karl Barths Erwählunglehre*, in: T. RENDTORFF, Hg., *Die Realisierung der Freiheit, Beiträge zur Kritik der Theologie Karl Barths*, Gütersloh, 1975.

SUBILIA V., 1985: *La predestinazione, una dottrina di dissidenza e di missione*, «Protest», 40, 65-101.

THIELICKE H., 1983: *Glaube und Denken in der Neuzeit. Die grossen Systeme der Theologie und Religionsphilosophie*, Tübingen, pp. 431-441.

TOMMASO D'AQUINO C.G.: *Summa contra Gentiles seu de veritate catholicae fidei*, Torino, 1938.

TOURN G., 1978: *La predestinazione nella Bibbia e nella storia*, Torino.

WEBER H.-E., 1940: *Reformation, Orthodoxie und Rationalismus*, vol. 1,2, Gütersloh, BFChThM 45.

WENDEL F., 1950: *Calvin. Sources et évolution de sa pensée religieuse*, Paris, pp. 199-216.

APPENDICE: DOCUMENTO PREPARATORIO

1. L'elezione come atto di autodeterminazione di Dio

È giusto impostare la nozione di Dio su questo atto di assoluta autodeterminazione (sia pur in un certo qual senso «doppia», cioè includente anche l'uomo) – o non sarebbe più giusto impostarla a partire dalla sovrabbondanza del suo amore nel creato intero?

2. L'elezione come elemento concreto di conoscenza di Dio e dell'uomo

È riconoscibile in Barth l'intenzione di appoggiare la conoscenza sul fatto concreto; non si può conoscere se non quanto realmente accade: se non quanto è autocinesi in Dio. Nella particolarità dell'esistenza di Gesù Cristo è così possibile leggere l'autodeterminazione di Dio quanto il suo esser per l'uomo. Anche la concezione barthiana è una «cristologia dal basso», ma molto a modo suo!

La dottrina barthiana dell'elezione in Cristo porta l'elezione più vicino alla sensibilità dell'uomo moderno o più lontano da essa?

Al di fuori di questa determinazione cristologica non rischiamo forse di fare di Dio il prigioniero della sua libertà di decisione (cfr. SUBILIA, *La predestinazione. Una dottrina di dissidenza e di missione*, in «Protest» 40, 1985, pp. 65-101) e di cadere così in una conoscenza naturale di Dio?

3. Gesù Cristo soggetto dell'elezione

Qual'è il significato e la portata di questa nozione? Può essa venir eliminata senza conseguenze oppure ne va di un presupposto essenziale? Ha Barth con essa tentato di dare un altro indirizzo al pensiero protestante, mantenendo la focalizzazione sull'elemento decisivo in Dio, ma liberandolo dalla sua angusta insistenza sulla salvezza personale? In altri termini ha voluto allargare le dimensioni (e l'universalità) della concezione protestante della grazia, mantenendo tuttavia la focalizzazione che ne costituisce la principale caratteristica?

Cfr. A. MODA, *La dottrina della elezione divina in K. Barth*, Bologna, 1972 (Recensione in «Protest» 30, 1975, 182 s. - S. Rostagno); G. TOURN, *La predestinazione nella Bibbia e nella storia*, Torino, 1978, soprattutto pp. 75-98.

4. L'elezione come fondamento dell'etica

Solo come Parola del Dio che s'impegna il comandamento può a sua volta impegnare l'uomo nell'azione più specifica e concreta. L'uomo non viene per questo «posto al servizio di Dio» (formula che Barth criticò a suo tempo: *Das Problem der Ethik in der Gegenwart*, 1922, cfr. *Ges. Vortr.* II, 145), ma al servizio di un mondo umano.

5. L'elezione di fronte alla diversità delle tradizioni religiose

Può l'autodeterminazione divina avvenire altrove che in Cristo? – E se no, quale senso hanno le idee religiose delle altre tradizioni e culture umane?

Cfr. anche il recente T. MANFERDINI, *Il problema della Religione. Barth e Schleiermacher*, Bologna, 1984.

6. L'elezione come scelta di Dio per gli ultimi

L'«eccentricità» della chiesa viene talvolta indicata da Barth dicendo che occorre vivere la vocazione dalla parte di coloro per i quali la vocazione è ancora un futuro (cf. *KD* IV, 3, 570 s.). C'è da chiedersi se Barth tragga tutte le conseguenze dal fatto che Dio nella Bibbia elegge partendo dagli esclusi, dagli ultimi. La chiesa di Gesù è quella dove «gli ultimi saranno i primi».

Quale rapporto c'è tra questo fatto e l'identità della chiesa come corpo di Cristo?

La libertà dell'elezione divina è servita o no dall'esistenza di persone che si definiscono già «elette» rispetto alle altre?

Non dovremmo oggi esser molto più sensibili all'«ecclesiogenesi» che parte dagli ultimi?

7. Syllogismus practicus

Un sensato lavoro da compiere può essere un segno dell'elezione (così va interpretato Calvino, I.C. 3, 14, 18 ss.). Non si tratta di vedere la propria fede all'opera nei risultati che essa eventualmente produce. La prova dell'elezione si ha tuttavia nel fatto di poter rispondere con il proprio lavoro alla richiesta di senso che emana dal mondo. L'idea di una «verifica» della propria fede nei fatti non dovrebbe esser respinta del tutto, anche se non dobbiamo ansiosamente cercare nelle nostre realizzazioni qualche dimostrazione della fede.

SEZIONE SECONDA

BARTH ECUMENICO

LA RICEZIONE DI BARTH IN ITALIA

di GIAMPIERO BOF

L'imponente bibliografia di Barth, e soprattutto su Barth, è la prima risposta all'interrogativo su che cosa egli abbia rappresentato nella teologia, nella cultura e nella storia contemporanea. Risposta parziale, che deve essere completata con l'indicazione delle opere teologiche – dal breve saggio, alla monografia, alle grandi imprese editoriali – che in diversi modi con Barth si confrontano, o di Barth subiscono, direttamente o indirettamente, l'influenza.

«*Doctor utriusque theologiae*», della teologia protestante e cattolica, lo ha proclamato H. Küng nel discorso commemorativo tenuto nella cattedrale di Basilea alla morte di Barth, dichiarando la portata e il valore ecumenico della sua teologia e della sua opera; sino al punto che «la referenza a Barth, almeno occasionale, è il lotto di ogni teologo sia cattolico che protestante»[1].

L'attenzione alla influenza teologica di Barth non tarderà ad aprirsi a più vasti orizzonti – quelli della cultura e della storia contemporanea – nei quali egli si staglia con minore potenza che nell'ambito teologico, ma con non minore nitidezza. È osservazione lucida quella che A. Moda esprime dichiarando: «Siamo in presenza di un'interazione nel pensiero barthiano, raramente notata: il pensiero di Barth, eminentemente confessante, trae proprio da questa sua caratterizzazione la libertà di un confronto corposo, tenace ed esigente con la modernità come con la tradizione tutt'intera, ma tale confronto vieta al pensiero teologico ogni angustia, ponendolo, come dev'essere, nel tempo specifico che gli è comandato di vivere»[2].

Non dissente – con innumerevoli altri – E. Jüngel, il quale dichiara «fatto indiscusso che la sua produzione letteraria non solo ha mutato profondamente la teologia, ma va annoverata tra le opere più significative della storia culturale del XX secolo»[3]. Jüngel del resto apre il saggio dal quale abbiamo tratto la citazione con affermazioni ancor più precise e impegnative[4].

L'opera teologica di Barth travalica peraltro l'ambito strettamente culturale: egli ha vissuto un'esistenza teologica, in forza della quale è divenuto «durante e dopo la seconda guerra mondiale ... il pastore spirituale di popolazioni oppresse e la coscienza della cristianità»[5].

---

[1] A. MODA, in K. BARTH, *La dottrina della elezione divina*, Utet, Torino, 1983, p. 150.

[2] *Op. cit.*, p. 148.

[3] E. JÜNGEL, *L'Essere di Dio è nel divenire*, Marietti, Casale M., 1986, p. 61.

[4] *Op. cit.*, p. 19. s..

[5] GLOEGE, in *RGG*, I, 897.

Non sentiamo affermazioni siffatte in dura dissonanza con il chiaro riconoscimento della necessità di dividerci di fronte alla parola di Dio [6] – quasi dichiarazione di una tendenza insuperabilmente 'settaria' della teologia e dell'esistenza cristiana –: e alla stessa annotazione autobiografica, nella quale confessa: «sono stato costretto a vedere con estrema chiarezza che l'impegno della mia vita sembra mancare di un certo potere di unificazione; o meglio che un certo effetto esplosivo, o comunque centrifugo, gli è inerente»? [7].

Eppure la fede unisce: «Sarebbe spaventoso se la fede in Cristo dovesse dividere e separare l'uomo dai suoi simili. Al contrario, essa è il motivo più forte che possa mettere insieme e unire gli uomini» [8].

Insistenti sono nell'opera di Barth la polemica, la critica, l'autocritica: l'una e l'altra strettamente intrecciate: «in lui la polemica tagliente resta uno strumento assolutamente umano, contingente, transitorio e transeunte... la critica è eminentemente autocritica» [9].

Se già nel primo *Römerbrief* (p. 266) aveva dichiarato che «la polemica è amore», è comunque indubbio che il passare degli anni lo ha condotto a interpretare *in meliorem partem*, quello che prima aveva affrontato di petto e duramente. Tipica espressione di questo atteggiamento dettato dalla cordiale comprensione dell'altro è *La teologia protestante del secolo XIX*, ed egli stesso dichiara che, nel corso della elaborazione della KD, «(sempre restando 'gioiosamente combattivo'!) io, un po' alla volta, ho acquistato una comprensione sempre maggiore per le grandi affermazioni di cui l'uomo ha bisogno per vivere e per morire». «Il dire No in fondo non è il sommo dell'arte, e il rovesciare gli idoli non potrebbe essere il nostro compito essenziale» [10].

Dalla serietà e dalla profondità della sua autocritica sorge la delineazione della figura del 'buon barthiano', riflessa, in qualche modo, nella figura del 'buon calvinista' [11].

Lo stile

«La teologia di Barth è bella», dichiara H.U. von Balthasar [12]; E. Brunner parlerà di Barth come di un poeta teologico [13]. Nell'ottobre del 1968 ebbe

---

[6] K. BARTH, *KD*, II/1, p. 575.

[7] K. BARTH, *Autobiografia critica 1928-1958*, (Intr. P. Grassi), La Locusta, Vicenza, 1978, p. 31.

[8] Cit. in E. BUSCH, *Karl Barths Lebenslauf. Nach seinen Briefen und autobiogrphiscen Texten*, München, 1986 (tr. it. Brescia, 1977, p. 299).

[9] A. MODA, in *Op. cit.*, p. 135.

[10] *KD*, III/4, p. IX; cfr. IV/2, pp. VIII., 644 ss.

[11] Cfr. BUSCH, *Op. cit.*, pp. 376 s. 396.

[12] H.U. v. BALTHASAR, *Karl Barth. Darstellung und Deutung seiner Theologie*, Colonia, 1952 (tr. it.: Milano, 1985, pp. 41 s. 217).

[13] Cit. da A. MODA, in *Op. cit.*, 16.

anche un riconoscimento letterario, a Darmstadt «dove io, – non Ebeling, non Fuchs, e in genere nessuno di questi specialisti dell'ermeneutica e della cibernetica con i loro discorsi sull''evento linguistico' – dovevo ritirare un Premio Sigmund Freud (ora anche questo!) per la 'forza espressiva della mia prosa scientifica'» [14].

W. Marquardt sottolinea uno 'specialissimo problema' di carattere ermeneutico, sollevato dalla caratteristica dialettica e dalla trasparenza del linguaggio barthiano, non analizzato neppure dall'Accademia che ha celebrato la 'forza espressiva della sua prosa scientifica', e colto pressoché esclusivamente da von Balthasar.

Non si tratta però più di stile in senso strettamente letterario, bensì di quella che von Balthasar chiama *Denkform*, la 'forma del pensiero' [15].

La conclusione che ne trae Marquardt – confortato dalle dichiarazioni dello stesso Barth nella premessa alla ristampa del primo *Römerbrief* nel 1963 – è che «La caratteristica 'ontologica' barthiana deve influire anche sull'analisi del suo pensiero, e questa a sua volta nell'attenzione al rapporto tra prima e poi, tra pensiero della lettera ai Romani e pensiero dogmatico»; «Tra il prima e il dopo esiste un rapporto di vicendevole rimando... Le lettere ai Romani sono esattamente il commentario della Dogmatica ecclesiastica, così come la Dogmatica ecclesiastica è il Commentario delle lettere ai Romani» [16].

Marquardt mette ancora in luce il problema che scaturisce dalla ricchezza delle associazioni caratteristiche del linguaggio barthiano, nella quale «si riflette la molteplicità di livelli della personalità di Barth» [17]; ed il fatto che «la dialettica del discorso barthiano comprende sempre due posizioni. Raramente essa sospinge ad una sintesi assimilante; la sua specificità consiste nell'affermazione della cooriginarietà delle posizioni in un'origine comune» [18].

Affrontata con la rigidità delle categorie usuali nella teologia delle nostre scuole teologiche, la complessità del pensiero e del linguaggio non poteva non far scaturire – come di fatto fece! – l'impressione, anzi la convinzione della caduta e del compiacimento nella contraddizione.

La *Denkform* di Barth ha impegnato con buoni risultati il pensiero critico [19], anche se non va trascurato il giudizio ironico di Barth medesimo a proposito del fatto che nelle 'società' che era solito tenere, a metà degli anni cinquanta, il colloquio «ritornava continuamente alla questione sollevata da al-

---

[14] Cit. in BUSCH, in *Op. cit.*, p. 448.

[15] *Op. cit.*, pp. 207 ss. Cfr. 77, 154. Il problema della forma di pensiero è stato introdotto da H. LEISEGANG, *Denkform*, Berlino, 1951.

[16] F.W. MARQUARDT, *Theologie und Sozialismus*, München, 1972 (tr.it.: Milano, 1974, p. 33).

[17] *Op. cit.*, p. 34.

[18] *Op. cit.*, pp. 34 s.

[19] Cfr. MODA, in *Op. cit.*, p. 65 nn. 2, 3; 138. B. GHERARDINI, *La seconda Riforma*, II, Morcelliana, Brescia, 1966, p. 103.

cuni giovani saputelli: quale sia la 'forma di pensiero' caratteristica della KD, in base alla quale si sarebbe poi potuto decidere se valesse la pena o meno di salire sul treno che, mosso dal suo specifico punto di partenza, appariva fermamente intenzionato a raggiungere la sua meta» [20].

Continuità e discontinuità nel pensiero barthiano

Le osservazioni di Marquardt sul linguaggio e sulla struttura del pensiero barthiano hanno introdotto un altro tema di grande interesse: quello della continuità o delle svolte del pensiero barthiano.

In un articolo del 1959 sulla dottrina dell'analogia in K. Barth, B. Mondin affermava con giovanile baldanza: «nella storia del pensiero di Karl Barth ci sono due svolte decisive. La prima è segnata dall'abbandono del razionalismo liberale in favore dell'infinita differenza quantitativa: la seconda dall'abbandono della dialettica in favore dell'analogia» [21].

In verità, il problema si presenta ben più complesso di quanto non lasci intendere questa affermazione – che esprime peraltro una convinzione non destituita di ogni plausibile giustificazione e largamente diffusa: quasi la interpretazione scolastica dei mutamenti barthiani.

Come volontà di rottura con la teologia liberale, nella quale s'era riconosciuto, almeno verso la fine degli studi e nei primi anni del suo ministero pastorale, senza riserve e con entusiasmo, è nato il primo *Römerbrief*, del quale nel secondo non resta «pietra su pietra».

Gli anni che intercorrono tra le due redazioni vedono anche il distacco di Barth dal socialismo religioso.

L'attività professorale di Gottinga lo guida e lo spinge sulla via della dogmatica; che G. Merz, con altri, lamentasse questo trapasso come caduta dalla primavera del messaggio della Riforma a uno spiacevole autunno della scolastica e della ortodossia può essere attribuito ad una falsa valutazione del cambiamento; ma che esso ci sia stato è confermato dalla risposta di Barth, con la quale apre la *Dogmatica cristiana in abbozzo* [22].

La ripresa dei prolegomeni alla teologia che quest'opera presentava fu in verità l'inizio della KD del 1932, il cui primo volume si caratterizzava non solo per la violenza della polemica contro la teologia liberale e il cattolicesimo romano, ma particolarmente per la durezza della critica alla teologia eristica e alle istanze espresse dal tema della *Anknüpfungspunkt* sul quale insisteva Brunner: la premessa alla rottura clamorosa sigillata dalla fine di *Zwischen den Zeiten* e dal *Nein!* erano chiaramente poste. Che a partire dal III volume della KD

---

[20] Cit. in Busch, *Op. cit.*, p. 362.

[21] *La dottrina dell'analogia in K. Barth*, in «Divus Thomas», 62, (1959), p. 168.

[22] K. BARTH, *Christliche Dogmatik in Entwurf*, Zürich, 1927, p. IX.

si delinei una prospettiva innovatrice per il suo rigoroso orientamento cristologico e cristocentrico è altra convinzione largamente condivisa e oggettivamente fondata. [23].

Potremmo facilmente continuare: la biografia intellettuale di Barth è intrecciata di sorprese e di colpi di scena. Ma fin dove affondano le loro radici? Quale la vera portata dei mutamenti?

Certo, neppure esse sono decisive, né garantiscono una corretta interpretazione; ma non dovrebbero essere disattese in proposito le affermazione di Barth.

Ne abbiamo già ricordata una dalla *Dogmatica cristiana*: la premessa alla KD ce ne offre un'altra non meno importante.

Nei cenni autobiografici del discorso tenuto a Lambeth Palace nel luglio del 1956, tracciando un veloce bilancio dei mutamenti intervenuti nel suo pensiero, nega il darsi di «un 'nuovo Barth', come ha affermato qualcuno un po' sbrigativamente». E continua chiarendo: «È però vero che nel frattempo io ho imparato qualcosa...» [24].

Ad Aarau, il 25 settembre 1956, Barth tenne la conferenza *La umanità di Dio*: una testimonianza tra le più efficaci del mutamento intervenuto dai tempi della teologia dialettica, quasi una ritrattazione di quanto egli, in quella stessa sala, nel 1920, aveva sostenuto opponendosi ad Harnack; ma spiega: «una ritrattazione autentica... non consiste affatto in una successiva ritirata, bensì in un nuovo attacco, in cui ciò che è stato detto in precedenza deve soltanto essere detto rettamente, appunto meglio» [25]. Il non aver essi tenuto in conto i cambiamenti intervenuti nelle concezioni barthiane, era il motivo del disappunto che gli suscitavano uomini come Niebuhr e Tillich [26].

Di «diverse vie e giravolte» delle quali vuol render conto a sé e ai suoi contemporanei parla ancora nella *Introduzione alla teologia evangelica* [27].

Le analisi più puntuali circa l'argomento dei mutamenti barthiani sono dovute a Marquardt [28], dal quale, dopo quelli già citati, vogliamo cogliere ancora un passo: «È impossibile leggere soltanto la *Dogmatica ecclesiastica*, come è impossibile leggere soltanto i *Römerbriefe*, come pure è impossibile leggere il secondo *Römerbrief* senza il primo e la 'rivoluzione' del primo senza il 'liberalismo' dei saggi 'marburghesi'. Nessun ideale di integralità ma soltanto l'osservazione che Barth può essere compreso solo nella luce della sua intera opera, nella quale una parte non si limita a fare seguito all'altra, ma ravvisa in essa anche il suo presupposto contenutistico, ci costringe a questa affermazione. L'autotestimonianza di Barth, che discutiamo nel prossimo capitolo,

---

[23] Cfr. MODA, *Op. cit.*, pp. 133 s..

[24] Cit. da BUSCH, *Op. cit.*, p. 377.

[25] Cit. in BUSCH, *Op. cit.*, p. 381.

[26] Cfr. BUSCH, *Op. cit.*, p. 395.

[27] K. BARTH, *Einführung in die evangelische Theologie*, Zürich, 1962 (tr. it.: Milano, 1968).

[28] *Op. cit.*, pp. 197 s., 221 ss., 307, 317 ss..

ci sospinge a ciò solo come motivo addizionale. La metodologia di Barth è la sua biografia teologica»[29].

Una sintesi prudente e illuminante è quella di E. Jüngel[30].

Le opinioni ascoltate sembrano suggerire due avvertenze: la prima ci ammonisce a cogliere e a interpretare i mutamenti intervenuti nel cammino teologico barthiano entro una chiara e adeguata prospettiva ermeneutica, capace di comprendere e mediare le intenzioni profonde di Barth, le sollecitazioni che egli ha avuto dal confronto con altre prospettive o posizioni teologiche, e in particolare dalla sua intensa partecipazione alla storia della sua epoca, o più largamente dalla 'prassi'; e poi finalmente le oggettivazioni letterarie del suo pensiero, che potranno allora essere valutate nella loro genuina portata[31].

Il secondo avvertimento ci invita a considerare entro quel quadro, ma senza cedere ad apriorismi e a violenza sistematizzatrice, i singoli temi circa i quali i mutamenti si sono verificati, e nei quali prendono concretezza le prospettive generali.

Su questo piano possono allora essere adeguatamente apprezzate le indagini e le convinzioni di G. Miegge, di v. Balthasar, di Bouillard, di Mancini, di Moda ed altri[32].

Per quanto concerne il contenuto del pensiero barthiano, va notato anzitutto il carattere fortemente biblico della sua teologia. L'ammonimento rivolto ai suoi studenti «Esegesi, esegesi e ancora esegesi» fu anzitutto la sua regola. Non va dimenticato che egli si affermò nell'arengo teologico con commenti a testi biblici, e che il commento fu il genere col quale esordì nel suo insegnamento universitario e che mai definitivamente abbandonò. La stessa KD non solo è profondamente nutrita di esegesi, ma del commento biblico assume per larghi tratti l'andamento[33].

In secondo luogo, la teologia barthiana si alimenta profondamente alle sorgenti della Riforma, e – persino con toni non alieni dalla polemica – si qualifica, nei confronti del luteranesimo come teologia riformata, calvinistica[34].

Una rinnovata attenzione alla ortodossia veteroprotestante caratterizza in particolare il lavoro dogmatico di Barth; all'attenzione si accompagna la volontà di non limitarsi «a stare troppo solidamente sul 'terreno' del 'protestan-

[29] *Op. cit.*, p. 223.

[30] *Op. cit.*, p. 26.

[31] Per il rapporto fra teoria e prassi, cfr. MODA, *Op. cit.*, p. 20 e n. 1, ove si richiamano le perspicaci osservazioni già avanzate da v. BALTHASAR, e p. 22.

[32] G. MIEGGE, Introduzione a: K. BARTH, *L'Epistola ai Romani*, Feltrinelli, Milano, 1962, pp. XXX ss. v. BALTHASAR, *Op. cit.*, p. 40. H. BOUILLARD, *Karl Barth*, I, Paris, 1957, p. 261. MODA offre un ampio quadro bibliografico delle opinioni in proposito in *Op. cit.*, pp. 133 ss. 136 ss. Di MANCINI diremo in seguito.

[33] Cfr. MODA, *Op. cit.*, pp. 49 e n. 5; 50 s. e nn. 3.4.

[34] Cfr. v. BALTHASAR, *Op. cit.*, pp. 37 ss.; MODA, *Op. cit.*, p. 139; GHERARDINI, *Op. cit.*, pp. 80 ss..

tesimo', con la conseguente apertura ai Padri della chiesa antica e persino alla scolastica cattolica [35]. Va ricordato che uno dei momenti di svolta del pensiero barthiano resta senza dubbio segnato dal suo studio su Anselmo.

Abbiamo già ascoltato i rimproveri che gli sono stati rivolti di neo-ortodossia e di scolasticismo, cui si aggiungerà più tardi quello di «positivismo della rivelazione» avanzato da Bonhoeffer [36], ed anche una risposta di Barth.

Saranno queste, con altre, le ragioni per le quali al successo del Barth 'dialettico', che non fu impedito, anzi piuttosto ricevette lustro dall'opposizione dei grandi rappresentanti della teologia liberale [37], succederà un declino dell'interesse, sin quasi all'esaurimento, nell'ambito protestante, a partire dagli anni '40, quando tutta l'attenzione sarà rivolta ai problemi della demitizzazione, dell'ermeneutica, del Gesù storico [38].

Si tratta dell'apertura di un dialogo insistito e sensibile con la tradizione, che Barth non abbandonerà più, anzi andrà costantemente allargando e approfondendo, non nell'atteggiamento di chi si ripiega sul passato, ma di chi lo frequenta per trarne nuove energie che permettano efficaci risposte ai problemi del presente e propizino il balzo verso il futuro. «È certo compito di colui che annuncia la parola nuova il dire anche l'ultima parola antica» [39].

Il titolo dato al suo *opus magnum*, Dogmatica ecclesiale, è sintomatico, e come tale esplicitamente inteso.

Va ricordato, infine, il carattere confessante della teologia barthiana, sul quale insiste V. Subilia, e che è preso in esame da W. Lienemann [40].

Son queste le premesse che meglio possono spiegare l'interesse dei cattolici per la teologia barthiana.

Barth e la cultura italiana

In un'opera di notevole interesse, affidata alla collaborazione di studiosi di tutta Europa, diretta da M.F. Sciacca e pubblicata in lingua francese per i tipi della Marzorati: *Les grands courants de la Pensée mondiale contempo-*

---

[35] Cfr. BUSCH, *Op. cit.*, p. 140; e per il carattere ortodosso della teologia barthiana p. 336.

[36] Cfr. MODA, *Op. cit.*, pp. 66 e n. 3; 69 e n. 1.

[37] Cfr. le reazioni di Harnack e di Jülicher, con le accuse di marcionismo, J. MOLTMANN (a cura di), *Die Anfänge der dialektischen Theologie*, 2° tomo, München, 1962-1963 (tr. it.: Brescia, 1976). MARQUARDT, *Op. cit.*, p. 208.

[38] Cfr. v. BALTHASAR, *Op. cit.*, p. 14. G. COLOMBO, in *La teologia italiana nel ventennio 1950-1970*, «La Scuola Cattolica», Venegono Inf., 1975, p. 48. A. BERTULETTI-P. SEQUERI in AA.VV., *La teologia italiana oggi*, La Scuola-Morcelliana, Brescia, 1979, pp. 158 ss..

[39] K. BARTH, *Die protestantische Theologie im 19. Jahrhundert. Ihre Vorgeschichte und ihre Geschichte*, Zürich, 1947 (tr. it.: Milano, 1980, II. p. 260).

[40] Cfr. V. SUBILIA, *Il protestantesimo moderno fra Schleiermacher e Barth*, Claudiana, Torino, 1981, p. 12 s.. Per il Lienemann, cfr. MODA, *Op. cit.*, p. 69, n. 1.

raine, nel primo volume dei *Portraits* appare la presentazione di Barth, firmata da G. Casalis. Il titolo del primo capitolo recita: *Le sens d'une vie: un chrétien devient un des éléments de la conscience du monde* (p. 49).

L'affermazione non ci suona nuova; è curioso però osservare che essa si legge in un'opera ove, se non vado errato, il nome di Barth non riappare più, neppure nei panorami nazionali svizzero o tedesco.

In particolare – ed è questo che ora ci interessa direttamente – esso è ignorato nella sezione che riguarda il pensiero italiano. Il tema del rapporto di Barth con la cultura italiana può essere apprezzato adeguatamente se si mette in conto l'effettiva portata dei rapporti che essa intrattiene con la cultura di lingua tedesca in generale, e in particolare il suo tradizionale disinteresse – con alcune tanto rare quanto meritevoli eccezioni – per i problemi e per la letteratura teologica.

Alcuni dati sintomatici: il nome di Barth non appare nell'indice dei nomi di *La religione* di G. Gentile (Sansoni, Milano 1965). È vero che la prima parte dell'opera, più attenta a problemi storiografici, raccoglie articoli scritti tra il 1903 e il 1909, ma nelle altri parti si penetra decisamente, dal punto di vista cronologico, nell'epoca barthiana.

Il nome di Barth è del pari assente nell'opera di E. Garin, *La cultura italiana tra '800 e '900* (Laterza, Bari 1962).

Rivelativa è una affermazione che apre la veloce pagina dedicata a Barth nella voluminosa *Storia della filosofia* di N. Abbagnano: «L'incontro con Barth di una trattazione storica della filosofia dev'essere limitato alla sua opera più nota, *Commentario della Lettera ai Romani* (1919, 2ª ediz. 1922), giacché sia gli scritti precedenti (teologici o di esegesi biblica) sia l'opera successiva sulla Dogmatica (il cui primo volume uscì nel 1927 e di cui sono ora pubblicati vari volumi) appartengono strettamente alla speculazione religiosa protestante» (II/2, 710).

Di fatto, l'orizzonte evocato da Abbagnano è quello entro il quale è rimasta chiusa per decenni la filosofia italiana, originariamente tracciato dagli studi di Martinetti e di Pareyson.

Se si profilano interventi in qualche misura dissonanti con la interpretazione dominante, come quello di G. Gangale nella Spiegazione, che introduce il libro di M. Strauch, *La teologia della crisi* (1928), o di G. Cardona nell'articolo: *Di alcuni orientamenti nel pensiero religioso contemporaneo*, in «Studi germanici» 5-6 (1940) p. 360, che spinge una non felice espressione del Pareyson, il quale parla di 'panteismo' barthiano, nella direzione di un «radicale immanentismo», essi non hanno avuto seguito. Il bilancio tratto da A. Santucci in *L'esistenzialismo e la filosofia italiana* conferma questa osservazione, che si mostrerà inadeguata e dovrà essere diversamente calibrata solo a partire dagli anni '60.

Allora, oltre coloro dei quali diremo più diffusamente, possiamo notare l'apparire di uno studio di P. Orlando, *K. Barth contro la secolarizzazione*, Genova, 1969; e due contributi per una più precisa definizione della genesi del pensiero barthiano: l'uno di G. Riconda, *L'eredità di Kierkegaard e la teologia dialettica nel suo significato speculativo*, in «Filosofia» 25 (1974) pp. 215 ss.; l'altro di C.E. Viola, *L'itinerario teologico di K. Barth*, in «Doctor Communis» 24 (1971) pp. 98 ss..

Una attenzione particolare meritano dunque gli studi di Martinetti e di Pareyson; ma dobbiamo ricordare anzitutto un intervento di B. Croce. Nel 1934, sulla «Critica», Croce accusava Heidegger, commentando il suo famoso discorso inaugurale all'Università di Friburgo, di prostituire la filosofia, asservendola al nazionalsocialismo. All'atteggiamento del filosofo Heidegger, Croce oppone quello del teologo K. Barth, e la critica ai *Deutsche Christen* espressa da *Theologische Existenz heute*. Intervento interessante per vari rispetti, non per quello teologico che ora ci interessa.

Piero Martinetti

Più volte Martinetti aveva già congiunto R. Otto e K. Barth sotto la categoria e la censura di 'irrazionalismo mistico', cui ricollegava anche in generale la 'storia formale' o *Formgeschichtliche Methode*[41].

'Nuovi mistici', per i quali «la dottrina di Gesù è essenzialmente negazione del mondo e in tale qualità ha un senso per noi»; e, rifacendosi a I.W. Schmidt Saping, precisa: «Per Carlo Barth Gesù incarna la negazione del mondo ed è la nostra guida in quanto noi per un consenso mistico operiamo in noi la stessa conversione. Il consenso mistico con Cristo diventa poi per il Barth consenso anche nella tradizione e nelle Scritture in cui abbiamo trovato la rivelazione mistica del Cristo». (p. 516); non mancando di sottolineare che questo principio mistico, che non è «un principio dottrinale che poi si traduce in vita», sibbene «inizia e giustifica un complesso di dottrine che, nel loro principio almeno, sono una fede ispirata, non un'opera della ragione», questo 'fideismo' dunque, «è in diretta opposizione con lo spirito della dottrina evangelica. Gesù non fonda il suo insegnamento su alcuna visione mistica o rivelazione soprannaturale: egli non chiede ai suoi seguaci alcuna fede, alcuna dedizione cieca...» (p. 517).

In *Rivelazione e fede* la teologia dialettica di Barth è detta avversa a ogni forma di sentimentalismo, ma «più decisamente irrazionalista» che non la mistica di R. Otto[42] (p. 222). Profeta più che teologo, Barth con i profeti «condivide anche il privilegio di parlare per oracoli e di non temere le oscurità e le contraddizioni» (p. 223).

---

[41] Cfr. P. MARTINETTI, *Gesù Cristo e il cristianesimo*, Il Saggiatore, Milano, 1964, pp. 99, 102. Le sole indicazioni di pagina, immediatamente successive nel nostro testo, si riferiscono a quest'opera.

[42] Il testo, del 1934, è riportato in: P. MARTINETTI, *Gesù Cristo e il cristianesimo*, II, M.A. Denti, Milano, 1949. A quest'opera rinviano le pagine indicate successivamente nel nostro testo.

Per lui, dominato da una «visione trascendente immediata», dalla «visione dell'opposizione tra il mondo che passa e l'eternità», la quale poi «è la presenza immediata di Dio stesso allo spirito», «la Bibbia è solo il punto di partenza d'un'interpretazione liberissima: essa non è un libro ispirato da cui si debba ricavare un sistema teologico», sebbene si aggiunga subito che Barth ne ricava una sola idea, e per di più di carattere filosofico: «La verità suggerita dalla Bibbia è una sola, quella stessa che è suggerita da ogni filosofia degna di questo nome, da Platone a Kant: il dualismo reciso e assoluto fra il mondo divino e l'umano».

Perché nel *Römerbrief* «il commento a Paolo come il richiamo ai grandi riformatori è in realtà un pretesto: in esso egli espone dogmaticamente una visione filosofico-religiosa, a cui il testo è associato solo per mezzo d'un'interpretazione estremamente libera» (p. 223).

Difficilmente si potrebbero formulare un più reciso misconoscimento delle intenzioni che hanno mosso Barth e lo hanno guidato nella composizione del *Römerbrief*, un più radicale fraintendimento della direzione nella quale l'opera aveva ormai da tempo svolto la sua azione efficace, e un'interpretazione più estranea al cammino teologico di Barth.

Dualismo escatologico radicale, non statico e metafisico (p. 223): «Il dualismo del mondo e di Dio è un dualismo 'dialettico', che viene tolto nell'atto stesso che viene posto» (p. 224).

La via d'uscita verso una liberazione, che Barth in verità s'era precluso con la negazione di ogni valore umano, anche del valore della religione, è da lui ricuperata grazie all'attenuazione del suo inesorabile dualismo, perché egli «introduce nel mondo un processo storico della rivelazione che, nonostante le sue riserve e le sue attenuazioni, è una reale azione di Dio nel mondo» (p. 224).

«Questa 'porta aperta' è per noi la rivelazione del Cristo» (p. 225): non di Gesù, la cui vicenda storica ed anche la morte (per non dir della risurrezione, non fisica, ma ridotta a simbolo del «miracolo per eccellenza che è l'unione perfetta con Dio») gli sono indifferenti: come indifferente gli è il contenuto storico delle Scritture (p. 225).

«Senza dubbio la concezione che il Barth ha delle Scritture è fondata su tutto il lavoro storico-critico: ma dinanzi alla rivelazione mistica questo è messo da parte, non senza un lieve senso di sprezzo» (ivi); e sulla ragione è fondato l'intero della sua concezione, che egli peraltro vuole «perfettamente indipendente dalla ragione», respingendo 'l'onta del razionalismo' (p. 225 s.). In verità, «La sua intuizione religiosa è risultato di una elaborazione filosofica complessa, che è opera razionale...» (p. 225.).

Giustificata reazione, continua il Martinetti, contro la riduzione della religione a «fatto puramente umano, in funzione della vita sociale», della rivoluzione di Gesù a «una semplice morale superiore, ottimistica e terrena»; espressione di «un'aspirazione ardente verso un fondamento assoluto e trascendente della religione ed un senso di sfiducia nell'opera della ragione»; «Ma noi non dobbiamo lasciarci indurre a convertire l'avversione contro le opere inadeguate della ragione in un'ingiustificata avversione contro la ragione» (p. 226). Contro quella ragione che ci eleva alla visione dell'unità, onde Martinetti può concludere: «Vi è quindi una mistica della ragione; che è la sola e vera mistica degli spiriti illuminati» (p. 227); la cui espressione, lungi dal ridursi alle forme del raziocinio, è la conoscenza simbolica (p. 228 s.).

Martinetti giungerà anche ad accusare Barth di 'fatuo ottimismo' legato ad una forma di fatalismo antiumanistico e alla inconsistenza etica della sua visione.

L. Pareyson

L. Pareyson si preoccupa di fissare anzitutto il rapporto di Barth – incontrato nel quadro degli studi sull'esistenzialismo e in tal prospettiva studiato – con Kierkegaard: il barthismo «perché è esperienza originale nata al contatto con la speculazione kierkegaardiana, rappresenta una risposta personale all'esigenza suscitata da quel contatto»[43] (p. 116). Dalla fonte Barth avrebbe attinto e isolato principalmente l'idea della infinita differenza qualitativa tra Dio e l'uomo (ivi). Globalmente però Pareyson non è molto lontano dalla convinzione dello Jaspers, secondo il quale la teologia dialettica non avrebbe nulla di kierkegaardiano (p. 174 s., 180).

Anche per quanto concerne il rapporto con Dostoievski – mediato soprattutto da Thurneysen[44] – si tratterebbe di una interpretazione «tutta barthiana delle concezioni di Dostoievski, nella cui opera si direbbe che la teologia dialettica cerchi più una conferma della propria dottrina che non, veramente, una ispirazione» (p. 120). La conferma è colta nella stilizzazione drammatica che Dostoievski fa dell'enigma dell'uomo. «Enigma è l'essenza stessa dell'uomo: la domanda è già una risposta. La problematica non è risolta; ma appunto in quanto è rimasta aperta, anzi in quanto è stata accentuata ed esasperata, essa è già soluzione di se stessa. L'enigma della vita svela che il senso di essa non le è immanente; per questo il significato della vita consiste proprio nella sua enigmaticità. L'esserci non si spiega da sé. Tuttavia questa sua negatività è pure la sua positività: rimanda, sopra di sé, a Dio. Che la vita abbia il suo significato in Dio, ci è svelato dalla sua angosciosa e fatale enigmaticità. L'esserci si pone in quanto si nega, si spiega, come rinviante a Dio, in quanto non si spiega con un principio ad esso immanente. In questo senso la problematizzazione della vita è già la spiegazione di essa: l'uomo è problema che rinvia, per la propria soluzione, sopra di sé, a Dio. La coincidenza di problema e soluzione si fonda sullo schema dialettico dell'implicanza di negatività e positività» (p. 121).

La lettura barthiana del giovane Pareyson è lucida, intelligente, puntuale,

---

[43] L. PAREYSON, *Studi sull'esistenzialismo*, Sansoni, Firenze, 1971. (La prima edizione è apparsa nel 1943). Le pagine successivamente indicate nel testo si riferiscono a quest'opera.

[44] E. THURNEYSEN, *Dostojewski*, Doxa, Roma, 1929.

problematica e, ritengo, insufficiente è la chiave sulla quale si regge. La centralità accordata al secondo *Römerbrief* – ben spiegabile nel contesto della cultura italiana degli anni '30 e '40 – e la interpretazione rigorosamente ontologica del 'linguaggio' kierkegaardiano in quello impiegato, entro il quale si chiude la comprensione della infinita differenza qualitativa tra Dio e uomo e le formule nelle quali essa si esprime: Dio è Dio, l'uomo non è Dio (pp. 124 ss.), esprimono l'orientamento dominante.

Chiave insufficiente, l'ho detta, non semplicemente scorretta, perché non ritengo priva di significato un'interpretazione ontologica del barthismo, e meno ancora vorrei contestato il diritto di mettere in luce valenze ontologiche – presupposti, implicazioni, conseguenze – peraltro non espressamente intese, o addirittura rifiutate, da un pensiero che si pone su altro piano, ma che ritengo non possa sottrarsi *a priori* ad una problematizzazione della sua ontologica radicazione. Del resto una conferma ci viene dallo stesso Barth che più tardi ha riconosciuto i legami e le dipendenze del suo linguaggio da forme di pensiero contro le quali intendeva reagire.

In questa linea si presenta come cruciale il problema del dualismo (il marcionismo del quale Barth è stato accusato da Jülicher, Förster, Harnack): «Si tratta di un dualismo radicale che dialetticamente si risolve in un monismo assoluto. La speranza escatologica dell'Apocalisse non deve essere proiettata nel futuro in un attimo temporale che segnerebbe la fine del mondo, ma in un attimo fuori del tempo, in una fine intemporale che è l'annullamento del tempo, e cioè l'irruzione dell'eternità. Il movimento all'unità, che costituisce la dinamicità del dualismo radicale dialettico, si compie nella crisi del tempo, in quella negazione della negatività che è la posizione della positività, e cioè in quell'annullamento del tempo che è l'entrata nell'eternità. Il monismo non è, dunque, soltanto finale, né, tanto meno, finalistico, ma veramente escatologico» (p. 128).

Ma tale interpretazione del monismo come escatologico può essere fatta valere altrove che sul piano non già metafisico, ma propriamente teologico? Non è dichiarato dallo stesso Barth, quando afferma: «Noi possiamo comprendere, che non possiamo comprendere Dio se non nella dualità, nella dualità dialettica, in cui l'uno deve essere due, affinché il due sia veramente uno»? (pp. 158 s.).

Anche così dunque si disvela il limite della prospettiva ontologica che domina nel Pareyson, senza peraltro porsi come esclusiva; perché in verità, nel discorso che egli propone, non mancano di venire in luce elementi teologici essenziali.

Non mi riferisco tanto alle determinazioni ad esempio della cristologia, ove si distingue la interpretazione kierkegaardiana che accentua, contro la riduzione hegeliana all'idea, il Gesù storico, dalla cristologia barthiana – che insiste sulla eternità del Cristo (p. 143) –; e neppure alle affermazioni generali che propongono il rapporto barthiano tra filosofia e teologia (p. 131 s.). Mi pare vada invece sottolineata l'affermazione del carattere non esistenzialistico della concezione barthiana (p. 171 ss.); detto positivamente: il teocentrismo radicale di Barth (p. 172). Onde Pareyson può concludere: «Soprattutto, dunque, per i due punti esaminati, e cioè per il radicale teocentrismo e per la dottrina dell'esistenza eterna, non può il pensiero barthiano essere considerato come esistenzialistico» (p. 174).

Ancor più a fondo Pareyson coglie la incrinatura kierkegaardiana, dalla quale sorge la scissione tra il teologo (Barth, appunto) e l'ontologo (Heidegger) dell'esistenza (p. 179). E il carattere teologico riconosciuto a Barth è proprio quello per il quale egli corrisponde alle esigenze che egli vuole assolute e decisive per la teologia: il riconoscimento della signoria assoluta dell'Oggetto, della Parola di Dio. «Il pensiero barthiano intende presentarsi ... come teologia, e, cioè, come contemplazione dell'oggettiva parola di Dio intorno all'unico problema degno del nome: il problema dei rapporti fra uomo e Dio» (p. 185). E poche righe sopra aveva scritto: «Ma la religione vera è quella che, invece di attendere d'essere negata dal fallimento della sua presunzione, si nega essa stessa, relativizzandosi di qua dalla linea che la divide da Dio, mai possesso ma sempre soltanto indicazione del supremo Oggetto: riconoscimento della fede nella parola di Dio, che in nessun caso si riducono a possibilità umane» (pp. 184 s.).

D. Morando

Anche D. Morando, nel primo di una serie di saggi pubblicati tra il 1942 e il 1947 sulla rivista rosminiana, affronta Barth nella prospettiva dell'esistenzialismo e della teologia della crisi. I temi ripresi e le critiche avanzate nei confronti di Barth sono quelli già a noi noti. Il Morando sottolinea in particolare che Barth risolve le contraddizioni e le dilacerazioni dell'umana esistenza messe in luce da Kierkegaard e Nietzsche con il totale assorbimento della creatura nel creatore, nella forma di un assoluto fideismo. La teoria barthiana propone dunque la ottimistica conciliazione di ogni dualismo; la negazione radicale dell'uomo carnale provoca, attraverso la crisi, la reintegrazione dell'esistenza vera dell'uomo nell'essere di Dio.

Soluzione inefficace, che rivela la sua profonda essenza in colui che è il vero erede dell'esistenzialismo teologico di Kierkegaard o di Barth: Heidegger, il filosofo del nulla.

Morando giunge però, a partire dal 1947[45], ad una notevole revisione della sua interpretazione e della critica a Barth. Una migliore conoscenza di Barth, soprattutto del Barth della KD è all'origine del ripensamento, stimolato però ed orientato, come Morando stesso riconosce, da E. Gilson.

I motivi suggeriti da Gilson per un riconoscente apprezzamento di Barth anche da parte dei cattolici vanno ravvisati nel primato conferito alla Scrittura; nel contributo dato al ritrovamento di una teologia cristiana veramente ecumenica e non legata alle scuole filosofiche; nel senso di fraternità e di familia-

---

[45] D. MORANDO, *Saggi sull'esistenzialismo teologico*, Morcelliana, Brescia, 1949.

rità che la sua teologia crea, al di là delle divisioni ecclesiastiche. Oltre a ciò, merito grandissimo di Barth e ragione della sua attualità è l'aver combattuto ogni forma di immanentismo, riproponendo con vigore il problema della trascendenza, non per annullare il mondo, ma perché il mondo ritrovi se stesso di fronte a Dio; sino al profilarsi di un nuovo umanesimo.

Il pensiero di Barth, opina il Morando, è percorso da una certa vena di panteismo. Tuttavia egli ha saputo parlare un linguaggio che risponde ai bisogni del tempo; e ha saputo indicare efficacemente nella trascendenza i motivi del suo impegno morale.

Altri pensatori come Battaglia, Stefanini, Sciacca leggono durante gli anni della guerra gli esistenzialisti, ed incontrano Barth; ma restano sostanzialmente chiusi nell'alveo dell'interpretazione sostenuta dal Martinetti, senza riuscire ad esiti di qualche rilievo per correttezza ermeneutica o approfondimento critico [46].

Meriterebbero forse più attenta considerazione rapsodiche ma illuminanti indicazioni rintracciabili in pensatori quali A. Banfi, E. Paci. Soprattutto vorrei ricordare un pensatore che all'eccellente competenza, anche nell'ambito teologico, unisce straordinaria sensibilità al religioso e finezza di spirito: A. Caracciolo.

La via percorsa da Barth è stata solo accostata, e talvolta tagliata, dal suo cammino, volto a rintracciare e a riscattare la più pura immagine della *Liberalität*, non già nella linea della volgata teologia liberale, ma di quelli che a miglior diritto possono essere addotti come i suoi più alti rappresentanti: Lessing, Kant, Hegel, Schleiermacher, e poi Troeltsch, sino a Jaspers. A Barth sono dedicati non più che cenni: tali da farci sentire il rammarico per la mancanza di maggiori sviluppi e più la responsabilità di una teologia, come quella italiana, che non ha saputo accogliere la ricchezza di stimoli che le era offerta, e sollecitare un dialogo più intenso [47].

La teologia protestante

Non è mio compito, e sarebbe presuntuosa e arrogante profanazione del *numen loci*, o sciocca pretesa di portar vasi a Samo, indagare e cercar di mettere in luce l'interesse e la presenza di Barth nella teologia protestante italiana. Vi accenno solo per ricordare lo sforzo di corretta informazione sostenuto da G. Miegge e da V. Vinay già durante gli anni '30, mediante succinti ma pun-

---

[46] Un esempio dell'interpretazione dominante nella cultura italiana di questo periodo ci è offerto anche da A. POGGI, *La preghiera dell'uomo*, Bocca, Milano, 1944.

[47] Di A. CARACCIOLO ricordiamo in particolare gli studi raccolti in: – *Studi jaspersiani*, Marzorati, Milano, 1958. – *La religione come struttura e come modo della coscienza*, Marzorati, Milano. 1965. – *Religione ed eticità*, Morano, Napoli, 1971. – *Pensiero contemporaneo e nichilismo*, Guida, Napoli, 1976. – *Nichilismo ed etica*, Il melangolo, Genova, 1983.

tuali articoli, che avrebbero potuto esercitare utile influenza nell'ambiente italiano teologico e non, ma che influenza non ebbero, almeno sino a quando non apparve *L'epistola ai Romani*, a cura di G. Miegge (1962), la cui Introduzione era già stesa nel 1949; e *Filosofia e rivelazione*, a cura di V. Vinay, e corredata da un suo saggio introduttivo (1964)[48].

L'attenzione volta a Barth dalla teologia evangelica italiana può essere sorpresa anzitutto nella atmosfera nella quale essa respira e nei suoi più generali orientamenti; una sua non trascurabile sedimentazione letteraria va identificata nelle veloci introduzioni che corredano diversi opuscoli apparsi per i tipi della Editrice Claudiana, e che hanno reso accessibile al pubblico italiano testi non voluminosi, ma particolarmente interessanti di K. Barth.

Si colgono talvolta attraverso di esse echi della problematica, della discussione e delle tendenze interpretative che agitano altrove l'ambito degli studi barthiani.

Gli anni '70 hanno visto impegnato nell'opera di interpretazione, di difesa e di divulgazione del barthismo soprattutto V. Subilia.

Vittorio Subilia

Barth esprime soprattutto un'appassionata e vigorosa protesta, che va chiarita nella sua intenzione essenziale: «La protesta di Barth appare mossa da un solo, fondamentale motivo: richiamare, nella concreta situazione culturale e politica moderna, alla confessione cristiana centrale, con tutta la coerenza dell'impegno che essa esige. Dalle monumentali costruzioni della Dogmatica, intese a fornire le strutture necessarie a una predicazione conforme all'evangelo, alla lotta contro le ideologie e le potenze del secolo, la linea di fondo non cambia»[49].

Il bersaglio più generale ma diretto della protesta è la maniera cartesiana del pensare[50]; più determinatamente: l'affermazione della possibilità di una conoscenza naturale di Dio (p. 115). Tale conoscenza propugnata dal cattolicesimo, sul fondamento della *analogia entis* (p. 115 s.), 'devasta' da secoli la chiesa evangelica; i Cristiano-tedeschi non hanno inventato, ma propalato soltanto questa dottrina (cfr. p. 117). Le stesse Dichiarazioni di Barmen sono intese da Barth come un'opposizione radicale alla teologia naturale, accettando la quale la chiesa evangelica «ha cessato di essere evangelica» (p. 117 ss.).

«Dove ha accesso la teologia naturale – commenta Subilia – l'evangelo rimane imborghesito e neutralizzato, non è più l'elemento che esercita con autorità la funzione di determinare il tutto, ma soltanto una componente addome-

---

[48] Cfr. S. NITTI, «*Gioventù Cristiana*» *e le origini del barthismo in Italia (1931-1940)*, Napoli, 1972.

[49] SUBILIA, *Il protestantesimo...*, pp. 114 s.. Le succesive indicazioni di pagine si riferiscono a quest'opera.

[50] Cfr. BARTH, *KD*, I/1, pp. 185 ss..

sticata di un sistema che si avvantaggia del suo apporto per assicurare ancora maggiormente la propria autonomia» (p. 119).

Positivamente, la protesta barthiana insiste sulla principialità assoluta ed esclusiva della Parola di Dio: «La convinzione fondamentale che ha mosso Barth e a cui Barth è giunto dopo un lungo travaglio e dopo successive correzioni di rotta, è che la possibilità di conoscere realmente Dio può essere data soltanto da Dio stesso nella sua Parola, che non è immaginata come tale dall'uomo, non è una costante interiore, psicologica, spirituale, mistica, presente o sviluppabile in ogni uomo, ma l'avvenimento irripetibile, nella sua piena discutibilità e contestabilità, di Gesù di Nazareth» (p. 121).

Discutibile e contestabile, per la figura mondana che la Parola assume: «Noi siamo in questo mondo, siamo totalmente mondani. Se Dio non ci parlassse in maniera mondana non ci parlerebbe affatto»[51].

Su questa non evidenza della Parola di Dio, che in forma sempre più coerente e radicale sarà identificata con Gesù (cfr. p. 122 s.), – si dice con una affermazione che dovrebbe essere meglio calibrata, affinché non si confonda la condizione negativa dell'alternativa, con la possibilità effettiva, per l'alternativa stessa determinante, dell'accettazione e del suo positivo fondamento – si fonda l'alternativa di fronte alla quale l'uomo è posto: quella dell'accettazione o del rifiuto (p. 121).

Il fondamento della non-necessità dell'evidenza, ma della possibilità effettiva dell'accettazione, va ricercato proprio in quello che si dice a proposito del carattere di 'mistero' di questa presenza mondana della Parola (cfr. p. 121 s.).

Il Regno di Dio, l'irruzione di questa Parola, nei termini più concreti: Gesù Cristo, produce una rottura radicale, la «sola grande rivoluzione vera e definitiva» (p. 124); mentre per le autorità e divinità mondane «le piccole rivoluzioni e offensive che di tempo in tempo sembrano sovvertirle, piuttosto che sovvertirle realmente non hanno ancora posto anche soltanto dei limiti reali al loro dominio e meno ancora hanno potuto spezzarlo. Il regno, la rivoluzione di Dio le spezza, le ha già spezzate» (KD IV/2, 615-618, cit. 124). Non è dunque assolutamente possibile identificare la rivoluzione di Cristo con una rivoluzione politico-sociale e comunque storica (p. 125 s.), donde anche la critica di Barth alla rivoluzione sovietica (cfr. p. 128 s.).

Anche da questo punto di vista va riconosciuta l'intenzione essenzialmente teologica, che definisce l'intera prospettiva barthiana, e che sarebbe misconosciuta sia dalla quasi totalità di chi, in Italia, ha studiato Barth in sede filosofica, sia da chi, come Marquardt, ha preteso di inquadrarlo nell'attuale atmosfera politica (p. 121 n. 23).

Eppure, se lo sguardo di Barth è soprattutto rivolto all'ultimo, è pur vero che ad esso lo leva muovendo e vivendo nel penultimo. E l'ultimo è indifferente rispetto al penultimo?

La risposta non può esser che negativa, se è vero che esso sostiene «le spe-

---

[51] BARTH, KD, I/1, 163.

ranze relative che ci permettono di perseverare nella lotta contro l'ingiustizia e le sue conseguenze, contro l'oppressione e lo sfruttamento dell'uomo da parte dell'uomo» (p. 128).

Non si profila dunque la necessità di andar oltre la generale affermazione della 'rivoluzione radicale di Dio', non per superare la rivoluzione di Dio, ma per dirla concretamente ed efficacemente nella nostra parola e per testimoniarla nella vita cristiana? Che cosa significa, in questa linea, l'umanizzazione di Dio? (p. 114).

Barth ha risposto con la sua 'esistenza teologica'. Va letta in altra direzione la sua teologia? Non è sommamente indicativo che proprio quella che ne è stata indicata come la dottrina centrale, la lotta contro la teologia naturale, si presenti come dottrina indubbiamente teologica, che assume però la precisa figura e la portata effettiva della critica dell'ideologia? Non si profila allora una valenza ben positiva ed essenziale della tesi di Marquardt?[52].

Barth e il cattolicesimo

I rapporti di K. Barth con il cattolicesimo sono stati molteplici e vari, curiosi e interessanti, con toni che vanno dalla polemica acerba, all'ascolto interessato, allo stimolo urgente, alla comprensione cordiale e feconda.

Son da recensire anzitutto i rapporti non specificamente teologici, circa i quali ci informa con accurata precisione E. Busch[53].

Per quanto concerne il confronto specificamente teologico, numerosi personaggi entrano autorevolmente in conto. Tra di essi, E. Przywara, G. Söhngen, H.U. v. Balthasar, H. Bouillard, H. Küng sono quelli che non solo hanno segnato le grandi linee della interpretazione cattolica di Barth, apportando un significativo contributo all'intero dibattito sulla teologia barthiana, sostenendo anzi l'interesse per la sua dogmatica, quando esso languiva nell'area protestante[54], ma hanno svolto la funzione di genuini e stimolanti interlocutori nel dialogo con Barth.

Ricca di interesse, è, a questo proposito, la testimonianza di Barth medesimo – espressione, non senza un pizzico di ironia e di autoironia, di sorpre-

---

[52] Cfr. ancora, V. SUBILIA, *Presenza e assenza di Dio nella coscienza moderna*, Claudiana, Torino, 1976, pp. 45 ss.. Si cfr. anche la presentazione di Barth esistenzialista e quietista in G. MOSSE, *La cultura dell'Europa occidentale*, Mondadori, Milano, 1986. Risulta con chiarezza il problema se una lettura della teologia barthiana come apolitica non conduca a tali interpretazioni, rispetto alle quali il comportamento effettivo di Barth, la sua prassi, appare occasionale, inessenziale. Ma la loro inadeguatezza o falsità non si rivela solo alla lettura politica della KD?

[53] Cfr. *Op. cit.*, pp. 20, 64, 140, 149 s., 319 ss., 322 s., 327 s., 341, 346 s., 350, 372, 378 s., 385, 397, 422 s., 427, 429, 433 s., 445 ss..

[54] Cfr. v. BALTHASAR, *Op. cit.*, p. 14; JÜNGEL, *Op. cit.*, p. 60.

sa, di compiacimento, e persino di preoccupazione [55]. Una chiave di lettura di questo rapporto potrebbe essere quella offerta da v. Balthasar, che insiste sulla necessità di un confronto con Barth su quanto concerne la teologia fondamentale o, barthianamente, i prolegomeni alla dogmatica, mentre più facile è il consenso sulla dogmatica medesima [56].

La teologia italiana

In termini diversi si pone il problema dei rapporti fra Barth e la teologia italiana.

Su di essi gravano anzitutto la sensibile reciproca estraneità delle due culture, tedesca e italiana, all'epoca dell'impresa barthiana; e il pressoché totale disinteresse della teologia tedesca – protestante e non – per la teologia italiana. Osserviamo semplicemente il fatto: delle sue cause e della valutazione che esso merita qualcosa potrà apparire nel seguito del discorso. Tanto basta per mettere preliminarmente in chiaro che non si pone affatto il problema di un dialogo che veda come interlocutori Barth e la teologia cattolica italiana, per non dire di qualsiasi tipo di influenza di questa su quello.

Il nostro interrogativo si pone dunque solo nella direzione di una influenza esercitata dalla dottrina barthiana sulla nostra teologia.

Due osservazioni meritano d'essere ancora avanzate *in limine* del nostro discorso: la prima è che Barth ha agito sia direttamente, mediante i suoi testi letti e studiati, sia indirettamente, in grazia di molteplici mediazioni. Più che Barth, sono stati letti, nell'ambiente italiano, v. Balthasar, Bouillard, Küng; tra gli italiani, Gherardini e soprattutto Mancini; non si è fatto Barth oggetto di tematizzazioni e di discussioni esplicite, ma nel trapasso che ha visto la teologia cattolica allontanarsi progressivamente da una concezione della teologia medesima che si voleva, in coerenza con la *Aeterni Patris*, quasi applicazione della filosofia ai misteri rivelati, verso il recupero della rivelazione come principio della teologia [57], la influenza di Barth è stata senz'altro efficace. Insiste su di essa soprattutto H. Bouillard [58].

Anche un secondo aspetto va tenuto presente: il discorso su Barth, il confronto con il suo pensiero, l'ispirazione e l'influenza talvolta profonde che esso ha esercitato, non hanno trovato la via della sedimentazione letteraria, almeno in termini sufficientemente espliciti per entrare in conto in una biblio-

---

[55] Cfr. in proposito, oltre la KD, *Autobiografia...* (p. 99 ss.), il *Geleitbrief* alla *Rechtfertigung* di KÜNG, e infine gli scritti sorti dall'attenzione al Concilio Vaticano II; in particolare: *Thoughts on the Second Vatican Council* e *Ad limina apostolorum*. Cfr. BUSCH, *Op. cit.*, p. 442.

[56] Cfr. *Op. cit.*, pp. 160 ss..

[57] Cfr. G. COLOMBO, in *La teologia italiana oggi*, p. 34 s..

[58] Cfr. *Révélation de Dieu et language des hommes*, Paris, 1972, p. 45 s.

grafia barthiana, eppure sono innegabili e non difficilmente riconoscibili. A titolo di semplice esempio richiamo le testimonianze che in *Essere teologi oggi* appaiono a firma di G. Angelini, il quale ricorda i corsi su «Il problema della teologia protestante del '900», ove ha naturalmente affrontato K. Barth; e M. Cuminetti, il quale, riferendo della sua svolta teologica nella seconda metà degli anni '60, dichiara: «... fu soprattutto K. Barth il teologo che in quegli anni influì di più sulla mia visione teologica» [59].

Ma anche se il nome di Barth non appare nello schizzo dell'autobiografia teologica di G. Ruggieri, nello stesso volume, chi potrebbe dubitare della sua frequentazione barthiana, anche solo leggendo la breve nota con la quale introduce la traduzione italiana di *Teologia e socialismo* di F.W. Marquardt?

Di necessità il nostro discorso si limiterà però agli scritti propriamente barthiani che appaiono nell'ambito della teologia italiana, ovviamente a partire dagli anni '20 del nostro secolo: di un rapporto con il Barth giovane, prima del *Römerbrief*, è ovvio non si ponga neppure il problema.

La teologia italiana degli anni '20

L'affermazione può anche apparire sorprendente: ma non è ovvia la possibilità di svolgere un discorso sulla teologia italiana a partire dagli anni '20, il quale voglia asserir altro che la sua irreperibilità.

Non esiste anzitutto una storia della teologia italiana a partire da quell'epoca.

In un rapido profilo della storia della teologia cattolica nella prima metà del secolo XX, R. Aubert ricorda appena «la 'Scuola cattolica', organo della benemerita Scuola italiana di Venegono» [60]; e a proposito del rinnovamento dei manuali di teologia scrive ancora: «Un poco più tardi, sarà la volta dell'Italia, che sotto l'egida del gruppo molto aperto di Venegono (Milano), pubblica due bei volumi *Problemi e orientamenti di teologia dogmatica* (1967); nello stesso paese compare, sotto la direzione di padre C. Fabro, una *Biblioteca di scienze religiose*, dove si nota la stessa preoccupazione di allargare gli orizzonti» (p. 53).

Completando nello stesso testo il panorama con la teologia dell'epoca conciliare e postconciliare, J. Comblin cita P. Pavan (p. 86) [61].

---

[59] Pp. 44, 56.

[60] AA.VV., *Bilancio della teologia del XX secolo*, II, Città N., Roma, 1972, p. 27.

[61] Studi di un qualche interesse in proposito sono:
- L. ALLEVI, *Mezzo secolo di teologia dogmatica e apologetica in Italia (1900-1950)*, in «La Scuola Cattolica», LXXX (1952) pp. 365-385.
- A. PIOLANTI, *DTC*, Tables Générales, II, coll. 2362-2367.
- AA.VV., *Problemi e orientamenti di Teologia Dogmatica*, I-II, Milano 1957.
- A. MARRANZINI, *La teologia italiana dal Vaticano I al Vaticano II*, in «Bilancio», cit. pp. 95 ss.
- Z. ALSZEGHY-M. FLICK, *Il movimento teologico italiano*, in «Gregorianum», XLVIII (1967) pp. 1-24.

Il problema di una teologia italiana

Che significato possiamo dare alla formula 'teologia italiana'? In che senso possiamo chiederci di una 'italianità' propria della teologia? Si tratta di definirla entro coordinate semplicemente geografiche, o intendiamo aprire il discorso a prospettive storico-culturali e specificamente teologiche?

Una prima, generale ma condizionante indicazione ci viene da G. Colombo: «La teologia italiana è stata notoriamente caratterizzata, almeno fino ad oggi, da un fatto di struttura che ne ha condizionato la vicenda. Il fatto è il legame fra la cultura teologica e la formazione ecclesiastica, nel senso che la teologia venne coltivata quasi esclusivamente nei luoghi di formazione ecclesiastica, seminari e istituti religiosi. Se giuridicamente non è sempre stato così, perché ci fu un tempo in cui la teologia aveva il suo posto, accanto alle altre facoltà nelle università di stato, di fatto fu sempre così perché le facoltà teologiche delle università di stato in Italia non furono mai né vive né vitali, così da legittimare con motivazione assolutamente obiettiva la loro soppressione»[62].

Dagli studi che ci offrono qualche indicazione sulla figura effettiva di questa teologia risultano il suo scarso rilievo internazionale dovuto a scarsa consistenza e creatività; la separazione della cultura teologica dalla cultura laica; l'assenza della teologia italiana nei processi storici della società italiana[63]. Non appare dunque priva di fondamenti la impressione di G. Ruggieri, quando costatò che, a contatto della teologia tedesca, «emergeva il vuoto della teologia italiana, quasi senza carne propria, senza interlocutori»[64].

Le figure della teologia italiana negli anni '20

Se vogliamo sorprendere più da presso i tratti di quella che possiamo comunque intendere come teologia a partire dagli anni '20 – fermo restando che la fissazione di un tale termine temporale non è affatto determinata o comunque in rapporto a motivi interni a questa medesima teologia, ma ha giustificazioni ad essa esterne – dobbiamo anzitutto muovere i nostri passi nell'ambito della teologia manualistica[65].

– AA.VV., *La teologia italiana nel ventennio 1950-1970*, in «La Scuola Cattolica», Venegono Inf., 1975.
– B. MONDIN, *Le teologie del nostro tempo*, 1975, pp. 201-214.
– AA.VV., *La teologia italiana oggi*, La Scuola-Morcelliana, Milano, 1979.
Ad essi si possono aggiungere utili repertori bibliografici, quali: N. CIOLA, *Studio bibliografico sulla cristologia in Italia (1965-1983)*, PUL, Roma, 1984. Manca dunque una vera e propria storia della teologia italiana come *historia rerum gestarum*. La lettura di questi saggi ci convince largamente che la ragione principale è la mancanza di una ricca storia nel senso di *res gestae* (Cfr. L. SERENTHÀ, in *La teologia italiana*, pp. 81-84).

[62] *La teologia italiana 1950-1970*, p. 5.

[63] Cfr. *Ivi*, pp. 5 ss. L. SERENTHÀ, *La teologia italiana oggi*, pp. 60 ss.

[64] *Essere teologi oggi*, Marietti, Casale Monf., 1986, p. 165.

[65] Indicazioni essenziali ci sono date dal già ricordato G. COLOMBO, in *La teologia italiana oggi*, pp. 25 ss. part. 40, 54.

Peso determinante hanno avuto per essa l'enciclica *Aeterni patris* di Leone XIII (1879), alla quale debbono la loro affermazione la teologia e la filosofia neoscolastica, e l'enciclica *Studiorum ducem*, di Pio XI (1923), alla quale è dovuta la lamentata 'recrudescenza del tomismo'[66]. Impostazione neoscolastica è dunque quella della nostra manualistica.

Una visione più completa di quelli che furono la problematica, gli indirizzi, i pregi e i limiti della neoscolastica milanese – peraltro tra i gruppi più vivaci e di maggior interesse – soprattutto nell'ambito filosofico, è presentata da I. Biffi[67], ove già il titolo del saggio è sommamente indicativo: «Filosofia neutra e teologia separata nella neoscolastica milanese»: una filosofia neutra e ovviamente essa medesima separata, che diviene teologia nell'atto in cui si applica ai misteri!

È la conclusione cui è giunta, nel neotomismo, la distinzione tomista tra natura e grazia, fede e ragione ecc. Perché, di fatto, parlare di neoscolastica è termine ancor troppo generale e può essere addirittura sviante: inteso e voluto è il ritorno al Dottore Angelico[68].

Un ritorno che, per ragioni che non stenterei a dire paradossali – da ricercarsi soprattutto nell'arretratezza del pensiero teologico precedente, impastoiato in mille vincoli, sino all'afasia e all'asfissia – è riuscito ad esiti anche positivi; non possiamo però non consentire con l'Aubert che scrive: «Tutto sommato, sembra proprio che si abbia il diritto di affermare che la restaurazione neotomista non ha dato in dogmatica speciale i frutti che erano attesi. È possibile che la collusione di un certo tomismo di estrema destra con l'Action Française abbia danneggiato l'intero movimento almeno in Francia; ma la ragione profonda non è qui. A giudizio di un tomista convinto come Etienne Gilson, se la restaurazione tomista ha raggiunto così presto il suo limite massimo d'altezza e ha cessato di ispirare opere originali e vigorose, la ragione sta nel fatto che in buona parte essa fu condotta sulla base di un'interpretazione storica discutibile del pensiero di San Tommaso, considerato come essenzialista. Questo significava prendere posizione già in partenza contro ogni orientamento del pensiero filosofico contemporaneo[69].

È curioso che ivi si riconosca che la problematica di K. Adam corrisponda a quella di Barth nel *Römerbrief*: tanto dunque incidono i presupposti culturali e teologici nella differenziazione dei cammini!

Se guardiamo alla problematica che pare occupare il centro degli interessi e dell'attenzione di questo momento della teologia, siamo rinviati ai temi della cosiddetta apologetica o teologia fondamentale.

Si tratta dell'intelligenza della Rivelazione; del rapporto tra rivelazione e antropologia; della comprensione dei rapporti fra rivelazione, tradizione, autorità, magistero, teologia. Sono ancora in giuoco – oggetto di interesse anche da parte del versante filosofico del neotomismo e della neoscolastica in ge-

[66] *Ivi*, pp. 45 s..

[67] In *La teologia italiana oggi*, p. 271 ss..

[68] COLOMBO, *La teologia italiana oggi*, pp. 26 ss., 45 s. 48 ss..

[69] In *Bilancio*, II, pp. 27 s..

nerale, alla quale può accostarsi certo spiritualismo italiano – i rapporti tra teologia e filosofia, e la metodologia teologica [70].

Sono i temi che avrebbero permesso e sollecitato un preciso confronto con i Prolegomeni di Barth alla Dogmatica e con la problematica che proprio negli anni '20 si agitava nell'ambito protestante, pungolato dalla teologia dialettica.

Ma al dialogo si opponeva, prima che altri motivi e in particolare prima che i motivi confessionali, la prospettiva culturale di quella teologia, che comporta la chiusura al metodo storico-critico, e, in generale, alla teologia 'positiva'; più radicale e irriducibile era il rifiuto della cultura contemporanea, ove si esprimeva la mancanza di quella coscienza storica che è stata giudicata una delle più decisive acquisizioni della modernità. Risultava alla teologia un carattere astorico o antistorico, che pareva coniugarsi con il disinteresse ecclesiale per la storia, quando l'interesse non si manifestava nella forma di orientamenti conservatori e restauratori, illiberali, inclini all'assolutismo antidemocratico.

Sorprende che, in anni ben più tardi, un uomo della sensibilità e dell'acume di von Balthasar colga il fatto che l'interpretazione barthiana della teologia naturale è svolta nel senso della critica dell'ideologia politica, e resti tuttavia così condizionato dall'usuale disinteresse della teologia cattolica per questa prospettiva, da lasciarla cadere [71].

Da questo punto di vista dobbiamo senz'altro notare che alla teologia cattolica manca l'atmosfera, la linfa, il preteologico dei religioso-sociali che condiziona Barth. Là il configurarsi addirittura di una opposizione radicale allo statuto istituzionale accademico ed ecclesiastico della teologia si configurava come una condizione decisiva per il sorgere dei nuovi indirizzi, di cui Barth è stato sommo rappresentante.

Le tendenze sollecitate dal Concilio

Il momento nuovo della teologia non solo italiana è segnato dal Concilio Vat. II: «... il tempo della teologia post-manualistica ci pare contrassegnato da un dato sicuro e da un dato problematico. Il dato sicuro è il Vaticano II, considerato certo non in se stesso, come fattore magico, ma come catalizzatore e propiziatore di una svolta teologica che andava prendendo figura sotto la spinta di molteplici fattori. Il dato problematico è l'andamento del postconcilio, che rivela una linea di discontinuità nei confronti del Concilio» [72].

Se vogliamo raccogliere sinteticamente i temi più rilevanti nei quali s'è fatta sentire, sino allo sradicamento di posizioni che sembravano ormai definitiva-

[70] Cfr. in *La teologia italiana oggi*, pp. 195 ss., 245 ss., 307 ss., 149 ss..

[71] Cfr. v. BALTHASAR, *Op. cit.*, p. 54; MARQUARDT, *Op. cit.*, 37 s..

[72] SERENTHÀ, in *La teologia italiana oggi*, pp. 59. Cfr. 59 ss..

mente stabilizzate, l'innovazione conciliare, possiamo ricordare:
- il nuovo concetto di rivelazione [73]
- il nuovo rapporto con le antropologie [74]
- il cristocentrismo [75]
- un nuovo rapporto tra teologia e cultura [76]

Teologia postconciliare

In un discorso nel quale si profilava un compito che appariva proprio dei teologi, J. Domenach si chiedeva, con amara ironia, se esistano ancora teologi [77].

Invero, in molti giudizi sulla condizione della teologia sembra prevalere la tendenza all'affermazione di una sua svolta che ne rappresenta quasi un tracollo [78]. Di svolta, frammentazione, collasso parla anche Angelini (pp. 102 ss.), che ne identifica i fattori extrateoretici:
- il ritardo della teologia rispetto alla cultura (pp. 104 ss.)
- l'incidenza dei mezzi della comunicazione di massa (pp. 115 ss.)
- il rapporto fra clero e laicato (pp. 119 ss.).

Le tendenze dominanti sembrano quelle del rifiuto della teoreticità (pp. 89 ss.) e della sistematicità della teologia, che tenderebbe invece verso una nuova forma di nominalismo. Espressione letteraria ne sarebbe il carattere monografico della nuova produzione teologica (p. 91).

La peculiarità della situazione italiana

Il movimento conciliare e postconciliare non poteva non influenzare la teologia italiana. Una veloce panoramica delle sue condizioni nell'epoca postconciliare è rintracciabile nei testi che abbiamo già ripetutamente citati (cfr. in particolare pp. 79-97 ss. 113 s.).

[73] Cfr. *ivi*, pp. 84 s., 149 ss., 195 ss..

[74] *Ivi*, pp. 85 ss..

[75] *Ivi*, pp. 129 ss..

[76] *Ivi*, pp. 64 s., 104 ss.
Il tema del rapporto tra teologia e cultura moderna è stato affrontato esplicitamente da Rahner e da altri autori rappresentanti di tendenze assai diversificate. Per un veloce richiamo cfr. *ivi*, pp. 106-113.
Può essere interessante considerare in proposito anche la vicenda della rivista «Concilium» e i suoi mutamenti di orientamento (cfr. *ivi*, p. 78).

[77] In «Fondamenti», 4 (1986) p. 61.

[78] Cfr. SERENTHÀ, *La teologia italiana oggi*, pp. 88 s.. A quest'opera si riferiscono le successive indicazioni di pagina nel testo.

Emerge da queste considerazioni una certa peculiarità della situazione italiana, che non manca di tratti positivi, sebbene appaia prevalentemente potenziale (pp. 92 ss.).

È facile sorprendere in essa l'intenzione di superare la tradizione manualistica, ma curiosamente essa s'esprime anzitutto nella produzione di nuovi manuali (pp. 66 ss. 375 ss.).

Un genere letterario che ha avuto ampio sviluppo nell'epoca post-conciliare è quello dei commenti ai testi conciliari (pp. 68ss.). Osserviamo che, per ragioni già intravviste, proprio questi commenti possono divenire importanti per la recezione indiretta di Barth.

Espressioni particolarmente rilevanti della produzione teologica italiana ed emblematiche delle sue tendenze e del livello raggiunto sono i Dizionari Teologici (pp. 80 s.).

È ovvio che la vivacità di un qualsiasi tipo di ricerca si rifletta anzitutto nella vita delle riviste. Per la teologia italiana la forma della sedimentazione letteraria in un articolo di rivista, piuttosto che in un testo monografico di grande impegno o in grandi opere sistematiche (tali non sono propriamente neppure i dizionari di cui abbiamo detto!) risponde anche meglio alle esigenze di chi muove i primi passi nel campo scientifico, e a una certa tendenza all'occasionale e all'effimero teologico – detto senza connotazioni particolarmente negative –: in tali tendenze trova risposta l'esigenza di una maggiore integrazione della teologia nella vita e nella storia.

Sul piano dei temi teologici affrontati un riconoscimento peculiare va alla problematica metodologica, cui rivolge la propria attenzione specialmente il gruppo di Milano (cfr. pp. 70 ss.). Credo sia facile intravvedere in questa sensibilità a tale ordine di problemi e negli sforzi ad esso dedicati una intenzione di innovazione della teologia, garantita dalla adeguatezza della risposta alle esigenze della scientificità della teologia medesima, della sua attualità culturale e storica, ma insieme dalla sua capacità di accogliere la linfa vitale di tutta la tradizione teologica. Che nella realizzazione di una siffatta impresa possano darsi lentezze, irrigidimenti, sviamenti e anche cadute e fallimenti è piuttosto cosa da mettersi previamente in conto, che motivo di sorpresa o di stupore.

Invece è da chiedersi se si possa sperare in una seria ripresa della teologia, se questa impresa non è affrontata con tutta la severità e la fatica che essa comporta [79].

Barth e la teologia italiana

È questo che siamo andati tracciando l'orizzonte entro il quale si pone il nostro problema del rapporto di K. Barth con la teologia italiana.

---

[79] Nelle note al suo articolo, L. Serenthà offre una recensione abbastanza ampia delle riviste teologiche, per quanto concerne le tematiche affrontate e in particolare le vie percorse e i risultati raggiunti dalla ricerca metodologica (pp. 74 ss. Cfr. anche pp. 359 ss.).

Esso non sorge, invero, prima degli anni '50. Siamo, sino a questo tempo ed oltre, all'epoca della teologia manualistica, alla quale va riconosciuta una intonazione propriamente sopranazionale, almeno nel senso che la sua genericità e astoricità non le permettono di esprimere tendenze nazionali, vale a dire caratterizzate dal rapporto con una determinata cultura, con problematiche insorgenti da una individuata situazione storica, con orientamenti risolutivi da questa cultura e da questa situazione condizionati.

In generale possiamo dire che, se in essa si trovano cenni e riferimenti a Barth, la teologia italiana tende a giudicarlo per il suo maggiore o minore accostamento alle posizioni cattoliche. Non si avverte il desiderio di imparare qualcosa da lui; anzi neppure la coscienza di poter imparare qualcosa: dominante resta il pregiudizio della autosufficienza, del possesso acquisito della verità, della teologia ormai compiuta (pp. 49, 51).

Un modello tipico del rapporto che la teologia italiana stabilisce con Barth, e insieme della sua dipendenza dalle figure più misere della teologia straniera, può essere rappresentato proprio dai già citati *Problemi e orientamenti di teologia dogmatica*, ove la presentazione di Barth è affidata a uno stanco articolo di Neunheuser, che mostra chiaramente la sua poca dimestichezza con le fonti barthiane e la dipendenza da critiche né profonde né perspicaci; e ancora da un grosso volume edito a Roma nel 1958: mi riferisco a *Il protestantesimo ieri e oggi*, a cura di A. Piolanti. In questa seconda opera sono però anche testimoniate nuove aperture, il possesso e l'uso ormai disinvolto di nuovi strumenti interpretativi e un nuovo stile nell'approccio a Barth, di cui qualcosa diremo.

Un aspetto cui abbiamo già accennato, e sul quale dovremo ancora ritornare, ma che non possiamo qui non richiamare è il carattere 'apolitico' della teologia italiana.

Il problema del rapporto della teologia di Barth con le sue posizioni politiche non è soltanto tema, di maggiore o minor peso, tra altri temi, bensì qualcosa che, almeno problematicamente, mette in giuoco la prospettiva entro la quale deve svilupparsi una corretta interpretazione della teologia barthiana.

Si può dissentire da Marquardt, quando afferma che «... la prognosi politica indirizza la dogmatica di Barth. Come e perché vi riesce possiamo rilevarlo solo se nella teologia di Karl Barth scopriamo il socialismo» [80]. Ma non si può più, grazie anche a Marquardt, ma non solo a lui, aggirare il problema del rapporto che stringe gli orientamenti politici di Barth – e prima ancora: la sua sensibilità ai problemi storico-politici – alla sua teologia e viceversa.

Se dovessimo proporre un elenco dei temi circa i quali la teologia italiana si è mostrata più sensibile ad un confronto con Barth, credo che dovremmo richiamare soprattutto l'ambito della cosiddetta teologia fondamentale.

Si tratta anzitutto della comprensione dei rapporti tra filosofia – e, oggi soprattutto, scienze umane in generale – con la teologia. Nei termini classici della teologia cattolica dovremmo dire: dei rapporti tra ragione e fede.

---

[80] In «Testimonianze», 143 (1972) p. 249.

Tra i temi nei quali l'influenza di Barth sulla teologia cattolica s'è fatta più sensibile potremmo ricordare anzitutto la stessa concezione della teologia[81].

Per la teologia cattolica è rilevante il rapporto che, a partire dalla concezione della teologia, viene a stabilirsi con il pensiero filosofico e in generale con il pensiero 'naturale'.

La discussione con Barth in proposito è una sorta di *Leit-motiv* della teologia cattolica, che talvolta affronta il problema indirettamente, mentre si confronta con Bultmann[82].

Si apre poi, nei termini più generali, ma decisivi nel contesto della teologia cattolica tradizionale, il problema della Rivelazione e della sua comprensione.

Si tratta dell'affermazione circa l'assoluta priorità della Parola di Dio o di Cristo, che la teologia cattolica non nega, ma dice bisognosa di un completamento che chiarifichi il rapporto effettivo che l'uomo può stabilire con la Parola. Problema che vede paradossalmente schierati contro Barth – comunque si voglia poi più precisamente valutare questa opposizione e l'accostamento tra i due – Bultmann e Bonhoeffer: di quest'ultimo è l'accusa rivolta a Barth di *Offenbarungspositivismus*.

Si tratta di valutare a pieno la 'mondanità' della Parola di Dio, il presentarsi dell'assoluto nel relativo, di Dio nell'uomo. Non può esser dubbio che nella prospettiva cristiana il secondo termine media il primo e diviene del primo condizione necessaria. Come si esercita di fatto tale mediazione? Come possiamo raggiungere il mediato attraverso il mediatore? Sono almeno corretti questi termini nei quali si propone il problema?

Come si è data risposta a Barth?

Direttamente, oppure indirettamente, magari seguendo semplicemente altre strade rispetto a quelle da lui indicate e percorse, o forse condannando all'inefficacia la sua lezione?

La opposizione di Barth al magistero ecclesiastico riconosciuto dai cattolici non può che essere radicale, anche per il suo *Offenbarungspositivismus*; tuttavia, forse per la comune opposizione alla teologia liberale, si danno paradossali convergenze con la teologia del magistero[83].

---

[81] Per la discussione della comprensione barthiana della teologia mi permetto di rinviare a: G. BOF - A. STASI, *La teologia come scienza della fede*, EDB, Bologna, 1982, pp. 202 ss.; MODA, *Op. cit.*, pp. 119 s., 124; B. GHERARDINI, in *Introduzione* a: K. BARTH, *Dogmatica in sintesi*, Città N., Roma, 1969, p. 15 s.. Per il metodo teologico in Barth, cfr. BUSCH, *Op. cit.*, pp. 350, 378, 396.

[82] Alcune indicazioni su questo tema sono rintracciabili in:
- COLOMBO, *La teologia ital. 1950-1970*, pp. 31 ss..
- AA.VV., *La teologia italiana oggi*, pp. 30 ss., 33 s., 38 s., 157 s., 293 ss., 315 ss., 335 ss..
- GHERARDINI, *La seconda Riforma*, II, pp. 102 s., 145 ss..
- I. MANCINI, *Novecento teologico*, Vallecchi, Firenze, 1977, p. 30 e *passim*.

[83] Cfr. COLOMBO, *La teologia ital. 1950-1970*, pp. 46 ss., 77 s., 29; AA.VV., *La teologia italiana oggi*, pp. 47, 154 ss., 169 ss., 234 n. e la Bibliografia, ivi pp. 61 s.nn. 129 ss.nn.; G. BOF, *Teologia fondamentale*, Ut Unum Sint, Roma, 1984, pp. 144 ss..

Altro ambito tematico, assolutamente rilevante, è quello del cristocentrismo, e, se vogliamo, della impostazione cristologica e cristocentrica della teologia. Si abbia presente che il problema nella teologia italiana risulta, sino alla fine degli anni '50, quasi completamente assente. La prospettiva cristocentrica agisce peraltro in maniera decisiva sulla interpretazione della Rivelazione.

Da questa situazione si definiscono l'apprezzamento e la critica a Barth[84].

Un tema di recente interesse è la concezione barthiana delle istituzioni ecclesiastiche[85].

Emanuele Riverso

Nella prefazione a KD IV/3, K. Barth pone, prima tra le «ampie e penetranti presentazioni e interpretazioni» del suo pensiero nell'ambito della teologia cattolico-romano, l'opera di E. Riverso, *La teologia esistenzialistica di Karl Barth*, apparsa nel 1955, seguita, a due anni di distanza, dalla *Rechtfertigung* di H. Küng, e dal *Karl Barth* del Bouillard; tutte, continua Barth, di grande erudizione, e, nel quadro dei presupposti confessionali, guidate da seria volontà di comprendere e capaci di guidare ad una effettiva comprensione (p. VIII).

Sin dall'inizio degli anni '50 – primo nell'ambito della teologia italiana – E. Riverso aveva segnalato con diverse pubblicazioni il suo serio ingresso nell'arengo degli studi barthiani.

Non è difficile scorgere i tratti di immaturità di questi primi studi; si ascolti il titolo di un articolo: *Caroli Barths in doctrinam catholicam de gratia recentissimae difficultates refutantur*[86].

Il tema affrontato è la grazia quale si presenta nella dottrina della redenzione, che Barth, ci vien detto: «*magnis verbis, perplurima rethorica et, suo more, pauca claritate inquirit, commentatur et percolit*» (p. 31 cfr. 34).

Non si tratta solo di questioni di linguaggio e di forma, ma di pensiero e di logica, perché egli, Barth: «*in verbis tantummodo, quocumque sensu destitutis, quamvis magnificis acquiescit*» (p. 38 cfr. 34), e, commentando il *simul peccator et justus* che riappare in KD IV/1, 664, oltre a dichiararla in generale asserzione: «*peregrinam apud novatores quoque et sensui obvio totius Sacrae Scripturae repugnantem*», precisa: «*hoc, sicut ostendi, idem est ac nihil dicere*» (p. 42).

---

[84] Cfr. COLOMBO, *La teologia italiana 1950-1970*, pp. 35 ss., AA.VV., *La teologia ital. oggi*, pp. 133 ss., 151. T. CITRINI, *Gesù Cristo rivelazione di Dio*, in «La Scuola Cattolica», Venegono Inf., 1969.

[85] Si può vedere in proposito:
- G. LAJOLO, *Indole liturgica del diritto canonico*, in «La Scuola Cattolica» XCIX (1972) pp. 251 ss.
- D. COMPOSTA, *La Chiesa visibile*, Roma, 1986, pp. 159 s., 352.
- A. LONGHITANO, *Il diritto nella realtà ecclesiale*, in *Il diritto nel mistero della chiesa*, I, Roma, 1986, pp. 105 ss.

[86] In *Ang.* 31 (1954) pp. 31-35.

Per quanto concerne poi la dottrina della grazia, nella recentissima opera che si vuol commentare, Barth non fa che riproporre quello che già nel *Römerbrief: «verbis studiose peregrinis et duris dictitabat»* (p. 32), sebbene con qualche attenuazione del linguaggio: *«acerbitas verborum et formae paulisper lenitae sunt sed plerumque sensus idem manet»* (p. 32 cfr. 42.45).

Si nota invero una nuova insistenza sull'aspetto positivo della giustificazione e sull'efficacia reale e fisica della grazia; *«Sed perperam»* (p. 32): vani sforzi, sin che si resta, come di fatto Barth resta, alla dottrina della giustificazione puramente imputata (pp. 31 ss. 35 ss.), per la quale vale che *«Gratia Dei est mendacium quo Deus sibi mentitur de nobis»* (p. 31 cfr. 35).

Ho insistito un po' impietosamente su questo saggio, nel quale appaiono in chiara luce la rigidità della prospettiva interpretativa e i limiti della comprensione: è il pressoché inevitabile tributo che Riverso paga alla sua formazione e all'ambiente teologico dal quale muove. Il termine cui giungerà nella valutazione di Barth ha ben altra intonazione e portata; e non posso esimermi, a questo punto, dal riportarne una testimonianza: «L'interpretazione barthiana del Cristianesimo ha segnato una tappa nuova nella storia della teologia protestante e ha dato ai cristiani una consapevolezza nuova della loro fede. Ciò spiega l'enorme eco che ha destato nel mondo e l'interesse che ha suscitato anche fuori del campo protestante e fuori di quello strettamente teologico. Essa è stata anche una parola nuova, che il Cristianesimo ha detto all'umanità; ed è una parola indubbiamente rispondente ai problemi e alle esigenze del nostro tempo. Certo non possono mancare delle riserve a questo o quel punto di tale interpretazione; non possono mancare riserve a certi suoi aspetti generali; ma tali riserve non possono avere alcun valore, se la stessa interpretazione non è stata capita a fondo. I brani che seguono in questa raccolta potranno certo contribuire a una tale comprensione, se il lettore vi accede con animo sereno e senza pregiudizi» [87].

Il saggio che abbiamo velocemente presentato offre però un importante indizio della nuova coscienza con la quale si affronta Barth nel mondo italiano: ci si confronta, nel 1954, con l'ultimo volume della KD, uscito nel giugno del 1953. Il peso della lettura dialettica ed esistenzialista di Barth, a partire dal *Römerbrief*, è ancora gravoso; ma il Barth successivo, il Barth della KD è ormai presente: l'esigenza di un contatto più adeguato con l'intero della sua opera letteraria si fa ormai inaggirabile. Il confronto, lo abbiamo intravvisto, resta fortemente condizionato dai presupposti teologici e culturali dai quali si muove ad esso, ed ancora dalla valutazione generale che si dà del protestantesimo e degli sviluppi della teologia protestante contemporanea.

Riverso non ha mancato di prendere posizione in termini del tutto espliciti, riconoscendo che il tratto che caratterizza il protestantesimo contemporaneo

---

[87] In Introduzione a: K. BARTH, *Antologia*, (cur. E. Riverso), Bompiani, Milano, 1964, pp. 53 s..

è l'orientamento spiccatamente cristocentrico [88], sebbene su di esso gravino difficoltà che hanno origine soprattutto dalla «grave crisi a cui sono andati incontro i Libri Sacri» a causa del 'libero esame' (p. 47).

Si apprezza la «rivalutazione del soprannaturale, avvenuta in clima filosofico esistenzialistico»: troppo drastica però, al punto da «rovesciare sul naturale una gravissima disistima, in modo da renderlo addirittura inconsistente e irrilevante»: una condanna che porta inevitabilmente con sé la condanna della ragione e della storiografia (p. 49).

Nel caso di Barth, in particolare, l'orientamento decisamente cristocentrico, propiziato dall'impostazione esistenzialistica, porta al riconoscimento di una duplice storicità: la *Geschichte*, quale appartenenza all'opera di Dio, e la *Historie*, quale appartenenza al divenire di questo mondo: duplice appartenenza che si stabilisce in quanto egli è 'questo uomo' (p. 54).

Purtroppo «il motivo esistenzialistico-protestante del disvalore totale della situazione umana» non solo rende precaria tutta la mondanità, ma svaluta anche la coscienza che l'uomo può raggiungere della propria perdizione, come premessa al suo superamento. La salvezza dipende solo dall'annunzio del Cristo, dotato di una «efficacia oggettiva e ontologica irresistibile» (p. 55); concezione che ha potuto ingannare un interprete quale il Bouillard che l'ha accostata ad un «*rêve christologique projeté sur un ciel platonicien*»; laddove «Il nominalismo e il concretismo della logica barthiana, che quasi nessuno ha notato mai, escludono che per il Barth di oggi si parli sul serio di platonismo e fanno intendere tutta la portata della tesi secondo cui Cristo persona storica concreta è annunzio, è giudizio di Dio, è redenzione, è umanità redenta ...» (p. 55 s.).

Al fondo sta ancora un accostamento alla Bibbia che solleva perplessità circa punti sufficientemente precisi. Per diversi rispetti problematico appare nella KD un presunto indebolimento del biblicismo del *Römerbrief*; l'interpretazione della Bibbia resta comunque guidata da *a priori*, in forza dei quali, secondo «il metodo comune ai protestanti», Barth «vi cerca e vi trova solo e tutto ciò che si accorda con il suo sistema teologico e può valerne come prova» (p. 57).

L'accettazione della critica biblica (p. 58) e l'interpretazione del rapporto tra Bibbia e Parola di Dio (p. 59) sono presentati quali ulteriori punti dolenti della teologia barthiana. La quale dunque appare come governata da un principio ermeneutico che, contro le intenzioni e le proclamazioni di Barth, è estraneo alla Bibbia e alla parola di Dio: intendo il principio esistenziale.

Teologia esistenzialistica la dichiara, sin dal titolo della sua opera principale, il Riverso; e *L'esistenzialismo teologico di Karl Barth* suona ancora il titolo di un suo successivo articolo [89].

---

[88] E. RIVERSO, *Problematica del protestantesimo attuale: la Bibbia*, in «Sapientia» 14 (1961), pp. 47-62.

[89] «Sapientia» 9 (1956), pp. 370-382.

Teologia esistenziale è quella di Barth del *Römerbrief*, e teologia esistenziale resta quella della KD (pp. 370 s. 380 s.). In essa egli disvela una tipica sensibilità moderna e l'apertura ad una problematica filosofica che permette al Riverso di lanciare ponti su territori di solito non frequentati dalla critica barthiana. L'intento antimetafisico del pensiero barthiano è espresso nella riconduzione della metafisica a linguaggio non sensato. Se l'intento affonda le sue radici nel neo-kantismo di Marburg, le movenze della sua attuazione lo accostano all'empiriocriticismo e al neopositivismo, sebbene ovviamente egli non segua il primo nell'assunzione del fenomeno quale oggetto definitivo del sapere, né il secondo nell'affermazione del fatto quale elemento primordiale del reale (p. 372): l'impostazione del problema della metafisica resta comunque caratterizzata proprio da questo accostamento alla concezione neopositivista, dal quale sorgono gli stessi inconvenienti che gravano ad esempio sulla semantica del Carnap, rispetto al quale la posizione di Barth si presenta con 'notevoli vantaggi' (p. 378).

Che la cifra esistenziale sia decisiva nella linea interpretativa del Riverso lo conferma la Introduzione alla *Antologia* barthiana, ove cadono i riferimenti al neopositivismo, ma piuttosto si stringono i rapporti con Heidegger e Sartre, con il conforto della lettera barthiana, che addirittura rivendica il carattere 'esistenzialista' di ogni ordinario pensiero e parola dell'uomo di oggi[90].

Nella situazione barthiana, continua l'articolo di «Sapientia», due strade si aprivano per il possibile svolgimento di un discorso che superasse il non-senso della metafisica assumendo qual proprio fondamento la Rivelazione: la via della dialettica, tentata nel *Römerbrief* (p. 373 ss.); la via della *analogia fidei*, aperta dallo studio su Anselmo (p. 375 s.) e esplicitamente formulata in KD II/1, p. 259 (p. 376 ss.)[91].

L'*analogia fidei* è presentata come il grande acquisto della maturità barthiana, del quale Riverso rivendica la permanenza anche contro la tesi di von Balthasar, che crede di poter sorprendere in Barth una «assunzione progressiva dell'*analogia entis*»: «Ciò vuol dire, a mio avviso, mettere da parte tutta l'originalità e il significato che la sua teologia più recente ha in seno al pensiero contemporaneo» (p. 380).

Proprio su questa originale acquisizione e sulla sua permanenza esplode il più radicale dissenso: «Qui l'insufficienza del barthismo è chiara: la fede non può supplire, non può costituire il senso della consapevolezza, del discorso teologico; essa può soltanto sostenerlo. La fede in un discorso, il cui senso è anche ammesso per fede, è fede di nulla. Non si può neanche parlare di fede, ove questa deve costituire anche il suo proprio significato» (p. 382).

Abbiamo già accennato che ne *Il protestantesimo ieri e oggi* si annuncia un nuovo stile nell'approccio cattolico a Barth, che si definisce per una puntuale

---

[90] P. 43. Cfr. BARTH, KD III/3, p. 397 cit. ivi, n. 31.

[91] Cfr. in «Antologia», pp. 31, 35 ss..

conoscenza dei testi e per un ascolto attento e sensibile, per quanto possa essere critico.

Mi riferisco all'articolo di A. Bellini su *I sacramenti in genere, il battesimo e la cresima* (pp. 987 ss.); ma soprattutto ai due saggi di B. Gherardini, intitolati *Gesù Cristo* (pp. 732 ss.), e *La redenzione* (pp. 790 ss.).

Il valore e i meriti di Gherardini come studioso di Barth – che ne fanno, credo, il migliore conoscitore di Barth tra i teologi italiani – richiedono che il discorso sosti più diffusamente su di lui e sulla sua opera.

Brunero Gherardini

La valutazione e l'apprezzamento positivo di B. Gherardini nei confronti di Barth sono profondamente condizionati dalla convinzione che egli abbia reagito alle tendenze immanentistiche della teologia liberale: «in tempi di non sopite simpatie per l'immanenza, l'atteggiamento barthiano continua ancor oggi ad avere un perché nell'ambito della discussione e dell'approfondimento teologico. Per questo motivo Karl Barth merita incondizionatamente ammirazione e gratitudine»[92].

Non è semplicemente convincente il giudizio sul protestantesimo liberale; e che questo non cercasse di «giustificare ogni avventura che avesse lo scopo di infeudare la fede al sapere filosofico e scientifico del tempo» (p. 80), pare testimoniato dalla sbigottita reazione di Harnack di fronte a Barth, citata dallo stesso Gherardini: «Io mi domando come un uomo, che ha cura d'anime, possa parlare un simile linguaggio» (p. 83).

Merito del Gherardini è la robusta affermazione del carattere teologico del discorso barthiano (pp. 89, 96, 97, 106), – che egli vede garantito dall'influenza su Barth dell'esegesi e della teologia antiscientifica di F. Overbeck (p. 89) – contro le opinioni, dominanti nella cultura italiana, di un Barth esistenzialista (pp. 89, 100 s., 121 s., 138 s.) – opposizione precisata con il richiamo della la esplicita distanza di Barth nei confronti di Jaspers (p. 97 ss.) –, e contro la riconduzione sua all'idealismo (p. 89) e specificamente a Schleiermacher, come vorrebbe von Balthasar (p. 93 ss.).

Giustamente Gherardini mette in luce il carattere non idealistico della dialettica barthiana, anzi la sua non 'genuinità' (pp. 92, 118).

Si dovrebbe meglio chiarire se v. Balthasar sia ben interpretato; se il rapporto che egli stabilisce tra l'idealismo e Barth sia quello di una dipendenza genetica e contenutistica, o non piuttosto di una *forma mentis*.

In proposito, A. Moda, che non cela la sua ammirazione per Gherardini, scrive: «nel suo eccellente saggio, B. Gherardini contesta vigorosamente la lettura balthasariana; le sue critiche non ci paiono però, su questo punto specifico, convincenti, mentre ci paiono valide nei confronti di talune espressioni meno felici di J. Hamer... e di Riverso...»[93].

---

[92] B. GHERARDINI, *La seconda Riforma*, II, Morcelliana, Brescia, 1966, p. 189. Le indicazioni di pagina seguenti si riferiscono a quest'opera.

[93] *Op. cit.*, p. 62 n. 6.

Ma nella ricostruzione positiva delle influenze e delle origini barthiane il problema si fa più delicato.

Il rapporto con Kierkegaard è correttamente indicato e chiarito? (pp. 89 ss.) È proprio corretto parlare di una fermentazione delle sue idee (insieme a Dostoewskij, p. 84), che avrebbero già operato nella conferenza del '14 (*Der Glaube an den personlichen Gott*) come stimolo ad un'apertura alla trascendenza (p. 85)?

E ancora: è definita con sufficiente accuratezza e precisione l'influenza effettiva di Kierkegaard (non semplicemente la consonanza di idee: pp. 89 ss.), quando lo si dichiara «punto di partenza» dell'affermazione della trascendenza? (p. 91).

È corretto parlare dei Blumhardt, come di coloro che avrebbero «mantenuta accesa una fiamma di pietismo fideistico» (p. 86), che avrebbero indotto Barth «pastore turbato» ad una posizione «marcatamente fideistica» ad un «cristianesimo profetico e carismatico»? (p. 87. Ma cfr. 142).

Diverso suona il giudizio di Barth circa il pietismo dei Blumhardt [94].

Forse non si tratta, dal 1914, tanto di un recupero della trascendenza di Dio, quanto piuttosto dell'apertura al significato storico di Dio.

In Gherardini opera una notevole sensibilità e apertura ecumenica; la capacità di vivere la sua rigorosa confessionalità superando la rigida e ottusa chiusura confessionale; una conoscenza vasta dell'argomento, una intelligenza perspicace dei motivi più salienti del pensiero del teologo studiato. Scrive ancora Moda: «Sia consentito a questo proposito di notare l'apporto essenziale di B. Gherardini, l'autore cattolico che, in tempi difficili, ha preservato in Italia una netta comprensione della teologia barthiana, rappresentando anche una tipica forma di dialogo interconfessionale...» [95].

Lo si può esemplificare nell'interpretazione dell'unità e dei mutamenti del pensiero barthiano (pp. 128 s. 142 ss.); nella identificazione del motivo centrale nel *solus Deus*, e del cammino barthiano che 'parte da Dio'.

Può addirittura suonar sorprendente che egli colga non solo la distanza di Barth dal dualismo e dal 'marcionismo' (p. 121); ma positivamente giunge al riconoscimento di una rilevanza proprio della storia: nell'affermazione della temporalità e della storicità del Cristo (p. 114 ss.); della consistenza della storia in generale (p. 108: la carne diventa rivelazione... part. 116) Gherardini non esita a rilevare, contro lo spirito sistematico e facilmente coartatore di certe interpretazioni, la tensione o la contraddittorietà di elementi presenti in Barth, ai quali egli attribuisce adeguato riconoscimento.

Forse la difficoltà della comprensione di Barth dipende da un presupposto che al Gherardini non sfugge del tutto: dalla tendenza ad una interpretazione ontologica del barthismo, che gli sa e dice contraria alle intenzioni di Barth,

[94] *Storia della teologia protestante...*, II, pp. 247 ss..

[95] *Op. cit.*, p. 59 n. 4.

ma alla quale oppone solo la possibilità di un'interpretazione 'esistenzialistica', che egli – nonostante la polemica proprio contro la interpretazione esistenzialistica di Barth – riafferma come prospettiva entro la quale sarebbero interpretati Gesù (p. 114 s.), la giustificazione (p. 117), la chiesa (p. 121 ss.), l'etica (p. 124 ss.).

Gherardini vede il carattere tipico della concezione barthiana del conoscere (p. 139); ma non si apre alla prospettiva e neppure mette in conto l'ipotesi di una priorità della 'prassi' (pp. 148 s., 175), che potrebbe indurre ad una considerazione non ontologica, non esistenziale, bensì storico-teologica.

Potrebbe essere questa la via per una più precisa coniugazione delle affermazioni sulla impossibilità di determinare la *Wesen* di Dio e della sua Parola (p. 133 ss.), la non 'oggettualità' della Parola di Dio, insieme alla affermazione della *Welthaftigkeit* (p. 137, 141 s.).

Addirittura non sfugge a Gherardini neppure il carattere di 'agire comunicativo' proprio della rivelazione (p. 139 s.), anche se poi non lo valorizza come potrebbe avvenire.

Italo Mancini

Non credo sia forzato il giudizio che vede in I. Mancini il pensatore italiano che, a partire dagli anni '60, con maggiore profondità e costanza s'è ispirato a K. Barth, e più che altri ha contribuito alla sua conoscenza e ad allargarne l'influenza nella cultura italiana. Non solo gli studi su Barth, ma tutta l'opera sua è espressione di un dialogo ininterrotto e fitto, 'insonne' con lui.

Mancini è filosofo; come filosofo accosta e interroga Barth su «il grosso problema critico di sapere se per Barth lo Spirito esterno, ossia il valore cherigmatico, passa davvero, per una motivazione giustificatrice, attraverso la 'prova della storia' o non sia piuttosto il frutto di una 'pre-supposizione' di natura quasi assiomatica da porre all'origine di ogni impresa teologica» [96].

È il problema della filosofia della religione, ed è la domanda principe che muove Mancini, e lo induce a ripercorrere i cammini della 'epistemologia teologica' barthiana soprattutto nell'opera su Anselmo (p. XCVII ss.) e nei Prolegomeni alla Dogmatica.

Lungi dal restare soffocata in queste maglie filosofiche, la teologia barthiana si dispiega, nel discorso manciniano, ovviamente non nella pienezza dei suoi contenuti, ma nella potenza della sua struttura e soprattutto nella forza con la quale impone il riferimento al *Kerygma*.

Entro questo orizzonte si svolge l'interpretazione che il Mancini elabora della figura e della dottrina di Barth.

Il riconoscimento del carattere militante della teologia barthiana (p. VII s.) non attenua ma piuttosto rende più urgente e provocatorio l'incalzare delle do-

---

[96] Introduzione a: K. BARTH, *Dogmatica ecclesiale*, Il Mulino, Bologna, 1968, p. XXIX. Le pagine indicate nel nostro testo si riferiscono a quest'opera.

mande sui problemi di fondo: sul tema centrale del pensiero barthiano, tema identificato – sin dal 1914 – con quello del rapporto tra Dio e mondo: il medesimo affrontato da Bonhoeffer in *Resistenza e Resa* (lett. 8.VI.44).

La lettura di Mancini vi discopre un'impostazione dualistica, che sottende tutto l'arco del cammino e delle mutazioni del pensiero barthiano, «spietatamente fedele» alla «rivendicazione del valore cherigmatico della realtà teologica» (p. VII s.), dunque nella fedeltà alla concezione di Dio; meno univoco e coerente nei confronti dell'altro termine del rapporto: la concezione del mondo e dell'uomo, ove il mondo muove dal polo della nientificazione o della liberazione in grazia della 'sopraelevazione teologica' (ivi), sino a quello del suo riconoscimento in forza della 'decisione cherigmatica' (p. IX).

Mancini assume come possibilità di delineazione dell'evoluzione di Barth la chiarificazione della continuità o della frattura tra questi due poli (p. IX s., LXXIX ss., cfr. *Novecento teologico*, pp. 55 ss.).

L'impostazione barthiana del tema del rapporto tra Dio e mondo ha sollevato e continua a sollevare il problema del decisionismo (p. IX), che appare espresso nella necessità di dividerci di fronte alla parola di Dio; necessità connessa all'*Offenbarungspositivismus* imputato a Barth da Bonhoeffer (p. VIII n. 2 cfr. *Novecento teologico*, pp. 18, 88 n. 46). 'Solipsismo teologico' lo dice il Mancini, il quale solleva il problema del quietismo, della consolazione o della rivoluzione entro la storia (p. X), e giunge a parlare di una sorta di 'surrealismo' teologico (p. XVII e *passim*).

Ma i termini del discorso barthiano sono così proponibili? Restano sufficientemente chiariti e valutati il presupposto e il livello che lo condizionano?

Su un'interpretazione metafisica di Barth poggia la lettura del Martinetti[97], e l'accusa di nominalismo avanzata dal Riverso. Mancini intende la prospettiva barthiana come storica, e storico dice il dualismo che ne risulta[98].

Tipica del barthismo si riconosce comunque la tendenza a valorizzare la Parola, anziché la storia, come rivelazione di Dio[99]. Il referente del discorso barthiano è certo questo mondo; ma il punto di vista, il luogo linguistico e semantico del discorso è l'altro mondo, quello della tangente.

È la possibilità aperta dall'assoluta priorità attribuita alla Parola di Dio. Rivoluzionario, dice Mancini, il modo di concepire il *kerigma* (p. XVI), e parla di una genuina rivoluzione copernicana (p. XXI).

Rottura epistemologica cui si dovrebbe accostare la rottura ermeneutica, consistente già nell'assumere come punto di partenza per il ripercorrimento del circolo e per la sua saldatura, peraltro mai adeguatamente compiuta, un punto fattuale e storico. In questa linea si precisa il rapporto di Barth con la filo-

---

[97] Cfr. in *Novecento teologico*, 24, 28, 26 l'apprezzamento di Mancini nei confronti di P. Martinetti.

[98] Cfr. *Novecento teologico*, pp. 32: precisa anzi: *urgeschischtlich* pp. 35 s.. Cfr. *Dogmatica ecclesiale*, p. XIII e n. 8.

[99] *Novecento teologico*, p. 6.

sofia. Ma si dà anche una rottura teologica nell'assunzione della rivelazione come criterio e come principio, ed eventualmente in quale senso, e rispetto a quale punto di riferimento?

Di rottura biografica e storica parla ancora Mancini, nella misura in cui, almeno negativamente, l'escatologia può apparire nella storia: la conversione. È il tema etico della «grande perturbazione» (p. XXII ss.).

In questo quadro va compreso l'influsso di Kierkegaard, che non va assolutamente sopravvalutato: Mancini, seguendo Miegge, lo risolve sul piano linguistico (p. XVII s. e n. 20).

Neppure autentica risulta per Mancini la dialettica barthiana (p. LIII ss., XC ss.; *Novecento teologico*, pp. 31 s., 37, 43), in questo allontanandosi ancora dal Martinetti, non invece dal Pareyson. Intanto va precisata anche la portata della evoluzione giovanile di Barth.

Condizionante è la precisa comprensione di Barth di Safenwil. Se in *Cristiano e società* egli afferma la necessità di smetterla con gli ideali (p. XXI s.), non è forse perché ha intravvisto almeno il valore condizionante della prassi? Non è questo il senso del brano ivi citato?

In che consiste il valore «reale e fondante» del «movimento teologico», contro la morale e la religione (p. XII s.)? Che se qui – la giustizia di Dio! – la protesta sorge ancora dalla coscienza e non dal no di Dio (p. XXIV ss.), questo no non è colto? Oppure è inefficace o subordinato alla coscienza? Il segno della tangente al cerchio esclude il mondo nuovo? (p. XXV)?

Si parla di no detto alla storia (p. XXV s.); ma di quale storia e di quale no si tratta?

La storia è pur miracolo: qualcosa di storicamente 'consistente' (p. XXVI n. 48) [100].

Il grande trapasso è però segnato dal passaggio tra il I e il II *Römerbrief*: storia di una 'conversione teologica' (p. XXVIII).

Differenza tra le due edizioni:

– Nella I mancano le idee caratteristiche della teologia dialettica (ivi), e le connotazioni dualistiche nel concetto di Regno di Dio, in rapporto al mondo, all'antropologia, alla storia (p. XXXII).
– La I si differenzia dalla II anche per la concezione della fede, sebbene già appaia saldamente legata alla presupposizione (p. XXXII s., LI), e della rivelazione, tesa tra la 'memoria dell'origine' e il carattere di 'evento' (p. XXXIII s.).
– La opposizione tra Dio e mondo si delinea nella conferenza *Il cristiano e la società*.
– Essa si esplica nella opposizione tra *kerigma* (ricondotto alla categoria del sacro?) e il profano (p. XXXVI s.), contro il parmenidismo ontologico. Se ontofania e ierofania si incontrano (ivi, n. 85), allora è messa completamente in gioco l'ontologia (cfr. p. XLIX).

---

[100] Dovrebbero essere integrati in questo discorso l'effettivo interesse di Barth per la storia, la lettura dei giornali (cfr. *L'Epistola ai Romani*, p. 408), l'accostamento di ogni tipo di letteratura.

Questo determina il luogo interpretativo del barthismo. La 'presupposizio-ne' non va allora pensata in termini ontologici: il sequestro di Dio peraltro si pone là, e da quella muove il pensiero. È l'esperienza degli uomini biblici, cir-ca la quale Barth, in una seconda conferenza di questo periodo, cerca di rom-pere l'occasionalismo (p. XXXIX), recuperando l'altra metà della luna.

La presupposizione di Kierkegaard è esistenziale (p. LX): lo è egualmente quella di Barth, o non è piuttosto prassistica? Non si offre allora la categoria della prassi per interpretare questa presupposizione? Mancini non lo dice; non lega la pre-supposizione alla prospettiva politica barthiana e alla prassi [101]; tut-tavia il rapporto non gli sfugge se può interpretare la reazione di Barth all'im-borghesimento del cristianesimo, come avviene nell'Introduzione a *Storia del-la teologia protestante...* I, p. 9.

Importanti sono comunque le affermazioni secondo le quali i miracoli sono offerti come 'giustificazione esistenziale' (p. XL): non si direbbe meglio «real-tà umana e storica»?

Non è del resto coerente questa esigenza con l'affermazione dei testimoni, che rappresentano non un 'momento', ma una 'fondamentale' unità di dire-zione (p. XLI): un popolo, una storia?

L'evento del resto non solo crea la sua legge (p. XLIII), ma si fa storia.

A questo s'allaccia il tema del millenarismo e del rapporto tra tempo e eter-nità (pp. LXXXIV s., XCIII).

All'elenco degli apporti più significativi per la ricezione di Barth in Italia s'aggiunge oggi l'edizione della *Dottrina dell'elezione divina* curata da A. Mo-da: uno studioso che da oltre un decennio milita nel campo del barthismo, e che ha apprestato per i lettori italiani non solo la traduzione di un testo capita-le della KD, ma un insieme di sussidi eccellenti per accostare insieme Barth e la problematica della sua interpretazione. Intanto nuovi nomi sono apparsi nell'ambito degli studi barthiani: Pizzuti, Scilironi, Laurenzi, Manferdini.

A cento anni dalla nascita di Barth, la teologia italiana pare ormai in grado di accostarsi a lui in piena maturità.

Troppo tardi?

Può essere, per molti aspetti.

Non assolutamente tardi, se è vero che, diversamente da molti che hanno posto alla teologia domande – anche essenziali e fondamentali – Barth ha da-to – e a lui bisogna ritornare per riascoltarle – decisive risposte.

---

[101] Il pensiero teologico come 'teoria della prassi' è formula barthiana: cfr. *L'Epistola ai Ro-mani*, p. 409 s..

BARTH DI FRONTE AL CATTOLICESIMO E ALL'ECUMENISMO

di PAOLO RICCA

> *Dedico queste pagine*
> *alla memoria di*
> *don Germano Pattaro,*
> *amico e*
> *«prigioniero della speranza»*
> *ecumenica* (Zaccaria 9,12)

I. Barth «evangelico-cattolico»

Basilea, 9 dicembre 1968, la sera verso le nove. In una casa come tante altre sulle collina occidentale della città, già avvolta nelle tenebre, Karl Barth sta vivendo, senza saperlo, l'ultima sera della sua lunga giornata terrena. Sta lavorando alla stesura di una conferenza che avrebbe dovuto pronunciare il 18 gennaio 1969 alla Paulusakademie di Zurigo (una istituzione cattolica), nel quadro della settimana di preghiera per l'unità della Chiesa. Poco dopo le nove il suo lavoro fu interrotto da due telefonate: una del nipotino Ueli Barth e l'altra del vecchio e fedele amico Thurneysen. Non tornò più al suo tavolo di lavoro; avrebbe continuato la stesura del suo testo il giorno dopo. Ma per Barth non ci fu un giorno dopo. Durante la notte ricevette un'altra chiamata e passò, verso la metà della notte, dal sonno del riposo al sonno della morte[1].

La conferenza per la Paulusakademie rimase incompiuta, come del resto è rimasta incompiuta, come tante cattedrali di un tempo, la sua *Dogmatica ecclesiastica*. Ma non è certo privo di significato il fatto che questa conferenza incompiuta, ma già in buona parte redatta, sia destinata ai «Cari fratelli in Cristo, cattolici e riformati», cioè ad un *uditorio ecumenico*. L'ultima parola di Barth è stata pensata e preparata per una occasione ecumenica e per un interlocutore ecumenico. Insieme ad alcuni altri testi brevi dell'ultimo periodo della vita di Karl Barth, raccolti nel volumetto *Ultime testimonianze* (*Letzte Zeugnisse*, 1969), questa conferenza costituisce «qualcosa come un testamento ecumenico»[2].

---

[1] E. BUSCH, *Karl Barth. Biografia*, Queriniana, Brescia, 1977 (I edizione tedesca: Kaiser, München, 1975), p. 450.

[2] KARL G. STECK, *Karl Barths ökumenisches Testament*, in *Christentum innerhalb und ausserhalbder Kirche*, a cura di E. Klinger, *Quaestiones Disputatae 73*, Herder, Freiburg, 1976, pp. 232-246.

Varrebbe la pena leggere questo testamento, significativo e programmatico fin dal titolo: «Mettersi in cammino – convertirsi – confessare la fede». Non possiamo farlo dati i limiti di tempo imposti a una relazione come questa. Ma c'è una nozione chiave di questo abbozzo di conferenza che desidero evocare all'inizio di questa presentazione perché mi sembra essere una delle nozioni-chiave di tutto il discorso ecumenico di Barth e forse anche di tutto il suo universo spirituale, cioè la nozione di «movimento»: un movimento che «accade», che è dunque un evento, sovente sotterraneo, nascosto e ignorato dai più, che però ogni tanto emerge con forza particolare ed insolita sulla superficie della storia e si fa sentire e notare, «l'unico movimento dell'unica Chiesa»[3], quel movimento che nasce col mettersi in cammino – paradigma «mai abbastanza illustrato e meditato»[4] di questa partenza è l'uscita di Israele dall'Egitto verso la terra promessa – che consiste in un incessante processo di conversione e si esprime nella confessione di fede; questo movimento è la Chiesa stessa nel suo cammino di rinnovamento: la Chiesa che si muove verso il nuovo «come promessa e quindi come futuro»[5], la Chiesa che si pro-tende in avanti verso ciò che non è ancora ma che ha la promessa di diventare. Il movimento per cui diveniamo ciò che dovremmo essere secondo la promessa di Dio – il movimento verso la nostra verità ultima, ancora nascosta – questo è il movimento di cui Barth voleva parlare alla Paulusakademie di Zurigo il 18 gennaio 1969, «l'unico movimento dell'unica Chiesa», dunque in senso proprio l'unico movimento degno di essere chiamato *ecumenico*. Questo è il movimento che interessa Barth fino all'ultimo, e il suo testamento ecumenico è appunto questo: la Chiesa *una*, la Chiesa *ecumènica* che non esiste ancora, esiste già in questo movimento, là cioè dove questo movimento è percepito, assecondato, incrementato, là dove la Chiesa è in grado di «dire sì al futuro»[6] sapendo che il futuro non sarà la ripetizione del passato, sapendo che «non è ancora reso manifesto quel che saremo» (I Giovanni 3,2), sapendo che decisivo e determinante non sarà neppure il nostro presente ma la promessa di Dio.

È in questo quadro, nel quadro cioè di un movimento in atto nelle diverse chiese cristiane come movimento dell'unica chiesa cristiana, che in diversa misura le concerne e coinvolge tutte, che va posto e interpretato il vivo interesse che negli ultimi quindici anni di vita Barth ha dimostrato per il cattolicesimo romano – un interesse eccessivo secondo alcuni, non sufficientemente critico secondo altri, comunque costellato di molte ingenuità, spesso dettato (si direbbe) da emozioni del momento e impressioni più che da una valutazione meditata e rigorosa del fenomeno cattolico, anche nella sua versione conciliare, considerato nel suo insieme e non nei suoi singoli particolari. C'è persino chi

---

[3] K. BARTH, *Letzte Zeugnisse*, EVZ-Verlag, Zürich, 1969, p. 63.

[4] Ivi, p. 63.

[5] Ivi, p. 65.

[6] Ivi, p. 64.

ha creduto di poter ravvisare, in certe valutazioni del Concilio e del cattolicesimo conciliare da parte di Barth, sintomi di senilità!

Che cosa pensare? A me pare che, ovviamente, su questa o quella interpretazione particolare si possa discutere e anche dissentire. Ma non è questo il punto. L'interesse di Barth per il cattolicesimo conciliare è l'interesse per il movimento che in esso è stato avviato. Barth scrive al termine del resoconto del suo viaggio a Roma *Ad limina apostolorum* del settembre 1966 queste parole rivelatrici: «Ho avuto modo di conoscere da vicino una chiesa e una teologia, che si sono mosse secondo un movimento dalle conseguenze imprevedibili, lento ma sicuramente autentico e irreversibile; considerandolo, non si può che auspicare che pure da parte nostra si manifesti un movimento parallelo corrispondente...»[7]. Non dunque: maggiore e crescente interesse per il cattolicesimo, ma: maggiore e crescente interesse per il cattolicesimo *in movimento*. Non dunque un Barth tardivamente sedotto da un cattolicesimo tardivamente scoperto e ingenuamente ammirato, ma un Barth che, fino alla fine, continua tenacemente a intendere la Chiesa come evento, come movimento e quindi apprezza tutto ciò che in ogni chiesa esprime tensione verso il cambiamento evangelico, decisione di mettersi in cammino verso il proprio rinnovamento. Per questa passione per il movimento rinnovatore il «vecchio Barth» degli anni Sessanta è molto simile al «giovane Barth» degli anni Venti.

Si può dunque legittimamente parlare di un *filo-cattolicesimo* del Barth degli ultimi anni che, in questa forma, certamente non c'era nel Barth degli anni Venti ma neppure in quello degli anni Cinquanta. Ma è un «filo-cattolicesimo» che consiste appunto e, per quanto ho creduto di capire, *soltanto* in questo: simpatia cordiale e partecipazione interiore «ai movimenti seri e vigorosi che nella chiesa cattolica sono sorti prima, con e dopo il Concilio», che Barth considera «senza ottimismo ma nella speranza cristiana» e che potrebbero forse essere considerati – come è stato detto da un teologo cattolico giornalista al Concilio – «un fuoco tardivo acceso dalla Riforma»[8].

A questo cattolicesimo in movimento Barth guarda senza ottimismo ma anche senza scetticismo. Il dogma dell'immobilismo della chiesa cattolica è stato scosso. Un movimento c'è, ed esso va comunque salutato con simpatia e assecondato con speranza. È questo il «filo-cattolicesimo» di Barth, se così lo si vuole chiamare (e credo che a Barth non sarebbe dispiaciuto di vederlo chiamare così).

Ma a questo «filo-cattolicesimo» di Barth bisogna ovviamente affiancare il «filo-barthianesimo» dei cattolici, che si sono interessati a Barth prima an-

[7] K. BARTH, *Domande a Roma*, Claudiana, Torino, 1967, p. 27.

[8] «Eine spätzündung der Reformation». K. BARTH, *Gesamtausgabe. Offen Briefe 1945-1968*, Teologischer Verlag, Zürich, 1984, pp. 537-538. Si tratta di una lettera aperta scritta da Barth in risposta a una lettera inviata da un giovane teologo cattolico («arrabbiato») a un suo collega anziano, pubblicata sulla rivista «Orientierung» di Zurigo nel 1967.

cora che crescesse e si intensificasse l'interesse di Barth per il cattolicesimo, e che sono stati i primi a iniziare il dialogo con Barth studiando a fondo, presentando e discutendo la sua teologia.

Ricordiamo l'opera ormai classica (ma tutt'altro che invecchiata) di Hans Urs von Balthasar già del 1951 [9], ma anche quella in tre volumi di Henry Bouillard del 1957 [10], senza dimenticare quella di Jérôme Hamer [11] e naturalmente quella notissima di Hans Küng sulla giustificazione, per citare solo qualche nome fra le centinaia che occorrerebbe fare.

È giocoforza chiedersi: perché Barth è l'interlocutore preferito dalla teologia cattolica – preferito a Lutero, e questo si può capire, ma preferito anche a Tillich o ad altri rappresentanti eminenti della teologia protestante contemporanea? È perché Barth è in fin dei conti l'interlocutore più temibile, il più ostico, il meno duttile, colui quindi con il quale bisogna comunque fare i conti, e tanto vale farli subito? O non è forse perché la teologia cattolica ha avvertito in Barth segrete ma inequivocabili assonanze e consonanze, e forse persino una certa congenialità? In che cosa potrebbe consistere questa possibile congenialità? Vorrei avanzare questa ipotesi: se il cattolicesimo romano è quella formidabile *complexio oppositorum* che conosciamo o, per dirla in altri termini, è la religione dell'*et-et*, del «non solo, ma anche», dell'integrazione e composizione dei diversi e sovente contrapposti poli dell'universo morale e religioso cristiano – se questo è il cattolicesimo, ebbene anche Barth, a modo suo, è un «teologo dell'*et*», il teologo della divinità di Dio ma anche della sua umanità, della Parola di Dio ma anche della parola umana, della rivelazione unica ma anche dei segni molteplici di questa rivelazione, il teologo della massima glorificazione di Dio, ma anche della massima valorizzazione dell'uomo.

Qui appare in effetti quella che dev'essere considerata la singolare prossimità di Barth al cattolicesimo, che lo spinge a scrivere, nella conferenza incompiuta citata all'inizio: «noi pure siamo cattolici» [12], e a dichiarare, nell'introduzione di *Domande a Roma*, di essere «rientrato da Roma più accanitamente evangelico – ma preferirei dire evangelico-cattolico – di quanto fossi prima di recarmi là» [13]. Appunto: non basta più a Barth di dire «evangelico»

[9] *Karl Barth. Darstellung und Deutung seiner Theologie*, Köln 1951, IV edizione, Einsiedeln, 1976.

[10] *Karl Barth*, Editions Montaigne, Aubier, 1957.

[11] *Karl Barth. L'occasionalisme théologique de Karl Barth. Etude sur sa méthode dogmatique*, Desclée de Brouwer, Paris, 1949.

[12] *Letzte Zeugnisse*, p. 62 «Wir sind nämlich auch katholisch».

[13] *Domande a Roma*, p. 29. Da notare che l'appellativo «evangelico-cattolico» Barth lo utilizza anche per la Chiesa. Così, nella conferenza incompiuta già ripetutamente citata, egli dice di preferire per la chiesa evangelica il nome di «evangelico-cattolica» e per la chiesa cattolica quello di «petrino-cattolica» (anziché romano-cattolica) (*Letzte Zeugnisse*, p. 62). In un'altra conferenza di alcuni mesi prima, intitolata significativamente «La Chiesa in via di rinnovamento», Barth aveva detto: «Dal punto di vista di questo mandato (missionario), essa è una chiesa cattolica e evangelica oppure – ma è la stessa cosa – evangelica e cattolica» (K. BARTH - H.U. von BALTHASAR, *Dialogue*, Labor et Fides, Genève, 1968, p. 12).

e neppure «accanitamente evangelico»; egli preferirebbe dire: *evangelico-cattolico*.

Quindi Barth si presenta a noi non tanto come un evangelico filo-cattolico (sia pur nel senso detto sopra), ma come un evangelico-cattolico *tout-court*. C'è dunque una singolare prossimità, talvolta persino sconcertante. Ma c'è, malgrado tutto, una insuperata e, fino ad ora, insuperabile distanza, che gli fa dire, al termine della sua vita e di una esperienza ecumenica intensa e in crescendo: «Anche secondo me, la riunificazione delle chiese sta ancora in grande lontananza» [14].

Barth anche cattolico? Sì, lo dice egli stesso. Ma cattolico *diverso* o *diversamente cattolico*. Come Barth è evangelico ma diversamente dal neoprotestantesimo e anche – su alcune questioni centrali come la dottrina dell'elezione o la dottrina del battesimo e in generale dei sacramenti, e anche la questione politica, i rapporti cioè tra comunità cristiana e comunità civile – dai Riformatori del XVI secolo, così Barth è anche cattolico ma *altrimenti* cattolico. È anche teologo dell'*et*, ma lo è diversamente da von Balthasar e dalla teologia cattolica. «Preferirei dire: evangelico-cattolico» significa «*altrimenti* evangelico e *altrimenti* cattolico» e così, appunto, *ecumenico*. In sostanza Barth sembra dire: tra l'*et-et* cattolico e l'*aut-aut* protestante, *tertium datur*. Che cosa sia questo *tertium*, Barth l'ha accennato soltanto. Egli ci ha condotto sulla soglia di questo *tertium* e lì ci ha lasciato. Come Mosè condusse Israele fin sul limitare della terra promessa e poi salì, da solo, sulla montagna, e vide dall'alto la terra, ma non v'entrò, così, con Barth, siamo sulla soglia di un *tertium*, che sta dinanzi a noi ma che ancora non conosciamo.

Il contributo ecumenico di Barth è di averci detto che questo *tertium* esiste e averci messo nella giusta direzione per raggiungerlo.

II. *Il metodo*

Il metodo seguito da Barth nei suoi rapporti con il cattolicesimo e l'ecumenismo è quello del dialogo. Ma non ogni dialogo promuove la comunione ecumenica. C'è anche un dialogo che fissa le posizioni reciproche e in qualche modo blocca la conoscenza, sia quella dell'altro che quella di sé, e così blocca anche la crescita comune.

Come ha dialogato Barth? Tre caratteristiche:

1. Dialogo come fatto costante, come *habitus*, come dimensione dell'essere, del pensare, del vivere.

2. Dialogo come momento in cui ci si mette in gioco, in cui si rischia la propria identità. E questo si esprime anzitutto nel prendere sul serio il proprio interlocutore.

[14] *Letzte Zeugnisse*, p. 52 s..

3. Dialogo come ricerca di una verità comune che trascende le verità particolari che quindi devono essere interrogate direttamente e apertamente: dunque dialogo come franca interpellazione reciproca.

1. Barth ha cominciato molto presto ad occuparsi di cattolicesimo romano. In questo senso si deve dire che il discorso di Barth sul cattolicesimo non ha nulla di improvvisato, di dilettantesco, né quello severamente critico del I vol. della *Dogmantica*, né quello volutamente positivo sul Vaticano II e i suoi possibili sviluppi. Il discorso di Barth sul cattolicesimo viene da lontano, affonda le sue radici negli anni immediatamente successivi al «*Römerbrief*», quindi praticamente agli inizi della sua attività docente. La iniziò a Göttingen nel 1921. E qui, nell'inverno 1923-24, ebbe luogo il primo accostamento approfondito al pensiero cattolico. Ed ebbe luogo in una forma anomala per un professore, e cioè ridiventando studente! Egli infatti seguì il corso su Tommaso d'Aquino tenuto da un giovane libero docente di nome Erik Peterson, «dal quale 'apprese cose così illuminanti' che quell'uomo gli apparve 'non poco dotato'» [15]. Potemmo dire che subito dopo aver cominciato ad insegnare, Barth ha cominciato a studiare a fondo il cattolicesimo, intuendo che non si può insegnare la teologia evangelica senza conoscere il più accuratamente possibile quella cattolica. Era, in sostanza, una esigenza di dialogo, che Barth attuò già in quegli anni lontani, sia svolgendo egli stesso un seminario sulla *Summa Theologica* di Tommaso, a Münster, pochi anni dopo (inverno 1928-29), sia invitandovi, come testimone e interlocutore vivente, il gesuita Erich Przywara, di cui Barth ci ha lasciato questa vivida descrizione: «Era come uno scoiattolo che salta da un ramo all'altro, con sempre alle spalle il Tridentino, il Vaticano I, conoscitore profondo di Agostino... sempre la chiesa, la chiesa, la chiesa, ma appunto una chiesa che si muove in modo estremamente vivo e vario attorno al polo fisso del dogma...» [16]. Barth dunque ha cominciato *subito* a occuparsi di cattolicesimo, e a occuparsene *dialogando*, non soltanto con i testi (Tommaso) ma anche con i testimoni (Przywara). Un dialogo vero non può essere condotto solo sui libri, deve esserlo anche con le persone vive. Quando Barth si chinerà, quasi quarant'anni più tardi, sui documenti del Vaticano II per studiarli, annotarli, interrogarli e lasciarsi da essi interpellare, non farà altro che ripetere o meglio rinnovare l'approccio dialogante e dialogico al cattolicesimo adottato già sul finire degli Anni Venti. Diverso è però l'obiettivo che col dialogo si intende perseguire. Nel 1929 si tratta, come anche Barth precisa, di un dialogo «rigorosamente oggettivo e dinamico, interessato non al compromesso a buon mercato, ma alla chiarezza definitiva sugli opposti punti di vista» [17]. Nel 1966 il dialogo interconfessionale (esempio tipico le *Domande a Roma* di Barth) è interessato e finalizzato alla riforma interna di ciascuna chiesa. *Dia-*

[15] E. BUSCH, *Biografia*, p. 121.

[16] Ivi, p. 163.

[17] Ivi, p. 163.

logo non più per chiarire definitivamente i contrasti ma per favorire reciprocamente la riforma.

2. Barth ha preso subito molto sul serio il cattolicesimo [18] escludendo totalmente dal suo orizzonte critico sia la polemica popolare contro il cattolicesimo a sfondo morale o politico, sia soprattutto le obiezioni tipiche del protestantesimo liberale, quali: la soggettività protestante contro l'oggettività cattolica; la libertà individuale contro l'istituzione gerarchica; il primato della coscienza contro il principio d'autorità; la santità mondana contro la sacralità ecclesiastica; la funzione critica contro la mentalità magica; la ragione contro la mistica [19]. Barth ha preso molto sul serio il cattolicesimo per il semplice motivo che il cattolicesimo è una cosa seria, molto più di tanti altri fenomeni religiosi e culturali, a cominciare dallo stesso protestantesimo liberale (secondo il giudizio che Barth ne dava). A Georg Wobbermin, già collega di Barth a Göttingen, che rimproverava a Barth di essere responsabile, con la sua teologia dialettica, della conversione di Erik Peterson al cattolicesimo, Barth replicava in questi termini, respingendo l'accusa: «Glielo voglio dire: divento caustico perché non capisco come si possa scherzare sulla questione del cattolicesimo. Penso di sapere in una certa misura cosa sia il cattolicesimo e penso di dovermi sforzare di saperlo sempre meglio. Lo considero un avversario, nel dialogo (*Gesprächsgegner*), straordinariamente più forte e profondo, in fin dei conti l'unico che la teologia evangelica debba prendere veramente sul serio. Considero l'idealismo e l'antropologia e la religione popolare e il movimento ateistico come bambinate, se li si rapporta a questo avversario» [20]. Chi non prende sul serio il cattolicesimo o non lo conosce, o non l'ha capito, o in fondo ne è già succube temendo di affrontarlo. Prendere sul serio un fenomeno significa volerlo conoscere ed eventualmente valorizzarne «i momenti forti» [21] e non solo i punti deboli; e significa in secondo luogo sapersi lasciare interrogare da esso. Prendere sul serio il cattolicesimo significa abbandonare nei suoi confronti sia un atteggiamento polemico aggressivo sia un atteggiamento apologetico difensivo per assumere un atteggiamento «irenico-critico» [22] come lo chiama Barth stesso, grazie al quale la critica, per nulla sottaciuta o smussata, si colloca in un contesto di solidarietà e fraternità tali da conferirle un risvolto autocritico. Due sono le persone che hanno aiutato in modo determinante Barth a prendere sul serio il cattolicesimo: Erik Peterson e Erich Przywara, il primo luterano (poi convertitosi al cattolicesimo), il secondo gesuita. Il primo ha svolto un ruolo se non decisivo certo non secondario nel determinare o almeno favo-

---

[18] G. FOLEY, *Das Verhältnis Karl Barths zum römischen Katholizismus*, in: *Parrhesia, Karl Barth zum 80. Geburtstag*, EVZ-Verlag, Zürich 1966, p. 598.

[19] Ivi, p. 601.

[20] In *Theologische Blätter*, luglio 1932, 221 s., citato da Foley (nota 18), p. 603.

[21] FOLEY, p. 599.

[22] *Domande a Roma*, p. 59 e 61.

rire quella che von Balthasar ha chiamato «la svolta dalla dialettica all'analogia»[23]. Nel suo saggio del 1925 *Che cos'è la teologia?* diretto contro Barth e la teologia dialettica (in particolare contro la conferenza di Barth del 1922: *La Parola di Dio come compito della teologia*, Peterson osserva che il teologo dialettico prende troppo seriamente il suo parlare di Dio, più seriamente dell'essere di Dio. Il teologo dialettico in fin dei conti parla non di Dio ma del suo parlare di Dio. Dio non è dialettico come non lo è l'Incarnazione. Una teologia dialettica parla solo di se stessa, non di Dio. Una teologia che voglia parlare di *Dio*, che voglia corrispondere e riflettere la realtà di Dio non può essere dialettica. Barth prese molto sul serio questa obiezione e in qualche modo la mise in pratica. Prendere sul serio un interlocutore significa o può significare lasciarsi convincere da un argomento dell'interlocutore e cambiare idea. Prendere sul serio significa essere aperto al cambiamento. Il secondo teologo, che ha aiutato Barth a prendere sul serio il cattolicesimo, è il gesuita Przywara, che ha reso Barth attento all'importanza decisiva della *analogia entis* per il cattolicesimo romano[24] e si è impegnato in una controversia sulla *chiesa*[25]. Prendere sul serio un interlocutore significa individuare, col suo aiuto, i veri nodi della controversia, le questioni di fondo che sono in gioco.

3. Barth ha parlato con grande libertà pronunciando giudizi molto severi ma anche dicendo cose molte positive, soprattutto sul cattolicesimo conciliare, sulla sua intenzione di fondo. Così, per citare gli esempi più famosi, Barth scriveva nel 1932: «Considero l'*analogia entis* una invenzione dell'Anticristo e penso che è per questo motivo che *non si può* diventare cattolici. Al che mi permetto di aggiungere che tutte le altre ragioni che si possono avere per non farsi cattolici, mi paiono puerili, e di nessun peso»[26]. Altro esempio: la polemica tra Barth e Jean Daniélou su certe dichiarazioni di Barth in occasione della prima Assemblea mondiale del Consiglio Ecumenico delle Chiese (Amsterdam 1948). Barth aveva detto, tra l'altro: «Mi rammarico che voi (Riformati presenti all'Assemblea di Amsterdam) non detestiate o rifiutiate decisamente il papa. E spero che nessuno di noi sia deluso perché al nostro tavolo di presidenza non è presente alcun cardinale. Vorrei fare la proposta che rinunciamo a tutte le inutili lacrime che invece alcuni tra noi vorrebbero versare a motivo dell'assenza di Roma». Daniélou commenta: «Barth ci ha scandalizzato. Egli ha attaccato non solo il cattolicesimo ma il cristianesimo stesso».

[23] Al riguardo l'importante saggio di E. JÜNGEL, *Von der Dialektik zur Analogie. Die Schule Kierkegaards und der Einspruch Petersons*, in: E. JÜNGEL, *Barth-Studien*, Benziger-Mohn, Zürich-Köln, 1982, p. 130 ss..

[24] W. KRECK, *Analogia fidei oder analogia entis?*, in: *Antwort*, Festschrift zum 70 Geburtstag von Karl Barth, Evangelischer Verlag, Zollikon-Zürich, 1956, 272-286.

[25] K.G. STECK, *Über das ekklesiologische Gespräch zwischen Karl Barth und Erich Przywara, 1927/29, Antwort*, pp. 249-265. Cfr. inoltre la monografia di E. MECHELS, *Analogie bei Erich Przywara und Karl Barth*, Neukirchener Verlag, Neukirchen-Vluyn, 1974.

[26] KD I, 1, XII (edizione francese).

Barth replica: «La vostra assenza ci ha risparmiato una provocazione e una tentazione». «Voi chiedete troppo: da un lato di prendere sul serio la vostra incondizionata pretesa di superiorità e dall'altro di desiderare la vostra presenza»[27]. In altre parole: se Roma mantiene la sua pretesa rispetto alle altre chiese, se ne stia pure a casa sua. Terzo esempio: la mariologia, che Barth considera: «una creazione condannata a morte in partenza, e quindi intimamente bacata»[28].

Dall'altra parte, Barth ha pronunciato parole *molto positive* sul cattolicesimo: mi limito a due sole, tra le più note. Entrambe si riferiscono al Concilio, che costituisce senza dubbio la ragione decisiva della svolta nel giudizio di Barth sul cattolicesimo romano, svolta che abbiamo già descritto come la transizione da un Barth di fronte a un Barth di fianco al cattolicesimo[29]. La prima è una valutazione globale del Concilio, che Barth ha dato al termine di un saggio sulla costituzione dogmatica *Dei Verbum*, dal titolo significativo: «*Seguendo le orme del Concilio Tridentino e del Vaticano I?!*»; Barth dubita che il Vaticano II abbia semplicemente «seguito le orme» del Tridentino e del Vaticano I, in quanto «la 'tensione' della costituzione ... si muove nel senso non di una sovranità *esclusiva* ma di una sovranità *prevalente* della Sacra Scrittura nella chiesa e nella teologia»[30]. Barth sostiene che la chiarezza raggiunta nel documento conciliare (tranne che nel capitolo II) su un tema così importante quale è quello del rapporto tra Sacra Scrittura e Chiesa «ci incoraggia a sperare in un futuro anche migliore e ... ci spinge a dire del Concilio Vaticano II ora entrato nella storia: se c'è mai stato un Concilio di *riforma*, è stato questo»[31]. È inutile illustrare la *portata* di questa valutazione, fatta dall'uomo che senza alcun dubbio più ha fatto nel nostro secolo per rinverdire la memoria e in qualche modo rivivere e riattualizzare la Riforma del XVI secolo e che più di ogni altro teologo ha avuto a cuore la riforma del protestantesimo moderno. Il secondo giudizio molto positivo Barth l'ha pronunciato sul cattolicesimo conciliare o sarebbe più esatto dire sul cattolicesimo «in stato di concilio». Si trova nei suoi *Pensieri sul Concilio Vaticano II*, pubblicati già nel 1963 sulla «Ecumenical Review», su richiesta esplicita del pastore Visser't Hooft, allora segretario generale del Consiglio Ecumenico delle Chiese. Barth cerca qui di interpretare «il movimento» appunto, il «movimento spirituale», precisa Barth,

[27] J. DANIÉLOU, R. NIEBUHR, K. BARTH, *Gespräche nach Amsterdam*, Evangelischer Verlag, Zollikon-Zürich, 1949, p. 4 e 9.

[28] *Domande a Roma*, 78.

[29] «Non sono ottimista. Non faremo l'esperienza di una riunificazione ma è già molto che oggi si parla *insieme* (miteinander redet) ... E anche quando i discorsi sono solo affiancati, c'è una specie di armonia tra loro (letteralmente «risuonano in qualche modo insieme») *Letzte Zeugnisse*, p. 28.

[30] *Domande a Roma*, p. 71.

[31] *Domande a Roma*, 72.

in atto nella chiesa cattolica e di cui il Concilio stesso è un frutto, o un simbolo, prima ancora di esserne una causa [32].

Barth si chiede: tutti gli eventi inattesi e imprevedibili culminati nella convocazione e nelle prime battute del Concilio non costituiscono forse, insieme, «la dinamica dell'inizio di una riorganizzazione [del cattolicesimo romano] appunto *intorno all'Evangelo?*». E la presenza crescente della Sacra Scrittura nella vita della chiesa cattolica, non significa forse che «Gesù Cristo si è di nuovo portato al centro della fede dei cristiani romani e al centro del pensiero dei teologi romani?» [33]. Certo non c'è motivo di «sognare che i cattolici romani possano diventare 'evangelici' nel *nostro* senso, domani, dopodomani o in qualunque altro momento», ma l'esistenza nel cattolicesimo conciliare o in stato di concilio di un *movimento*, per quanto 'imperfetto' possa essere, ci impone di chiederci se in *casa nostra* un 'movimento analogo con tutte le sue imperfezioni', che non consista soltanto nel custodire l''eredità della Riforma', spesso evocata, le nostre abitudini e le nostre tradizioni, i nostri dibattiti e le nostre preoccupazioni, ma che consista 'nell'esperienza e nella messa a frutto di uno scuotere le fondamenta' [... *of a shaking of the foundations*]»... [34]. C'è una domanda che turba Barth e che da quando egli l'ha formulata ha fatto riflettere e soffrire non pochi evangelici tra cui chi vi sta parlando: una domanda, che è *come* una spada affilata a due tagli che penetra fino alla divisione dell'anima: «*Come apparirebbero le cose se Roma (senza cessare di essere Roma) dovesse un giorno semplicemente superarci e metterci in ombra, per quanto concerne il rinnovamento della Chiesa mediante la Parola e lo Spirito dell'Evangelo? Che cosa accadrebbe se dovessimo scoprire che gli ultimi sono i primi e che i primi sono gli ultimi, e che la voce del Buon Pastore è riecheggiata più distintamente (nella chiesa cattolica) che in mezzo a noi?*» [35]. Se questo dovesse accadere, se cioè dovesse accadere questo «*scambio di posizioni e di ruoli*» (non è ancora avvenuto sembra dire Barth), ma «*la minaccia o il rischio di questo scambio*» è quanto mai attuale – allora «anche le nostre critiche a Maria e al Magistero infallibile, per quanto giustificate esse siano, diverrebbero necessariamente prive di interesse» [36]. Anche qui preferisco non commentare: la portata di questi interrogativi si impone da sé. Questa è *la libertà di Barth*, una libertà a tutto campo, che si esercita con uguale autorità in campo cattolico e in campo protestante e, nei due campi, osa porre le domande radicali, le domande che appunto (come la verità), prima di far bene, fanno molto male.

Ma con queste battute siamo già entrati nella terza e ultima parte di questa esposizione.

[32] K. BARTH, *Thoughts on the Second Vatican Council*, in «The Ecumenical Review», July 1963, p. 359 ss..

[33] Ivi, p. 360.

[34] Ivi, p. 363.

[35] Ivi, p. 364.

[36] Ivi, p. 365.

III. *Domande a Ginevra e a Roma*

A rigore le «*Domande a Ginevra*» esulano dal tema – considerando qui Ginevra non come la sede del Consiglio Ecumenico delle Chiese ma come la città di Calvino, quindi città simbolo del protestantesimo. Ma appunto le «*Domande a Ginevra*» si impongono proprio perché lo esige la qualità stessa del dialogo interconfessionale così come Barth lo aveva inteso e praticato: dato che il dialogo tra le chiese e le confessioni, nella misura in cui è autentico, non è altro che l'eco del dialogo tra Gesù Cristo e le chiese, per cui in fin dei conti il *dialogo* tra le chiese è, nella sua espressione migliore, funzionale e strumentale nei confronti dell'altro dialogo, quello vero, quello decisivo, cioè *il dialogo di Gesù Cristo con le chiese*, ecco che ogni domanda a una chiesa è una domanda a tutta la chiesa, e anche se la formulazione può variare, l'interpellazione è la stessa.

A. *Domande a Ginevra*

Esse si trovano, formulate direttamente o indirettamente, in tre testi. *Il concetto di chiesa (Der Begriff der Kirche, 1927). Il cattolicesimo romano come domanda alla chiesa protestante (Der römische Katholizismus als Frage an die protestantische Kirche, 1928)* [37]. *La chiesa e le chiese (Die Kirche und die Kirchen*, 1935) [38]. Varrebbe davvero la pena e sarebbe anzi necessario oltre che doveroso render conto in maniera accurata e persino dettagliata di questi testi barthiani, in particolare di quello del 1928 e di quello del 1935 che, come è stato notato, «ha la qualità di un Manifesto ecumenico, che non ha perso nulla della sua attualità» [39]. Lo scritto del 1928 è di grande importanza anzitutto perché Barth sgombra il terreno dalle possibili ragioni che possono essere addotte per non prendere sul serio il cattolicesimo romano *come domanda* alla chiesa protestante. Le ragioni possono essere tre: la prima è che il cattolicesimo ci è totalmente estraneo e come tale non può essere o diventare una domanda per noi evangelici; la seconda è che per noi il cattolicesimo è una questione chiusa per sempre (ma Barth ricorda che Lutero e Calvino *fino alla fine* hanno discusso del papato, per cui considerare il cattolicesimo una questione chiusa è una posizione che deve essere qualificata come 'troppo cattolica') [40]; la terza ragione potrebbe essere che il cattolicesimo non ci prende sul serio co-

---

[37] Queste due conferenze sono pubblicate nella raccolta: K. BARTH, *Die Theologie un die Kirche*, Evangelische Verlag, Zollikon-Zürich, senza data, pp. 285-301 e p. 329-363.

[38] In K. BARTH, *Theologische Fragen u. Antworten*, Evangelischer Verlag, Zollikon-Zürich, 1957, pp. 214-232.

[39] M. BIELER, *Karl Barths Weg mit der Römisch-Katholischen Kirche*, in «Materialdienst des Konfessionskundlichen Instituts Bensheim», 2/1986, p. 33.

[40] K. BARTH, nota 37, p. 334.

me domanda rivolta a lui, non c'è insomma reciprocità, il cattolicesimo si considera su un altro piano, e Barth cita proprio alcune righe di Przywara abbastanza tipiche: «La Chiesa cattolica è veramente la patria finale, a cui propriamente aspira anche lo 'zingaro' più inselvatichito. Perciò essa può aspettare come la madre aspetta. Essa sa che nessun figlio può cancellare del tutto dalla memoria di essere stato, un tempo, nel suo seno. Egli troverà prima o poi la strada di casa» [41]; Barth commenta: «Questo atteggiamento, per quanto possa essere espresso in termini signorili ed amichevoli, significa, secondo la nostra comprensione, in maniera tipica il fatale 'porsi-al-di-sopra' (*Sichobenansetzen*) e il contrario del *flectamus genua* (del pieghiam le ginocchia), dal quale soltanto ci possiamo aspettare qualcosa per le due parti» [42]. Barth sostiene che la reciprocità è una questione secondaria, quella primaria è di sapere se il cattolicesimo è una domanda rivolta a noi e se lo è dobbiamo ascoltarla, anche se il cattolicesimo non ascolta le nostre. E allora qual è questa domanda? È la seguente, anzi le due seguenti: la chiesa protestante è interpellata dal cattolicesimo romano, per sapere *se e in che misura* essa è *chiesa*; e in secondo luogo per sapere *se e in quale misura* essa è *protestante*. In altre parole, le due domande che il cattolicesimo romano rivolge alla chiesa protestante è se essa ha conservato *la sostanza della chiesa* e se essa ha conservato *la sostanza della Riforma*. Due domande temibili, come di vede, che Barth si sente incoraggiato, anzi obbligato a porre, a partire dall'ipotesi che «il cattolicesimo diventa per noi una domanda in quanto nelle sue premesse sulla Chiesa, pur con tutte le sue oggettivazioni (in cui prende corpo), si trova più vicino ai Riformatori di quanto non vi si trovi la chiesa della Riforma, nella misura in cui essa dovesse davvero e definitivamente (diventare) o essere diventata neoprotestante» [43]. Due domande temibili che Barth svolge con straordinaria lucidità e pertinenza, articolandole in una serie di punti che qui non possiamo esporre. Comunque, la domanda sulla *sostanza* della chiesa è posta dal fatto che il cattolicesimo è sorretto da una forte coscienza che *la presenza di Dio dà sostanza* alla chiesa, è la sua sostanza stessa. «Qui c'è sostanza di chiesa, c'è la consapevolezza che la chiesa è la casa *di Dio* – sostanza forse deformata, forse corrotta, ma non sostanza perduta!» [44].

La domanda riguardo alla *qualità protestante* della chiesa neoprotestante, Barth trova che il cattolicesimo romano, paradossalmente, ci interpella su quelli che furono e restano i punti qualificanti della Riforma, come la Parola di Dio cui il protestantesimo moderno ha di fatto sostituito la coscienza, o lo stesso Evangelo della grazia cui il protestantesimo moderno ha largamente sostituito la sua attività morale e sociale. Il cattolicesimo ha, sia pure in forme inaccetta-

---

[41] Testo del 1928, citato da BARTH, nota 37, p. 335, nota 1.

[42] *Ibid.*.

[43] Ivi, p. 338.

[44] Ivi, p. 339.

bili, conservato un certo senso dell'autorità superiore della Parola e un certo senso della misericordia di Dio come 'cuore' del cristianesimo, che ci interpella sulla qualità protestante della chiesa protestante.

Barth conclude: «È certo che il protestantesimo sarà liquidato se dovesse restare per sempre in debito di una giusta risposta alle due domande a lui poste dal cattolicesimo romano» [45].

B. *Domande a Roma*

Vorrei qui limitarmi alle domande che Barth ha posto, si può dire fin dall'inizio, al cattolicesimo romano, che egli *ha posto* anche alla teologia del Concilio e al cattolicesimo post-conciliare – domande che Barth *non ha ritirato*, domande alle quali il cattolicesimo non ha ancora risposto in maniera adeguata (né è certo che una simile risposta potrà mai venire), domande che quindi restano e devono essere riproposte nella speranza che possano essere ascoltate.

Sono in sostanza *quattro*: [46]

1. La prima è la questione della *teologia naturale* (con tutte le sue implicazioni sul piano della conoscenza di Dio e quindi del rapporto con lui; l'*analogia entis* e l'*analogia fiedei*; e via dicendo). Barth è rimasto fedele fino alla fine al *No* (il famoso *Nein!*) pronunciato, com'è noto, contro Brunner, ma scritto almeno in parte proprio in una stanza sul Monte Pincio – come Barth stesso racconta – dalla quale si vedeva il profilo inconfondibile della cupola di San Pietro [47]. Il *Nein!* a Brunner Barth l'ha scritto anche guardando, sia pure in lontananza, la cupola di San Pietro.

Non pochi studiosi hanno pensato che, dopo la svolta barthiana nella direzione dell'umanità di Dio, e un discorso come quello della *Dogmatica* (§ 69/2) su «la luce e le luci», la posizione di Barth sarebbe stata o diventata meno categorica o drastica. Ma non è così. Valorizzazione dell'umano, sì, ma solo come luce *riflessa* dell'unica luce che è Cristo. È vero, nell'evangelo non c'è solo il Regno, ci sono anche la parabole del Regno ma la via percorsa da Barth è dal Regno alla parabola e solo dopo e in maniera *derivata* dalla parabola al Regno.

2. La seconda domanda riguarda *Maria*. Anche qui la posizione di Barth resta immutata. In una lettera degli ultimi anni Barth si spinge fino a dire che «non avrebbe nulla da obiettare, sul piano dei princìpi, a una statua di Maria che invece di trovarsi accanto all'altare si trovasse al livello della comunità e volgesse il suo volto verso l'altare» [48]. Ma questa è appunto la posizione di Lu-

[45] Ivi, p. 363.

[46] Mi rifaccio qui a BIELER [nota 39], pp. 29-33.

[47] K. BARTH, *Nein!*, in *Dialektische Theologie in Scheidung und Bewärhrung, 1933-1936*, Kaiser, München, 1966, p. 231.

[48] *Briefe 1961-68*, Zürich 1975, p. 206. Citato da BIELER [nota 39], p. 30.

tero che vede Maria come *credente* e modello di fede e di chiesa. Questo però non autorizza nessuna «mariologia». «Sono costretto, oggi come ieri, a respingere il suo stesso presupposto, cioè la possibilità, la legittimità e la necessità di una mariologia»[49].

3. La terza domanda è sul *magistero infallibile*. Barth si è spinto a dire, nel ricordo ancora vivo dell'incontro cordiale con Paolo VI: «Il papa non è l'anticristo!»[50] (con tanto di punto esclamativo), ma la questione della *Parola vincolante* nella chiesa è troppo importante, proprio per la qualità della fede che genera, e il dogma del Vaticano I costituisce certamente una *forzatura* in direzione opposta a quella di una chiesa fiduciosa nell'azione dello Spirito e della forza creatrice della parola di Dio. Il magistero infallibile resta per Barth una forma illegittima e inaccettabile di dar voce all'autorità della Parola di Dio nella Chiesa.

4. I sacramenti: Battesimo e Cena. Barth scrive in proposito: si tratta nei due casi di «azioni umane che seguono ordini divini con particolare risalto: ... il battesimo in rapporto particolare con il *fondamento*, la Cena in particolare rapporto con il *rinnovamento* della vita cristiana»[51]. «Battesimo e Cena non sono eventi, manifestazioni, comunicazioni, rivelazioni di salvezza. Non sono rappresentazioni e realizzazioni, emanazioni, ripetizioni o prolungamenti, ma neppur garanzie o suggelli dell'opera e parola di Dio, non sono strumento, veicolo, canale e mezzo della sua grazia riconciliatrice. Non sono ciò che a partire dal II secolo si è pensato e detto che sono chiamandoli e comprendendoli come 'misteri' e 'sacramenti'. Battesimo e Cena fanno parte, insieme all'intero essere, parlare e fare della comunità di Gesù Cristo e dei suoi membri, della *risposta, attestazione* e *predicazione* dell'unico atto salutare e dell'unica rivelazione di salvezza, che è permessa, affidata e comandata da Dio alle persone raccolte nella cristianità ... Battesimo e Cena sono, come la vita cristiana, atti dell'ubbidienza umana, nell'invocazione di Dio ... Essi *si collegano* all'opera e alla parola vera e propria di Dio, essi *corrispondono* alla sua grazia e al suo comandamento. In quanto essi fanno questo, hanno la promessa del compiacimento divino e faranno del bene come azioni umane sante, significative, feconde...»[52]. Questi testi parlano da sé, rivelando una comprensione dei 'sacramenti' agli antipodi di quella cattolica (e non solo cattolica!).

Tutte queste domande si possono riassumere nella domanda delle domande, che è questa: fino a che punto la chiesa cattolica è davvero ubbidiente alla Parola di Dio? Fino a che punto non si è resa e continua a rendersi *relativamente autonoma* rispetto a questa parola, optando per qualche forma di *autodeterminazione* piuttosto che lasciarsi determinare dalla parola biblica profe-

[49] *Domande a Roma*, p. 76.

[50] *Domande a Roma*, p. 34.

[51] K. BARTH, *Das Christliche Leben*, Zürich, 1976, p. 71 ss.

[52] Ivi, p. 72.

tica ed apostolica? In altre parole è questa la prima domanda critica che Barth pone a proposito della costituzione dogmatica sulla chiesa del Vaticano II: «A che cosa si riduce la *distanza* fra Cristo Signore, re e giudice, e la sua Chiesa?».

Conclusione

Nell'articolo sul Vaticano II pubblicato sull'«Ecumenical Review», già ampiamente citato, Barth scriveva concludendo: «Da qualunque punto di vista la riguardi, la via verso l'unità della chiesa può solo essere la via del suo rinnovamento. Ma rinnovamento significa pentimento. E pentimento significa conversione – non quella degli altri, ma la nostra»[53]. Barth stesso ha contribuito non poco – pensiamo – a questa conversione. In questo senso si può persino avanzare l'ipotesi che l'influenza maggiore di Barth non è solo e non è tanto quella di aver contribuito alla creazione di una sinistra cristiana in Germania: «Ora è agli inizi un'azione che forse riceverà il massimo significato storico con il porre le fondamenta della unità dei cristiani in una chiesa visibile – rispetto a questo significato, tutto il resto è stato solo episodio e indizio»[54]. In altri termini: il maggior significato storico di Barth, forse, è proprio quello ecumenico. Questa conclusione può ben essere la nostra e se volessimo raccogliere dall'insieme del discorso di Barth un'indicazione per il nostro cammino, potremmo condensarla in questa triplice consegna che sostanzia o deve sostanziare, secondo Barth, ogni lavoro ecumenico:

1) ubbidienza incondizionata ma anche sempre da rinnovare, da approfondire, da estendere, da radicalizzare, una ubbidienza mai esaurita, mai conclusa alla Sacra Scrittura;

2) libertà, franchezza, fraternità nel rapporto e nella critica reciproca;

3) nessun ottimismo, nessuno scetticismo ma: speranza, speranza e ancora speranza.

---

[53] «Ecumenical Review», p. 367.

[54] MAX SCHOCH, *Karl Barth, Teologie in Aktion*, Verlag Huber, Frauenfeld und Stuttgart, 1967, p. 213.

SEZIONE TERZA

BARTH POLITICO E PASTORE

LA TEOLOGIA E LA POLITICA IN KARL BARTH

di WALTER KRECK

Uno dei punti di maggiore controversia nell'eredità teologica di K. Barth è sicuramente quello del rapporto tra teologia e politica nella sua teologia. Non si può negare che tutta la sua opera teologica fosse dedicata al retto intendimento dell'evangelo di Gesù Cristo. Anche il suo impegno politico parte sicuramente da lì. Viceversa non si può intendere la sua teologia se la sua impostazione teologica viene isolata e si prescinde dalle sue prese di posizione politiche. Ma resta la questione di quale sia il nesso fra il suo impegno politico, talvolta molto intenso, e le sue decisioni teologiche fondamentali. Prima di trattare questa questione do una rassegna su alcune prese di posizione politiche di K. Barth in alcuni periodi della sua vita, posizioni che talvolta possono anche sembrare contraddittorie.

I

Alcuni esempi dell'impegno politico di K. Barth

Barth ha ribadito spesso che l'atteggiamento dei suoi professori di teologia al momento dello scoppio della I guerra mondiale in Germania aveva profondamente scosso la sua visione della teologia. Quando vide nel «terribile manifesto dei 93 intellettuali tedeschi che s'identificavano con la politica bellica dell'imperatore Guglielmo e del suo cancelliere Bethmann-Hollweg», anche il nome di tutti i suoi maestri, questi gli sembrarono «irrimediabilmente compromessi». Egli ammette che «tutto un mondo di esegesi, etica, dogmatica e predicazione, che io fino a quel momento avevo ritenuto credibile, era crollato insieme a tutto quel che allora si poteva ottenere dai teologi tedeschi» [1].

In quel momento Barth voltava le spalle alla giustificazione cristiana di una teoria bellicista e tendeva come teologo verso il socialismo entrando nel partito socialdemocratico e negli anni successivi s'impegnava politicamente anche nel sindacato della sua comunità operaia di Safenwil. Ma questo impegno era sempre accompagnato anche da un atteggiamento critico. Da un lato Barth è molto deluso dal «peccato originale» dei socialdemocratici che aderivano an-

---

[1] *Nachwort z. Schleiermacher Auswahl*, 1968, p. 293.

ch'essi all'isteria bellica del 1914, dall'altro sviluppava sempre più riserve verso i socialisti religiosi come Herrmann Kutter e Leonhard Ragaz ai quali era molto vicino.

Il punto di vista di Dio si scontra con tutti i punti di vista di partito. L'«infinita differenza qualitativa» fra il regno di Dio e tutti i nostri valori religiosi o morali, cui aveva già accennato nel suo commento alla *Lettera ai Romani*, sbocca nella sua famosa relazione di Tambach del 1919 «Il cristiano nella società» e nella seconda edizione del *Römerbrief*. Ora parla di una «rivoluzione di Dio», rispetto alla quale tutti i cambiamenti umani sono solo «rivoluzioncelle». Egli teme che si «secolarizzi Cristo per l'ennesima volta per rendere oggi un favore alla democrazia sociale, al pacifismo, ai *'Wandervögel'*, come una volta si voleva rendere un favore alla patria, al nazionalismo svizzero o tedesco o al liberalismo degli intellettuali»[2]. Ma nello stesso momento Barth parla già di «parabole del regno dei cieli» e di «analogie del divino nel mondano». Non stupisce che alcuni dei suoi amici fra i socialisti religiosi fossero molto perplessi su di lui. Non si può ridurre ad un unico denominatore la posizione del Barth giovane sul rapporto teologia-politica. La controversia si accende sul punto di sapere in quale misura Barth fosse allora socialista. Si deve mantenere il fatto che Barth si schierava come pastore dalla parte degli economicamente oppressi e sfruttati e che, con il suo ingresso nel partito socialdemocratico (che non era ancora un partito interclassista), rompeva le frontiere esistenti tra le classi. Dall'altra parte si deve anche mantenere che egli diventando sempre più polemico contro l'identificazione di una meta politica con il regno di Dio (promesso e costruito solamente da Dio) andava contro il socialismo cristiano. Resta da chiedersi come la grande rivoluzione di Dio che Barth trovava annunciata nella Bibbia potesse collegarsi con la lotta politica e sociale alla quale egli si riteneva obbligato. Si può nello stesso tempo essere per la presa di posizione politica e la solidarietà socialista e degradare poi ogni rivoluzione terrena ad una «rivoluzioncella»? Esiste per parlare nella terminologia tradizionale della teologia, una 'terza' possibilità tra la separazione dei due regni e la loro mescolanza?

L'interesse politico di Barth non si spense durante gli anni del suo professorato accademico in Germania, anche se negli anni Venti egli era molto assorbito dal lavoro per gettare le basi di una nuova impostazione dogmatica ed anche se egli, in quanto svizzero, aveva un certo ritegno ad impegnarsi politicamente in un paese che non era il suo. Retrospettivamente Barth descrive le sue esperienze con colleghi conservatori irriducibili: «accompagnavo le fatiche di alcuni uomini avveduti e di alcuni piccoli circoli animati da buona volontà, che prendevano sul serio la repubblica di Weimar e la sua Costituzione, che volevano costruire in Germania una democrazia sociale e dare al paese in modo leale uno spazio adeguato in un mondo molto diffidente. Dall'altra parte vedevo e ascoltavo i *Deutsch-Nationalen* – nella mia memoria le più sgrade-

---

[2] Cit. secondo BUSCH, *K. Barths Lebenslauf*, 1975, p. 123.

216

voli creature di Dio che abbia mai incontrato – che non avevano imparato nulla e dimenticato nulla e che siluravano assolutamente ogni qualsiasi tentativo di ottenere il meglio sulla suddetta base e che contribuivano con i loro discorsi provocatori a riempire i calici dell'ira che si sarebbero poi riversati sulla nazione tedesca nei due decenni successivi» [3].

Barth rimprovera ai professori tedeschi il sabotaggio della repubblica di Weimar e li accusa di avere preparato la *'Hitlerei'* con la loro filosofia della storia. Ma Barth si rivolta anche contro l'autocoscienza pomposa della chiesa evangelica in Germania, che si vantava della sua abilità manovriera di chiesa di popolo e sperava in un 'secolo della chiesa', così che Barth intorno al capodanno del 1929-30 poteva parlare pubblicamente di una 'congiura di Catilina' contro la sostanza della chiesa evangelica. Tutto questo – anche il suo impegno a favore del professore Günther Dehn, che era stato allontanato dalla sua cattedra a causa delle sue critiche alla glorificazione religiosa delle vittime della guerra – erano solo scaramucce e non costituivano ancora una frontiera di lotta politica aperta.

Anche nei primi mesi dell'anno 1933, dopo l'inizio dell'epoca del Terzo Reich Barth taceva e nel suo scritto di battaglia «Theologische Existenz heute!», composto nel giugno, scritto che aveva suscitato molto scalpore, si limitava ancora ad una critica acuta verso la politica ecclesiastica 'nazionale' della chiesa tedesca e verso le reazioni ecclesiastiche a questo fatto. Barth fa un appello a favore di un lavoro teologico oggettivo «come se nulla fosse accaduto»! Ma quando egli, – l'autore della Dichiarazione teologica di Barmen, la *magna charta* del *Kirchenkampf* – diventa il capo teologico dell'opposizione ecclesiastica in formazione, appare sempre più evidente che per lui la lotta per la chiesa è la lotta per il giusto intendimento della Parola di Dio e che questa lotta tocca la vita pubblica e contesta la pretesa totalitaria dello Stato. Dopo l'ascesa al potere di Hitler Barth rifiuta di lasciare il partito socialdemocratico tedesco al quale aveva aderito nel 1931 e rifiuta anche di salutare gli studenti con il saluto di Hitler; inoltre non è disposto ad un completo giuramento di fedeltà al Führer. Così, nonostante un processo che ebbe per lui un esito non sfavorevole, Barth perse la sua cattedra nel 1935 accettando contemporaneamente una chiamata all'università di Basilea.

Dalla Svizzera Barth sostenne apertamente la resistenza contro Hitler. Nel 1939 dichiarò pubblicamente che era passato decisamente il tempo dell'attesa critica perché lo stato nazista era diventato una dittatura di principio, un istituto religioso, un sistema criminale al quale bisogna opporre resistenza. Durante una lezione ad Aberdeen in Scozia K. Barth parla di bugiardi, assassini, e incendiari, parla di una chiesa dell'anticristo contro la quale non basta pregare e soffrire, ma si esige resistenza attiva. E nella sua lettera al professor Hromadka di Praga durante la cosidetta crisi della Cecoslovacchia, dichiara cristianamente legittima e necessaria la lotta armata dei cechi contro Hitler.

[3] Ivi, p. 203.

Questo suscita una grande perplessità anche nella Direzione della Chiesa Confessante. Barth tentava in molti modi di rinforzare la resistenza contro lo Stato nazionalsocialista sostenendo i profughi politici, prestando servizio nell'esercito svizzero e collaborando con comunisti nel Comitato nazionale Freies Deutschland, ottenendo per questa ragione anche un divieto temporaneo di pubblicazione da parte delle autorità elvetiche. Vediamo che il teologo Barth, che come nessun altro aveva messo in guardia contro il pericolo di scambiare il regno di Dio con i regni di questo mondo e che era lontano da ogni spirito di crociata, in particolari situazioni poteva impegnarsi politicamente con la parola e con l'azione ed esortare alla resistenza.

Uno shock per molti fu anche il comportamento politico di Barth dopo il 1945, quando il Terzo Reich era stato debellato. Barth si adoperava mediante consigli ed azioni ad aiutare il popolo tedesco e la chiesa evangelica tedesca nella sua ristrutturazione. Ma lo deluse ben presto la poca disposizione ad un vero ripensamento. Nell'aspra discussione seguita alla Dichiarazione di colpevolezza di Stoccarda (1945), promossa tra altri anche da lui, lo scontentarono i tentativi di deviare la dimensione politica della colpevolezza verso un atteggiamento di confessione fatta davanti a Dio nella cameretta e così scusarsi facendo riferimento all'effetto irresistibile delle potenze demoniache. Ebbe più soddisfazione quando collaborò alla stesura della cosidetta 'Dichiarazione' di Darmstadt del Consiglio fraterno della chiesa Confessante «sul cammino politico del nostro popolo» (1947), in cui viene sconfessato il coinvolgimento della Germania in un cieco nazionalismo, militarismo e anticomunismo e si denuncia il pericolo costituito dal lasciarsi immischiare nella guerra fredda. Ma proprio questo documento non trovò un'eco positiva e venne rifiutato anche negli ambienti ecclesiastici.

L'atteggiamento di Barth nel conflitto tra Occidente ed Oriente fu per molti una pietra di scandalo. Ci si aspettava che egli rilanciasse contro il «comunismo ateo» dichiarazioni altrettanto nette di quelle tenute a suo tempo contro il nazismo. Contro la sua supposta «amicizia verso il comunismo» si elevarono sulla stampa tedesca come in quella svizzera accorate proteste. Lo si minacciò addirittura di portarlo davanti al giudice penale! La vivacità dell'opposizione che le sue prese di posizione suscitavano può esser illustrata con due episodi: la perplessità del governo regionale dell'Assia verso il discorso di Barth alla commemorazione del *'Volkstrauertag'* a Wiesbaden nel 1954, dove Barth aveva ricordato tra gli oppositori di Hitler anche la *Rote Kapelle*; l'iniziativa del presidente Heuss di impedire che Barth ricevesse il premio per la pace dei Librai tedeschi nell'anno 1958. Questi due fatti dimostrano la perplessità che Barth suscitava. Anche per la Germania, dunque, valeva quanto recentemente ha scritto Max Frisch a proposito della Svizzera: «Persone come K. Barth, che si oppose in qualità di cristiano alla guerra fredda, non raggiunsero alcun risultato su questa terra, tranne la fama di essere degli emarginati» [4].

[4] V. «Frankfurter Rundschau» del 12/6/1986.

Barth non lasciò alcun dubbio sul fatto di avere anche lui delle critiche da far valere anche nei confronti del comunismo. In certe occasioni poté mettere in guardia i cristiani dell'Est, come per esempio il vescovo ungherese Bereczky, dal voler trasformare l'assenso al comunismo in un articolo di fede. Un certo prudente ritegno ebbe anche nei confronti del cammino politico del suo amico di Praga J. Hromadka e verso la Conferenza Cristiana per la Pace, da lui fondata. Nello scritto «La chiesa tra oriente ed occidente» (1949) mise la chiesa in guardia contro il pericolo di lasciarsi identificare con uno dei due blocchi ideologici. Egli tuttavia credeva di avere buone ragioni per non attaccare il comunismo come aveva attaccato il nazismo. Qui occorreva differenziare: al posto dell'entusiasmo del popolo tedesco per Hitler nel 1933, nei confronti del comunismo stalinista regnava piuttosto una «ipersensibilità, nervosità ed eccitazione». Di conseguenza, il pericolo di trasfigurare religiosamente l'ideologia comunista era qui minore. Secondo Barth era anche impossibile decidere se l'Unione Sovietica preparasse la guerra con altrettanta determinazione di Hitler. Inoltre l'occidente, carente dal punto di vista delle proprie strutture sociali, non poteva comportarsi da prepotente con Mosca. La libertà occidentale non era forse quella di gettar via il suo grano? L'oriente comunista, sempre secondo Barth, era seccamente «a-cristiano», ma non «anticristiano» e la chiesa, nei suoi confronti, doveva predicare la «Parola della croce», piuttosto che proclamare una crociata.

Malgrado queste ripetute messe in guardia da una parte contro l'assolutizzazione dei contrasti e dall'altra contro uno schematico fronteggiarsi di posizioni, l'atteggiamento politico di Barth non può venir considerato come la ricerca di equilibrio costante e di equidistanza tra le varie parti. Egli poteva anche secondo le situazioni esortare a nette prese di posizione politiche. Questo è dimostrato dalla sua netta condanna del nazismo e dal suo giudizio prudente sul comunismo e anche dal suo no incondizionato alle armi atomiche, benché egli non fosse un pacifista assoluto. Così ancora nel 1951 egli ha denunciato nella sua dogmatica (KD III, 4) come la guerra sia brutta e terrificante, ma ha anche cercato di giustificare una guerra difensiva come ultima possibilità nel caso che un popolo venga minacciato di morte. Più tardi Barth prese coscienza della misura della minaccia di una guerra atomica e riconobbe che oggi non si tratta più di principi o di ideologia o di questioni di potere, ma che si tratta solamente della sopravvivenza dell'umanità. A questo punto egli ritenne necessario esortare i governanti «fino a romper loro le orecchie», per farli smettere con le armi atomiche. In questo senso Barth lanciò appelli ai deputati svizzeri (in una mozione ecclesiastica di minoranza), al congresso europeo contro gli armamenti nucleari egli stesso (come si seppe più tardi) stese le tesi della Fraternità Ecclesiastica Occidentale che dichiarano l'armamento nucleare incompatibile con tutti e tre gli articoli del Credo.

A proposito di queste diverse prese di posizioni politiche di Barth si può retrospettivamente constatare una continuità oggettiva nell'atteggiamento di fondo? Barth stesso così si definisce: «nessuna idea, nessun sistema, nessun

219

programma, ma una direzione e una linea riconoscibili e sostenibili in ogni circostanza»[5]. È constatabile questo per quanto lo riguarda? Egli si è posto davanti al problema 'teologia e politica' nella maniera più esplicita in due scritti: *Rechtfertigung und Recht*, 1938, e *Christengemeinde und Burgergemeinde*, 1946. Da essi traspare l'impostazione generale che egli dà al problema.

II

Justitia Dei e justitia humana

1. Il rapporto tra giustificazione e diritto

Lo sconcerto generato dalla perversione dello Stato messa in atto nel Terzo Reich è certo all'origine del fatto che Barth nel suo scritto *Rechtfertigung und Recht* del 1938 credette di poter dimostrare l'esistenza di una lacuna anche negli scritti dei Riformatori. Lutero e Calvino, si dice qui all'inizio, avevano entrambi sottolineato che giustificazione e diritto o, in altri termini, che la predicazione di Gesù Cristo e il compito dell'autorità secolare non sono contraddittori; ma sul modo in cui le due istanze fossero collegate e sul problema del se e come il potere politico fosse edificato sul potere di Gesù Cristo, ebbene, su queste questioni i Riformatori non avevano dato, secondo Barth, alcuna indicazione. Da questo era sorto il pericolo che il regno di Dio potesse esser inteso solo come grandezza interiore o sovramondana e che parallelamente l'autorità terrena fosse intesa ovvero come grandezza del tutto arbitraria e autonoma ovvero inquadrata in una dottrina della provvidenza di un Dio che aveva poco a che fare con il Padre di Gesù Cristo.

Tale schizofrenia, che prese forme grossolane sotto il potere nazista, aveva ricevuto una confutazione già con la seconda Tesi di Barmen, nella quale si dice che Gesù è nello stesso tempo dono gratuito ed esigenza di Dio *(Anspruch - Zuspruch)* riguardo a tutta la nostra vita e dove si sottolinea espressamente che non esiste alcuna zona della nostra esistenza, quindi neppure l'ambito politico, che possa esserne escluso. Tuttavia proprio questa affermazione abbisogna di un fondamento tanto teologico quanto esegetico ed appunto a questo cercava di dare un contributo il suo scritto *Rechtfertigung und Recht*. Barth vede nel Nuovo Testamento non solo la presa di distanza in rapporto allo Stato, la difesa contro le sue ingerenze e la possibilità della sua demonizzazione (cfr. 13), ma anche il riconoscimento del suo valore come 'ordinamento' *(Anordnung)* divino. Nell'incontro di Gesù con Pilato, a proposito del quale si citano volentieri solo le parole «il mio regno non è di questo mondo», il procuratore romano appare non soltanto come rappresentante di una potenza assolutamente nemica, ma anche come potere che riceve la sua procura da Dio, il Padre di

---

[5] K. BARTH, *Christengemeinde und Bürgergemeinde*, 1946, p. 22.

Gesù Cristo. Gesù viene condannato da Pilato non «secondo» la legge, ma «malgrado» la legge. Lo Stato che condanna Gesù non è 'troppo', ma 'troppo poco' Stato. L'obbedienza alle autorità dev'esser prestata secondo Rom. 13 non solo a causa del timore, ma anche a causa della coscienza. Il Nuovo Testamento può impiegare concetti politici per descrivere il regno di Dio. Barth adopera addirittura l'ipotesi tutt'altro che sicura del rapporto dello Stato con le cosidette potenze angeliche. La sottomissione dello Stato a Cristo viene dedotta dal fatto che il NT annuncia o promette la sottomissione di tali potenze angeliche a Cristo.

Non si possono qui esaminare in dettaglio i ragionamenti che Barth fa sia nella sua opera *Rechtfertigung und Recht* sia più tardi in *Christengemeinde und Bürgergemeinde* (1946). Mi limito alle decisioni più fondamentali. Se Gesù Cristo è veramente l'unica Parola di Dio, se l'elezione di grazia è veramente l'atto governatore di Dio, l'atto cui vengono sottomesse anche la creazione e la conservazione del mondo, l'atto cui deve servire anche la legge di Dio, allora si può parlare in modo giusto del compito dello Stato e della partecipazione dei cristiani alla vita politica soltanto sotto questo aspetto cristologico che comprende tutto. Se Gesù Cristo è veramente il *logos* che era nel principio, mediante il quale sono state fatte tutte le cose, e se vi è identità tra il soggetto dell'incarnazione e della croce da un lato e quello della resurrezione e dell'innalzamento dall'alto, soggetto cui secondo Giov. 1 è stato conferito tutto il potere in cielo e sulla terra, allora non può esistere alcuna azione politica che porterebbe il cittadino a sottomettersi ad altri dei. Dopo che Dio ha riconciliato il mondo in Cristo non si può più parlare in senso stretto di un ambito 'profano' escluso da questo mondo amato da Dio.

Con questo Barth si oppone ad un'impostazione teologica che faccia ricorso al diritto naturale. Ve ne sono esempi tanto nella teologia cattolica quanto in quella riformata come per esempio quella di Melantone. È vero che lo Stato pagano non conosce alcun'altra fonte del diritto che la 'cisterna screpolata' del diritto naturale ed è vero pure che si può arrivare a conoscenze positive a causa della provvidenza graziosa di Dio, ma la comunità cristiana non può affidarsi a tale fondamento sempre ambiguo; essa deve ricorrere al comandamento di Dio. Barth respinge non solo la deduzione del comandamento divino da una presunta conoscenza di Dio sulla base di un articolo di fede isolato, ma respinge anche la fondazione dell'etica politica su una legge separata dall'evangelo, con la conseguenza di sottomettersi ad una norma astratta (per esempio il diritto alla rappresaglia).

La giustizia del mondo non è opposta alla giustizia di Dio che si è manifestata in Gesù Cristo. Perciò la comunità civile non è l'opposto della comunità cristiana, ma deve rispondere nel suo modo alla volontà di grazia di Dio, se comprende bene il suo compito, e deve servire l'uomo amato da Dio provvedendo al diritto ed alla pace, se necessario anche con la minaccia e l'uso della forza. L'ordinamento statale non è necessariamente e per essenza uno di quegli 'empi legami' di cui parla la seconda tesi di Barmen. Anche se può soggiacere alla tentazione di diventare forza arbitraria. Ma non è questo il punto. Esso va richiamato al suo compito voluto da Dio. In questa prospettiva, l'ordinamento statale dev'esser rispettato come ordine divino e sostenuto dalla preghiera della comunità cristiana e dalla sua collaborazione.

Queste erano le espressioni sorprendenti e provocatorie per noi quando come chiesa confessante in Germania ci trovammo sotto l'impressione della crescente demonizzazione dello Stato!

2. *Sulla differenza tra comunità cristiana e comunità civile*

Non fa certo meraviglia che questo tentativo di coordinare i due 'reggimenti' cadesse sotto l'accusa di fumosità. Non vi è forse qui una grossolana commistione tra due ambiti diversi in cui Cristo viene confuso con Cesare? Se si parla dello Stato come di uno strumento della grazie divina, e se si afferma che esso ha in comune con la comunità cristiana «tanto la sua origine quanto il suo centro»[6], se anche la comunità pagana si trova nel regno di Cristo[7], se addirittura si parla di una garanzia reciproca che Stato e chiesa si dànno[8], allora scompare ogni delimitazione significativa.

Non deve tuttavia sfuggire il fatto che se Barth combatte la separazione, non per questo tende ad una mescolanza. Anche secondo lui Stato e chiesa conservano funzioni differenti: lo Stato deve provvedere «per quanto rientra nelle prospettive e nelle capacità umane» (Barmen V), alla pacifica convivenza umana, garantita giuridicamente. Qui non si predica, non si confessa la fede e non si prega. Si tratta di una «umanizzazione esteriore» di cui fa parte anche la protezione giuridica per una predicazione libera. La chiesa deve rispettare questa funzione dello Stato, cioè la disposizione divina attiva in esso e deve accompagnarla con la sua preghiera d'intercessione e ricordare ai governanti ed ai governati il regno di Dio, il suo comandamento e la sua giustizia (Barmen V). Ma non deve far giustizia da sé ed imporla con violenza.

Abbiamo visto che Barth ha sempre respinto una 'teologia politica' che usa l'evangelo, come arma nella controversia delle ideologie e degli 'ismi' (com'egli usava dire). Non esiste un evangelo tedesco, non esiste un evangelo capitalista, ma neppure uno socialista. Barth si oppone all'espressione 'Stato cristiano' 'partito cristiano'. Egli sottolinea il carattere mondano della comunità civile, ma anche la funzione limitata della comunità cristiana. In Barmen V viene rifiutata per entrambe una pretesa totalitaria. Lo Stato non può dirigere le coscienza e deve lasciare aperta la domanda di Pilato circa la verità. La chiesa deve rinunciare a dare corso forzoso alla propria fede. Barth attribuisce un gran valore al fatto dell'*anonimità* della vita politica cristiana. «Nell'ambito politico la chiesa non può far apparire il suo messaggio se non indirettamente

---

[6] Ivi, p. 13.

[7] Ivi, p. 23.

[8] K. BARTH, *Rechtfertigung und Recht*, 1938, p. 45.

attraverso le sue decisioni politiche. Quelle decisioni non possono esser rese convincenti e realizzate col motivo che sono cristiane, ma soltanto in quanto siano politicamente migliori, cioè di fatto più valide per conservare e promuovere la vita sociale»[9]. Sono decisioni che qualsiasi altro cittadino deve poter prendere; perciò non vanno poste sotto l'egida di un partito cristiano, altrimenti si abusa del cristianesimo per mascherare un «alto fine umano fondato sul diritto naturale»[10].

Tutto questo indica l'esistenza di una chiara demarcazione tra chiesa e Stato e si oppone a concezioni teocratiche, di chiesa-Stato o di Stato-chiesa. Ma – al posto di una mescolanza o di una separazione, può esserci un *tertium?*

3. La corrispondenza tra giustizia umana e giustizia divina

Secondo Barth tra ambito cristiano e ambito politico non sussiste alcuna identità, ma neppure sussiste tra essi una necessaria opposizione, piuttosto c'è analogia o corrispondenza. La comunità cristiana «distingue tra le varie possibilità politiche che le si presentano davanti e sceglie, rifiutando le altre, sempre quelle, nella realizzazione delle quali appare un'analogia, un'immagine speculare di quel che è contenuto nel suo messaggio e nella sua confessione di fede»[11]. Non a caso in campo politico risuonano parole come pace, giustizia e libertà, parole che posseggono un'importanza centrale anche nell'annuncio del regno di Dio. In campo politico non vi è luogo né per una semplice ripetizione del discorso ecclesiastico, né per una anticipazione del regno di Dio, bensì solo per una «umanizzazione dell'esistenza umana in senso esteriore, relativo, provvisorio»[12]. Come potrebbe il cristiano impegnarsi in tali direzioni senza orientarsi secondo l'uomo Gesù? Infatti: «dopo che Dio stesso è divenuto uomo, l'uomo è divenuto misura di tutte le cose e così l'uomo può esser impegnato e, a certe condizioni, offerto, solo in favore dell'uomo. Quindi anche il più miserabile degli uomini dev'esser risolutamente difeso e protetto contro l'autocrazia della semplice 'cosa'»[13].

Da questa impostazione nascono le prospettive di un giudizio e di una azione politica cristiana. Per esempio la comunità cristiana si sentirà chiamata a sostenere lo Stato di diritto e ad impegnarsi in favore della giustizia sociale, perché il diritto è l'avvocato dei poveri. Nel suo sapere intorno alla libertà dei figli di Dio, cui tutti sono chiamati, la comunità cristiana si opporrà in ogni caso ad una dittatura di principio (che Barth distingue da una dittatura limitata e temporanea). Essa esigerà l'uguaglianza di fronte alla legge, la divisione dei poteri e la libertà di stampa. Essa si guarderà dal ritenere perverso ogni

[9] *Cristengemeinde und Bürgergemeinde*, cit. p. 48.

[10] Ivi, p. 49.

[11] Ivi, p. 31.

[12] Ivi, p. 19.

[13] Ivi, p. 33.

uso della forza, ma nello stesso tempo saprà distinguere nettamente tra *potestas* e *potentia*, tra la forza che serve il diritto e quella che lo piega, e potrà tollerare un regolamento violento dei conflitti soltanto come *ultima ratio*.

Barth è ben cosciente del fatto di non poter dedurre alcun dettagliato programma di politica cristiana e di dare soltanto l'indicazione di una linea. Ma questi esempi servono tuttavia ad indicare il nesso parabolico tra il regno di Dio predicato e determinate decisioni politiche. Non lo disturba che le sue affermazioni si accostino a certi postulati del diritto naturale. Questo potrebbe esser una conferma del fatto che « la *polis* si trova all'interno del regno di Cristo, anche là dove i suoi responsabili lo ignorano o non vogliono riconoscerlo » [14]. La comunità cristiana guarderà all'ambito politico a partire dall'evangelo, sperando così di giudicare rettamente. Differenza e legame tra cristianesimo e politica nell'ottica di Barth, appaiono nel modo più preciso in queste due sue affermazioni: « Nello svolgimento della sua responsabilità politica, la comunità cristiana non si troverà implicata con problemi cristiani, ma con problemi e compiti di carattere 'naturale', mondano e profano. In tutto questo essa deve però lasciarsi orientare dall'unica norma per lei affidabile e imperativa, quella spirituale, sottoponendosi all'autonomia chiara della propria causa e non a quella oscura di una causa estranea. Da quella e non da questa infatti deriverà l'orientamento nelle sue decisioni anche in campo politico » [15].

Ma la soluzione offerta da Barth è proprio una valida indicazione che ci permette di destreggiarci governando con perizia tra Scilla e Cariddi, preservandoci dal mescolare come dal separare i due « Regni »?

III

Nella discussione intorno al « Barth politico » non si tratta di superficiali questioni di cosidetta 'teologia politica': qui piuttosto avviene la verifica di tutta la concezione teologica barthiana. Barth ha però sempre negato di esser chiuso in un sistema ed è giusto considerare la sua opera teologica come un procedere in avanti mediante differenziazioni e con molte curve e ritorni. Tuttavia esistono certune decisioni di principio che nella sua opera si spiegano con sempre maggior nettezza e senza le quali anche le sue prese di posizione politiche risulterebbero incomprensibili. Da una parte la singolarità e l'universalità di Gesù Cristo, dall'altra l'unità dell'agire divino nella creazione, nella riconciliazione e nella redenzione, tenute insieme dalla « cupola della elezione della grazia » *(Kuppel der Gnadenwahl)*, e ancora l'anteporre l'evangelo alla legge, il rifiuto di ogni teologia naturale (nel senso dell'*analogia entis)* e la contemporanea affermazione di una conoscenza di Dio possibile per l'uomo, in quan-

[14] Ivi, p. 44.
[15] Ivi, p. 24.

to gli viene donata (nel senso dell'*analogia fidei*), la differenza tra chiesa e mondo e nello stesso tempo la relativizzazione di questi confini – tutto questo dovrebbe esser tenuto presente.

Proprio contro questa complessiva concezione s'indirizzano di solito gli attacchi di una parte del mondo teologico, sconcertato anche dal Barth politico. Gli si rimprovera di aver nella sua dottrina dell'elezione proiettato il Gesù storico indietro nella Parola che secondo Giov. 1 all'inizio si trovava con Dio e di aver fatto di lui un principio. Si critica il supposto livellamento della gradualità della rivelazione; si teme una obiettivizzazione della riconciliazione, mal interpretata come uno stato di fatto già operante per tutta l'umanità senza riguardo alla fede e non fede del singolo. Barth, secondo questi critici, corre il pericolo di abbandonare la riserva escatologica (*eschatologischer Vorbehalt*), di ridurre l'importanza del giudizio finale anticipandolo, di confondere le frontiere tra chiesa e mondo e di scambiare l'amore che nasce dalla fede con un principio umanistico. In questo modo il carattere di decisione proprio dell'evangelo, che secondo Paolo è un odore di vita a vita e di morte a morte, verrebbe indebolito, mentre la non fede verrebbe ridotta a impossibile possibilità e l'ateismo dovrebbe far meno paura del peccato della chiesa. La teologia di Barth, iniziata come teologia della crisi in una lotta senza quartiere al protestantesimo liberale, molti la vedono finire quasi una morbida teologia dell'illuminismo se non addirittura come gnosi, dove pur parlando sovente di storia, in sostanza non accade più nulla perché tutto è ormai già accaduto da molto tempo, tanto che l'unica differenza che ancora sussiste è quella tra coloro che già lo sanno e gli altri che ancora non lo sanno. Non fa meraviglia, quindi, che in questa teologia anche il rapporto tra chiesa e Stato venga travisato.

Naturalmente non ci è possibile qui affrontare questo insieme di critiche. Tenendo tuttavia presente l'ampiezza di questo fronte, ci limiteremo alle domande che sono più attuali.

1. Si può affermare che la 'pagana' comunità civile sia «nel regno di Cristo»?

Questa formulazione provoca naturalmente delle proteste. Come si può infatti essere «nel regno di Cristo» mentre – anche stando a Barth – qui non si confessa la fede, non si crede e non si prega, bensì si tratta di ordinamenti umani e di «esteriore umanizzazione»? Persino la chiesa visibile non si trova senza problemi nel campo del regno di Cristo, in quanto prega 'venga il tuo regno' e invoca la futura redenzione. L'immagine dei due cerchi concentrici intorno a Cristo (il più centrale corrisponde alla comunità cristiana ed il più esterno alla comunità civile), immagine che Barth usa, è troppo spaziale e geometrica per non prestarsi a fraintendimenti. Anche il concetto di analogia o corrispondenza, se non meglio definito, può indurre in errore. La stessa espressione di «immagine speculare» (*Spiegelbild*) usata da Barth, vorrebbe far intendere la disuguaglianza che sussiste pur nel rispecchiarsi delle due realtà, ma certo non vuol suggerire che tutto quel che nella chiesa è destro nello Stato diventi sinistro o viceversa, come accade appunto nell'esempio dell'immagine speculare.

Ma Barth non si opporebbe davvero a tutto questo. A lui preme tuttavia la corrispondenza positiva innegabile che sussiste tra le due realtà, quand'anche diverse. Il regno di Cristo non è «di questo mondo»; questo mondo viene chiamato alla metanoia dal messaggio del regno che viene. Ognuno dovrà comparire all'ultimo giorno davanti a Cristo e portare le responsabilità, ma non soltanto per i suoi comportamenti riguardo ai malati, ai prigionieri ed agli affamati e così via (Mt. 25), bensì anche per il suo agire nel quadro di strutture ed istituzioni alla cui vita egli ha preso parte. Pilato certamente non si situava all'interno del *regnum Christi* come uno che crede in esso, lo confessa ed attende Gesù come giudice, mentre lo era tuttavia, nel senso che attraverso l'accusato Gesù egli era confrontato con il Regno ed in un modo o nell'altro, con le sue reazioni ed il suo comportamento «buono» o «cattivo», doveva servire a suo modo l'avvento del regno. Che senso avrebbero «il dono e l'esigenza» incarnati da Cristo (Barmen II) quando la sua autorità (anche nella forma di impotenza) dovesse fermarsi davanti alle autorità politiche e confinarsi entro i limiti della cerchia di coloro che già lo riconoscono e lo confessano?

Sotto questo profilo, quando noi ci lasciamo coinvolgere in questo «servizio di Dio nell'ambito politico» *(politischer Gottesdienst)*, in questa testimonianza, secondo Barth, indiretta, anonima e mondana e per svolgere questo compito ci dedichiamo ad analisi della situazione storica e ci immischiamo nelle discussioni politiche, tutto questo non è ricaduta nella teologia naturale, non è anticipazione dell'*eschaton*, non è degradazione dell'evangelo ad ideologia politica. Al contrario, la nostra confessione di Gesù Cristo sarebbe piuttosto, secondo le parole di Barth, una confessione morta, farisaica, che cola il moscerino ed inghiotte il cammello, se si limitasse alla ripetizione di formulazioni bibliche della fede e all'ambito della sfera personale individuale e nello stesso tempo chiudesse gli occhi davanti ai pericoli che minacciano oggi l'umanità. (Nella sua lettera al movimento confessante «Nessun altro evangelo», alla soglia dei suoi ottant'anni, Barth chiede come prova del loro cristianesimo la loro pubblica protesta contro le armi atomiche, la guerra del Vietnam ed il non tener conto dei vigenti confini tedeschi) [16].

2. Le decisioni politiche possono diventare occasioni di 'status confessionis'?

Barth non era assolutamente dell'opinione che la chiesa debba esprimersi su tutte le questioni politiche; egli stesso spesso preferì tacere, anche quando ci si attendeva una sua presa di posizione. Essenzialmente egli criticava con asprezza certe proclamazioni pubbliche della chiesa così misurate da non dir più nulla, che arrivavano con una ventina d'anni di ritardo, quando tutti comunque erano ormai d'accordo. Bisogna battere il ferro mentre è ancor caldo, quand'anche la chiesa abbia da trovarsi coinvolta come semplice *partner* in una discussione già avviata, dando i suoi consigli, moniti e insegnamenti. «Parole vere» possono senz'altro venire anche da fuori della chiesa e molto spesso

---

[16] Cit. da K. KUPISCH, *K. Barth*, 1971, p. 127

226

la chiesa si è dovuta vergognare perché nel riconoscere i «segni dei tempi» non solo non stava «un cavallo o un naso» in avanti rispetto al mondo, ma addirittura gli trottava faticosamente dietro [17].

Vi possono tuttavia essere situazioni in cui proprio la comunità cristiana non solo può consigliare ed ammonire, ma deve dire un definitivo sì o no, come fece lo stesso Barth in modo inequivocabile nei confronti del nazismo e delle armi atomiche. Ma quando è possibile determinare con sicurezza quando sia venuto il momento per simili prese di posizione? Su questo si aprono normalmente le discussioni più appassionate nella chiesa. Non si possono fissare una volta per tutte i confini tra le questioni di discernimento e le questioni di confessione. In condizioni normali la dichiarazione delle proprie ascendenze ariane sarebbe stato un *adiaphoron*, una cosa senza conseguenze, ma nel Terzo Reich si era raggiunta in tal modo la soglia dello *status confessionis*. Un cristiano deve opporsi alla pretesa totalitaria dello Stato ed alle dittature di principio, il razzismo non può convivere con la fede cristiana, una guerra fatta con armi per lo sterminio di massa non può esser una «guerra giusta»: tutto questo sembra diventato con il tempo *sensus communis* della cristianità ecumenica. E anche a proposito di altre questioni come per esempio l'uso civile dell'energia nucleare come la tenace difesa dell'ordine economico dominante nel mondo attuale, sembra diffondersi nella cristianità un atteggiamento critico.

Si riconosce oggi da più parti che è possibile un chiaro sì o no, il che significa che nel dominio del penultimo possono essere necessarie decisioni ultime. Ma non si può fissare astrattamente il momento in cui questo deve avvenire. Lo stesso Barth, che ha preso simili chiare decisioni ed ha saputo anche chiamare altri a prenderle, si guarda bene dal dare strette consegne pratiche invece che indicazioni di carattere etico. A questo punto occorre lasciare spazio alla testimonianza profetica dei singoli e della comunità. Barth sa e sottolinea espressamente che tutto ciò può dar luogo a serie difficoltà nella comunità. Nella maggior parte dei casi saranno le minoranze ad andare avanti, le maggioranze le seguiranno solo controvoglia. Egli raccomanda tanto più di non rassegnarsi per evitare le necessarie controversie [18].

3. Perché cristiani e non cristiani possono essere politicamente compagni di strada?

Barth, che sostiene il fondamento cristiano dell'azione politica dei cristiani, sottolineava in modo altrettanto convinto la profanità della loro attività in campo politico. Per questo non aveva timori nel collaborare politicamente con altri. Naturalmente il cristiano non si lascerà prescrivere alcuna ideologia politica, e prima di tutto non vorrà neppure elevare la sua fede a una ideologia tale che i non cristiani vi si debbano sottomettere. Per questo egli rifiuta sia

[17] K. BARTH, *Kirchliche Dogmatik*, IV, 3, p. 1027.
[18] Ivi, p. 1028 s..

lo Stato cristiano sia il partito cristiano. Quindi nessuna esclusione di persone di altro orientamento e neppure conduzione 'cristiana', ma mutua collaborazione nelle cose dove si sente di poter condividere le stesse mete politiche. Come diceva Bonhoeffer: «occorre partecipare ai compiti mondani della vita della comunità cristiana, non per dominare, ma per aiutare e servire»[19].

Nella lotta contro il nazismo Barth poteva dire nel 1938: «quando la chiesa si esprime da parte sua, con buona coscienza e non arbitrariamente, non al servizio di interessi e tendenze estranee, non ha da temere alcun nemico e neppure alcun compagno di strada, fosse pure il più terribile liberale, ebreo o marxista! Anche se essa venisse a trovarsi nel bel mezzo di un fronte popolare!». «Sarebbe un ritegno del tutto fuori luogo se la chiesa non dicesse il suo sì ed il suo no o non lo dicesse in modo chiaro e netto solo per paura che un compagno di strada infido o non abbastanza sicuro la compromettesse affermando la stessa cosa ... Quando la chiesa, per timore di esser sfiorata da un parafango o di poter apparire partigiana, rinuncia sempre a prender posizione, guardi bene di non esser proprio allora compromessa: appunto con il diavolo, che non gradisce altro compagno che una chiesa, la quale, per conservare la sua fama ed il suo mantello immacolato se ne sta eternamente in silenzio, eternamente meditante e discutente, eternamente neutrale. Questa sarà una chiesa che, molto preoccupata per la trascendenza del regno di Dio, non così facilmente messa in pericolo, sarà diventata una *chiesa muta*»[20].

Concretamente questo oggi potrebbe voler dire: nel momento in cui risulta che nelle tensioni per assicurare la pace tra est ed ovest Mosca ci offre proposte e accordi più audaci e convincenti di quelli che vengono avanzati da Washington, quando anzi nell'occidente ci si adopera in tutti i modi per condurre avanti la propria politica di supremazia malgrado si faccia mostra di parlare di pace, perché si vede nell'avversario solo il centro del male nel mondo, cui non si può concedere la minima fiducia, allora la comunità cristiana non deve interrogarsi sull'etichetta cristiana o atea, ma deve render onore alla verità e dar ragione ai cosidetti 'senza-Dio'. Perché secondo le parole di Gesù i primi potrebbero diventare ultimi e gli ultimi primi, poiché Dio non giudica secondo il nostro dire 'Signore, Signore', ma secondo il fatto, se noi abbiamo o meno fatto la sua volontà.

Quando Barth parla di «servizio politico» *(politischer Gottesdienst)* pensa ad una cristianità che cerca prima di tutto il regno di Dio e la sua giustizia, ma che appunto per questo è anche pronta a prendere decisamente posizione per il diritto e la pace nel mondo.

[19] D. BONHOEFFER, *Widerstand und Ergebung*, 1951, p. 261 s..

[20] K. BARTH, *Eine Schweizer Stimme*, 1945, p. 76.

BARTH PASTORE

di BRUNO ROSTAGNO

Presentare in modo completo l'attività di Barth come pastore supera i limiti di questo articolo. Barth conservò una sensibilità pastorale anche dopo aver lasciato il pastorato per l'insegnamento. Lo scopo centrale di tutta la sua opera teologica è la predicazione; Rudolf Bohren ha potuto definire la *Kirchliche Dogmatik* un'«omiletica di grande formato». Molte testimonianze confermano che Barth non fu soltanto il maestro, ma fu anche il pastore dei suoi studenti [1].

Per uno studio esauriente bisognerebbe analizzare tutte le prediche ed esaminare la sterminata corrispondenza: impresa che nessuno ancora ha tentato, nemmeno per il decennio di Safenwil, durante il quale Barth pronunciò più di 500 sermoni, in gran parte tuttora inediti [2].

Senza la pretesa di affrontare un compito tanto vasto, si può tentare di mettere in luce alcune caratteristiche dell'attività pastorale di Barth, con particolare riferimento al periodo di Safenwil. Non lo si può fare partendo senz'altro dal presupposto che il pastorato di Barth sia stato un'espressione specialmente riuscita del pastorato protestante, tale da esser presa a modello per le future generazioni; quello di Thurneysen lo è stato senza dubbio in misura maggiore. Del resto non esiste un solo modello di pastorato, e neanche un modello ideale.

Ciò che piuttosto colpisce, in Barth, ma anche in Thurneysen, è il rifiuto del ruolo ben definito che il pastore aveva assunto, non soltanto nella chiesa, ma anche nella società; rifiuto che trovava solidale la famiglia pastorale, a giudicare dal fatto, formale ma non per questo meno significativo, che Nelly Barth in chiesa non occupava mai il posto tradizionalmente riservato alla moglie del pastore. Ma il rifiuto del ruolo sociale ha la sua radice in una coscienza acuta della vocazione pastorale, che non può essere costretta entro i limiti delle convinzioni borghesi ed è vissuta con forte senso critico e autocritico.

Si potrebbe definire questo senso critico come coscienza della contraddizione tra l'altezza delle esigenze del ministero e la problematicità delle realizza-

---

[1] Cito, per tutte, la testimonianza di Eugène Porret: «On sent qu'il est toujours pasteur, et quand il parle de ses étudiants, c'est comme s'ils étaient ses paroissiens. Ils le restent bel et bien toute leur vie, car, dans la pratique du ministère, ils sont constamment stimulés par la pensée de leur maître, devenu leur ami et leur conseiller». E. PORRET, *Hôtes d'un presbytère*, Neuchâtel, 1953, p. 25.

[2] Finora sono state pubblicate le annate 1913 e 1914 in KARL BARTH: *Gesamtausgabe*. Abt. 1: *Predigten*.

zioni pratiche, e allora non sarebbe poi un fenomeno molto nuovo. Anche il secolo scorso ha conosciuto pastori attivi e innovatori, contemporaneamente impegnati in una riflessione critica sul proprio ministero; il più grande scrittore elvetico del secolo XIX, Jeremias Gotthelf (al secolo Albert Bitzius, 1797-1854), che fu pastore molto impegnato nello sviluppo del sistema scolastico e in generale dell'opera educativa soprattutto in favore delle classi meno abbienti, poteva anche abbandonarsi a considerazioni quasi nihilistiche:

> Come pastore, mi sembra attualmente di avere una professione sconsolata. È quasi come se pretendessi di macinare nebbia per farne farina, o come se utilizzassi nuvole o neve come fondamenta per costruire una casa [3].

La differenza, per Barth, sta nella capacità di elaborare teologicamente questo malessere, e quindi nella ricerca del vero fondamento. Anche qui non si tratta di una nuova partenza in assoluto. All'amico Thurneysen confessa la profonda impressione ricevuta dalla lettura della biografia di Cristoph Blumhardt padre; mentre uno degli stimoli più fecondi per il giovane pastore viene dalla visita a Boll, dove è ancora vivo e operante Blumhardt figlio. Dire Blumhardt, padre e figlio, significa dire *Seelsorge*, cura d'anime, in una delle sue espressioni, questa volta sì, più riuscite.

Ma significa anche incontrare una visione ampia del ministero della predicazione e della responsabilità sociale della chiesa, in una rinnovata attesa del Regno di Dio. Barth non è dunque privo di riferimenti; tuttavia il suo cammino è caratterizzato dalla ricerca di una via, di cui nei Blumhardt e in altri Barth trova indicata la direzione, ma che resta da precisare, da tracciare. Il pastorato di Safenwil è una tappa importante in questa ricerca; i due anni come coadiutore (vicario) nella chiesa di lingua tedesca di Ginevra ne anticipano alcuni aspetti. Barth prepara accuratamente e redige interamente i sermoni; ma l'«*Auditoire*» in cui Calvino aveva insegnato e dove ora tiene i culti la chiesa di lingua tedesca non è mai pieno, neanche nel settore femminile; il giovane predicatore comincia a fare i conti con la realtà della secolarizzazione. E con l'ignoranza biblica dei catecumeni (domanda Barth: «Dire i nomi di qualche profeta»; risposta: «Abramo ed Eva»). L'istruzione dei confermandi dura sei mesi; Barth istituisce delle serate per i confermati, a cui sono invitati anche i genitori. Già a Ginevra (che nel 1909 non era evidentemente la città opulenta di oggi) egli conosce la condizione di estrema povertà del proletariato.

A Safenwil, dove la chiesa riformata l'aveva eletto come proprio pastore, Barth viene insediato il 9 luglio 1911; nella cittadina un censimento del 1910 conta 247 nuclei famigliari, 1625 abitanti, di cui 1487 protestanti (318 in età scolare). Siamo qui all'inizio dell'industrializzazione; la corrente elettrica giunge

---

[3] Cit. da R. BOHREN, *Prophetie und Seelsorge, Eduard Thurneysen*, Neukirchen-Vluyn, 1982, p. 63.

nel 1913, l'incidenza del lavoro industriale nella vita della popolazione sarà presto un fattore che avrà un peso rilevante nell'impostazione del ministero pastorale. Non tuttavia in modo tale da mettere tra parentesi il lavoro teologico; questo, al contrario, è svolto in connessione stretta con le situazioni che il ministero pastorale deve affrontare nella città. Barth dirà che la sua teologia «ha le radici nel lavoro pastorale».

Delineare sommariamente questo lavoro è dunque una premessa necessaria per capire l'evoluzione teologica di Barth. Egli stesso lo definisce nei suoi tre classici aspetti: predicazione, insegnamento, cura d'anime. Abbiamo già detto che Barth dedicava molta cura alla preparazione delle sue prediche, anche se l'eccessiva libertà nei confronti dello scrittore biblico, la preferenza data alla trattazione tematica piuttosto che alla spiegazione del testo, tradivano un'impostazione liberale che il teologo più tardi rifiuterà decisamente. Tuttavia ciò che impressiona è l'importanza assolutamente centrale data al compito della predicazione, che richiede ogni settimana molte ore, spesso due giorni interi di accanito lavoro. Barth potrà dire che per anni il suo lavoro teologico è consistito essenzialmente nella preparazione molto accurata della predicazione e della catechesi.

I sermoni sono spesso collegati in serie dedicate allo stesso libro biblico o addirittura allo stesso testo. Così a Ginevra una serie è dedicata all'Epistola di Giacomo. A Safenwil nel 1911 il nuovo pastore comincia con una serie sul Padre Nostro; nel 1913 abbiamo 5 sermoni sul libro di Amos; nel 1914 una serie dedicata a tutto il racconto della passione, 6 sermoni sull'unico testo di Rom. 1,16 e 4 sermoni su Mt. 6,33. Negli anni 1913 e 1914 (le altre annate sono ancora inedite) la scelta mostra una prevalenza (preferenza?) dei testi dei Vangeli per il Nuovo Testamento e dei testi profetici per l'Antico. 1913: Vangeli 19 volte, Atti 3, Epistole 11, Esodo 1, Profeti 12, Salmi 3, Proverbi 1, Ecclesiaste 1. 1914: Vangeli 23, Epistole 12, Apocalisse 1, Genesi 3, Esodo 1, Profeti 7, Salmi 7.

La densità di pensiero e l'ampiezza dello sviluppo (le prediche di Barth non duravano mai meno di mezz'ora) richiedevano ovviamente un notevole sforzo di attenzione da parte degli uditori; questo non deve far pensare a trattazioni teoriche esposte in tono cattedratico: Barth scriveva interamente i sermoni, ma poi sul pulpito li diceva liberamente e con grande vivacità; anche i riferimenti all'attualità sono frequenti e precisi. La relativa difficoltà si deve piuttosto al fatto che gli argomenti sono affrontati a fondo, in modo penetrante, con un'esposizione che non si limita a suscitare impressioni, ma vuol far ragionare.

Come esempio vorrei presentare la predica del 2 marzo 1913 su Mc. 12,13-17 («Date a Cesare»)[4]. Nell'esordio Barth fa subito notare il carattere inquietante della domanda posta a Gesù: da parte degli interlocutori non è una domanda autentica, ma un tranello; nella sostanza, si tratta tuttavia di un problema

---

[4] K. BARTH: *Gesamtausgabe.* Abt. 1: *Predigten*, Predigten 1913, Hrsg. von Nelly Barth und Gerhard Sauter, Zürich, 1976, pp. 77-90.

reale e grave: l'ordine politico non può essere accettato come un ordine eterno, ma non può neanche essere rovesciato con un atto arbitrario dell'uomo che tenti di anticipare la venuta dell'ordine di Dio. L'opposizione Dio-Cesare viene dunque attualizzata nella contrapposizione tra «Ordine di Dio» e «Ordinamenti umani», dove il plurale è già relativizzazione. Lo sviluppo del sermone è semplice; una prima parte spiega la parola di Gesù e prepara l'attualizzazione, che è sviluppata nella seconda parte, con una conclusione che affronta un problema concreto locale.

La terminologia è ancora tradizionale: di Cesare si deve riconoscere la funzione, ma «la vostra anima non appartiene a Cesare»; per vivere ci si serve delle sue monete, delle sue strade, perfino del suo esercito che tiene a bada i delinquenti; ma la vita è più che tutto questo. Gli ordinamenti umani sono necessari, ma non devono diventare determinanti per il senso complessivo della vita. Qui il sermone assume un taglio più politico: dare a Dio la gloria che gli è dovuta significa rifiutare il potere assoluto degli ordinamenti umani. Ma l'equivalente attuale di Cesare non è lo Stato, è il potere finanziario:

> È questo il principe che ha tutto il mondo sotto il suo scettro, anche da noi nella libera Svizzera; anzi, da noi in modo particolare. Governa sui paesi e i continenti, e coloro che si chiamano re e imperatori e presidenti sono soltanto delle ombre nei suoi confronti. Egli fa un cenno, e gli spiriti si risvegliano, i piedi cominciano a correre, le mani a lavorare; le ruote si mettono a girare, tutto un mondo è messo in movimento. Fa un cenno di diniego, e alla vita subentra una calma mortale. Dirige le vicende dei popoli. Qui ordina una guerra sanguinosa, là ne impedisce un'altra. Ma governa anche sulla vita di ogni individuo. Chi è completamente libero dal suo dominio? Nessuno (84).

Di fronte a questo dominio, dice Barth, qualsiasi atto di ribellione resta velleitario. Che noi accettiamo l'ordine provvisorio, dominato dal denaro, è semplicemente un riconoscimento del fatto che «Dio non ci vuole ancora liberare da questa piaga. La liberazione può anche qui venire soltanto attraverso le armi della giustizia, attraverso la potenza dello Spirito, attraverso mani completamente pure» (86). Ma molto più importante è l'altra affermazione: «Date a Dio ciò che è di Dio». Il dominio di Mammona non è eterno; esso va considerato come un'amministrazione transitoria, a cui non possiamo «concedere la nostra anima»; «la parte più intima del nostro essere non può mai attaccarsi al denaro»; «dobbiamo riservarci nel nostro intimo un angolo completamente libero, in cui possiamo tranquillamente ridere del denaro e delle questioni di soldi» (87); dobbiamo guardare avanti, verso una situazione dell'umanità in cui il denaro avrà perso il suo potere: «Un giorno lavoreremo per vivere, e non per guadagnare» (88).

L'esempio pratico con cui Barth conclude il sermone dimostra come la libertà dal denaro non venga intesa in senso intimistico, ma in senso concreto, che porta a decisioni nell'ambito economico anche famigliare:

> Con la chiusura della scuola per molti genitori torna a porsi la domanda: *che cosa farà nostro figlio*, ora che esce dalla scuola? Date a Cesare ciò che è di Cesare! Capisco molto bene che la parola *guadagno!* salga immediatamente e dappertutto alle labbra dei genitori. Viviamo appunto sotto il dominio di Mammona. Vi prego però di tenere davanti agli occhi anche l'altra, più grande e più importante esigenza: Date a Dio ciò che è di Dio! E ora riflettete ancora una volta tra di voi: che cosa farà nostro figlio? Parlandoci chiaro, è proprio assolutamente necessario che vostro figlio il giorno dopo la fine degli esami si vada già a rinchiudere in fabbrica? Non potreste tenerlo in casa almeno un anno ancora a fargli fare un lavoro più leggero, e soprattutto con un orario più corto? Penso in particolare alle ragazze. Soltanto io nel paese sono colpito dall'aspetto sofferente e patito di tante catecumene che si preparano alla confermazione? Sì, questo ha le sue cause, ed è altrettanto sicuro che avrà le sue conseguenze. È proprio ancora necessario che io spieghi quali conseguenze porta, specialmente a quell'età, una condizione di vita malsana? Devo dirvelo apertamente, che così si allevano in piena regola i candidati alla tubercolosi? Lo sapete bene quanto me; perché allora non risparmiate i ragazzi ancora per un po' di tempo, prima di mandarli a guadagnare?» (89).

Questa ultima citazione ci porta a considerare il secondo aspetto dell'attività pastorale di Barth: l'istruzione catechetica. Consisteva in lezioni per i ragazzi dai 12 ai 14 anni, che si tenevano alla domenica dopo il culto, in un corso biblico per i cosiddetti «preparandi», e nel catechismo vero e proprio in vista della confermazione. Barth dedicava alla preparazione delle lezioni la stessa cura che gli abbiamo visto dedicare alla preparazione dei sermoni; ha cambiato spesso il piano del suo catechismo; non seguiva un testo, ma dettava agli allievi, «come un vecchio professore» – dirà poi –, delle tesi accompagnate da citazioni bibliche, che non dovevano essere studiate a memoria, ma dovevano servire per fissare in mente il contenuto delle lezioni. Queste si svolgevano di settimana, molto presto al mattino. Normalmente i confermandi avevano già finito la scuola e lavoravano in fabbrica; ricevevano quindi un permesso dal datore di lavoro per recarsi al catechismo. Questo causò, soprattutto con il proprietario di una fabbrica tessile, Hochuli, tensioni che si protrassero per anni, e che avevano certamente anche un'origine politica. Forse questo motivo non è estraneo alle preoccupazioni che Barth esprime nel sermone citato.

Barth cercava di stabilire con i catecumeni un rapporto non improntato al rigore scolastico, ma amichevole; il catechismo doveva diventare occasione per un incontro anche sul piano personale; in un'epoca in cui una domanda da parte di un catecumeno veniva considerata come una mancanza di rispetto e addirittura punita con l'allontanamento dalla classe, Barth si aspettava «partecipazione, fiducia, apertura, fare domande!». Già nel 1911, su sua richiesta, nell'ultimo trimestre le ore settimanali vengono aumentate da 2 a 3, in modo da poter dedicare più tempo alla discussione delle «questioni pratiche della vita». Per un periodo ha anche un colloquio personale con ogni catecumeno prima della confermazione. Per i confermati organizza degli incontri serali.

Sempre per favorire la comunicazione, qualche volta le lezioni si tengono all'aperto; oppure vengono organizzate delle gite, talvolta insieme con l'amico Thurneysen, pastore nella vicina Leutwil. In una lettera di Barth a Thurneysen si può leggere la descrizione di una di queste gite, che si svolge all'inizio di settembre del 1916. Il gruppo parte da Safenwil alle 5 del mattino, cammina cantando attraverso le colline e i boschi fino a Leutwil; qui, dopo un piatto semplice consumato a modico prezzo nella locanda, si riunisce accanto alla casa pastorale, e Thurneysen si mette a raccontare la vita dei patriarchi d'Israele. Poi il gruppo si avvia sulla strada del ritorno e prima di sera raggiunge Safenwil, dopo un percorso tra andata e ritorno di almeno una trentina di chilometri.

Il racconto di Thurneysen, scrive Barth all'amico, ha fatto ai ragazzi un'impressione straordinaria. Non è l'unica volta che Barth esprime la propria ammirazione per la capacità pedagogica di Thurneysen; per contro fa un'autocritica, talvolta perfino eccessiva, dei propri limiti in questo campo. L'insegnamento diventa per lui un assillo insopportabile; prova la sensazione penosa di chi non riesce a comunicare l'essenziale e si sorprende a fare un discorso davanti a «facce annoiate» di persone che «odono soltanto parole» senza capirne il senso. Egli si esprime così in una lettera a Thurneysen dell'estate 1917 che rappresenta una confessione di un realismo pietato. Mentre la lettura della Bibbia dovrebbe interessare e arricchire sia l'insegnante, sia i ragazzi, egli è «triste» quando deve fare la propria spiegazione, «più triste» quando espone qualche argomento biblico, «tristissimo» quando con i catecumeni dovrebbe fare una lettura diretta di un brano biblico, e invece «semplicemente mi sento mancare il fiato anche nelle cose più conosciute». Si sforza di migliorare la propria preparazione didattica, legge avidamente la letteratura specializzata che gli passa Thurneysen, ma gli rimane la sensazione di essere uno «sgorbio catechetico»; sospetta persino che ciò possa essere il sintomo di qualche «trauma profondo», da cui lo si dovrebbe liberare attraverso un'analisi [5]. Thurneysen sdrammatizza; pochi mesi dopo, dovendo predicare a Leutwil in occasione di uno degli abituali «scambi di pulpito» tra i due, Barth lo scongiura di risparmiargli la lezione ai ragazzi di 12-13 anni, che, venendo subito dopo il culto, faceva parte delle incombenze del predicatore: «Per me costituisce sempre un'atroce preoccupazione», dice Barth; ma Thurneysen insiste: «Certo, la lezione ai ragazzi ci dev'essere, e credimi: sulla mia schiera tu fai un'impressione molto più pro-

[5] K. BARTH: *Gesamtausgabe*. Abt. 5: *Briefe*. Karl Barth - Eduard Thurneysen, Briefwechsel Band 1 (1913-1921), Zürich 1973, p. 220. In seguito abbreviato Bw Th I e citato tra parentesi nel testo.

fonda di quanto non facciano i miei discorsi. La tua storia dei filistei per loro è restata indimenticabile» (Bw Th I, 258 s.). I tentativi di Barth si susseguono, non sono le idee che mancano; nell'inverno 1918 legge con i confermandi l'intera Lettera agli Efesini, li invita per dei colloqui nel suo studio. Ma nel dicembre 1919 confessa ancora una volta: «Il mio insegnamento attualmente è di nuovo particolarmente pietoso. Il Regno di Dio per quanto mi riguarda non si lascia proprio trasformare in materia di insegnamento»; e minaccia di rinunciare a ogni tentativo personale e di ritornare al Catechismo di Heidelberg, limitandosi a farlo imparare a memoria e ad ascoltare, «come facevano i nostri padri» (Bw Th I, 361).

Lo stesso sentimento di inferiorità rispetto a Thurneysen, la stessa ricerca di autenticità, la stessa umiltà di fronte agli esiti pratici, Barth manifestava a proposito della cura d'anime. Si sarebbe tentati di dire che il suo carisma teologico, che lo portava irresistibilmente a ripensare i fondamenti stessi della predicazione, non gli permetteva sufficiente libertà, apertura e inventiva nei rapporti umani. O meglio, Barth cercava nel colloquio personale o nell'insegnamento la stessa autenticità di messagio che cercava nella predicazione. Per lui l'insegnamento o la cura d'anime non erano soltanto questione di comunicazione, ma di contenuto. Bisognava che nell'incontro personale il messaggio potesse giungere a destinazione; e questo accadeva nella prassi pastorale di Thurneysen:

> Quando mi metto a considerare le tue arti pedagogiche e pastorali e la profonda capacità che vi sta dietro, non posso che guardare verso di te dal basso in alto, pieno di invidia nel senso migliore del termine. Io non potrei *neppure lontanamente* realizzare qualcosa di simile. Ma sono felice che tu riesca a realizzarlo, ed è per me un conforto pensare che partendo dai nostri presupposti la cosa *funziona*, e funziona meglio che negli altri, – anche se *per quanto mi riguarda* non funziona affatto. Ne ho parlato con Marguerite [la moglie di T.]: le mie visite e il mio insegnamento sono un ridicolo pasticcio; mi sembra di essere come un principiante che con le gote gonfie si sforza di soffiare in una tromba, ma curiosamente non ne esce alcun suono (Bw Th I, 156 s.).

Il principiante che stentava a padroneggiare gli strumenti catechetici e pastorali, aveva però un senso preciso della presenza pastorale nella città. Facendo un bilancio del pastorato di Barth a Safenwil non bisogna soltanto tener presente il lavoro delle visite famigliari e ai malati, che comunque, anche con la difficoltà soggettiva che abbiamo visto, Barth svolgeva regolarmente; vi è, accanto a questo lavoro, tutto un ventaglio di impegni che hanno diretta attinenza con i problemi maggiori della popolazione. È ben vero che il Consiglio di Chiesa gli chiedeva di intensificare le visite, ma Barth aveva la convinzione che le sue iniziative nella città non fossero meno importanti. Si tratta dell'aspetto più lumeggiato dell'attività di Barth a Safenwil; possiamo limitarci a un breve elenco.

Partendo dall'interno, abbiamo l'istituzione di incontri per la discussione dei sermoni e l'organizzazione di cicli di conferenze che avevano luogo nella chiesa. Lo stimolo culturale dato da Barth doveva essere notevole, se addirittura un organismo amministrativo come il Consiglio di Chiesa poteva talvolta trasformarsi in gruppo di studio in cui il presidente (un laico, come d'uso nelle chiese riformate svizzere) era in grado di presentare una serie di conversazioni sui riformatori. In questo quadro si può anche citare l'attività di Barth, come membro, e per un periodo anche come presidente, nella sede locale dell'associazione contro l'alcoolismo, la «Croce Blu». Barth vi tiene delle conferenze su argomenti biblici e di storia della chiesa, e dedica tutto un sermone al problema dell'alcoolismo, in occasione della «Giornata argoviana degli astinenti» del 1913, nella chiesa di Safenwil gremita di membri della Croce Blu e dell'Esercito della Salvezza, di «metodisti, cattolici e socialdemocratici»[6]. Significativamente il testo del sermone è: «Se un membro soffre, tutte le membra soffrono con lui» (I Cor. 12,26). Per Barth l'alcoolismo non è un peccato da condannare, ma una piaga di cui tutti sono responsabili.

L'ambito a cui Barth dedica molte delle sue energie è, come è noto, quello dei problemi del lavoro, anche se egli trova pure il tempo per occuparsi dei problemi della scuola, come membro e poi anche presidente del Consiglio scolastico. La questione sociale è tuttavia in cima alle sue preoccupazioni, non soltanto perché egli partecipa (in modo sempre più critico) al movimento del socialismo religioso, ma perché la situazione è obiettivamente inquietante. Nel 1920, su 780 persone che svolgono un'attività lavorativa dipendente, 587 sono operai; con una forte percentuale di manodopera femminile e giovanile. Abbiamo già visto come Barth denunci la nocività delle condizioni di lavoro per gli adolescenti; a questo si deve aggiungere l'aspetto economico, caratterizzato dall'orario lungo e da retribuzioni estremamente basse. L'impegno di Barth si muove in tre direzioni. Innanzitutto egli cerca di documentarsi in modo serio: legge dei teorici dell'economia come Sombart e Herkner, studia la legislazione sulle fabbriche, il sistema assicurativo, l'organizzazione sindacale, è fedele lettore del giornale dei sindacati e del «*Textilarbeiter*». In secondo luogo svolge un'attività di formazione, attraverso conferenze che tiene alla società operaia. Infine è parte attiva nella fondazione di ben tre sindacati locali.

Questo impegno sui problemi concreti va in lui di pari passo con una radicale diffidenza verso le forme di attivismo che mirano a un coinvolgimento emotivo dei membri di chiesa, cercando per questa via un rinnovamento di vitalità religiosa. Non è contrario ai pietisti per partito preso; ammira l'Esercito della Salvezza, riconosce l'autenticità cristiana che si esprime nella semplicità di linguaggio di certi predicatori di stampo risvegliato. È la semplificazione moralistica e lo stile aggressivo degli oratori delle campagne di risveglio a suscitare le sue riserve. Ma il dissenso maggiore lo manifesta nei confronti della propria chiesa, quando si punta su iniziative ad effetto o su metodi che oggi

---

[6] *Predigten* 1913, p. 418, nota.

chiameremmo di animazione. Nel febbraio 1917 racconta a Thurneysen le vicende di un pomeriggio di conversazione con una coppia pastorale della vicina Olten. Il collega e sua moglie accusano Barth e Thurneysen di estremismo; concedono che essi possano esercitare una qualche utile funzione correttiva, cosa che però non si può pretendere da tutti i 1200 pastori; dal canto loro sono convinti di ottenere maggiori risultati con il loro orientamento di tipo «puramente pratico», con una predicazione «edificante», con metodi di aggancio popolari: «*Essi* starebbero veramente facendo qualcosa per avvicinare il popolo alla Bibbia (cioè mediante la proiezione di immagini della Terra Santa, ecc.)» (Bw Th I, 177). La scena si conclude alla stazione, con i due sul treno in partenza e Barth che si sbraccia a spiegare che i problemi veri sono di tutt'altra natura, senza riuscire a scuotere il collega e la moglie dal loro fiducioso ottimismo.

L'episodio è interessante, perché mette in luce un Barth fortemente refrattario a un'ipotesi di lavoro pastorale volta al ricupero, alla riaggregazione dei fedeli. Un atteggiamento che aveva già manifestato l'anno precedente, di fronte alla proposta di organizzare una festa per il distretto ecclesiastico di Zofingen (una specie di piccolo *Kirchentag*), che per gli organizzatori doveva avere lo scopo di reagire a una situazione di crisi:

> La nostra chiesa nazionale – si leggeva nell'invito – soffre di una mancanza di vitalità e di coesione interna. L'ambiente esterno non si interessa alle sue attività. Larghi settori si lasciano attrarre in misura crescente da interessi puramente materiali. Intanto molti si rivolgono alle sette e le persone istruite si allontanano sempre di più dalla chiesa [7].

L'invito è discusso nel Consiglio di Chiesa e Barth, che vi svolge anche la funzione di segretario, scrive nel verbale:

> Il segretario ha forti perplessità contro l'uso di questo mezzo per superare i mali denunciati. Un miglioramento si può attendere soltanto partendo dall'interno e attraverso il tranquillo lavoro che si fa nelle comunità, non attraverso simili manifestazioni (Marquardt, 114).

Abbiamo una presa di posizione ancora più tagliente a proposito del quarto centenario della Riforma. Sempre nel 1916, in preparazione alle celebrazioni dell'anno successivo, il Consiglio ecclesiastico dell'Argovia aveva messo in distribuzione un opuscolo del professor D. Hardorn. Anche questa proposta viene discussa a Safenwil, e nel verbale si legge:

> Il segretario non si aspetta molto neppure da questo. Che cosa può venire da un fatto simile: celebrare sempre ancora un grande pas-

---

[7] Cit. da F.-W. MARQUARDT, *Der Aktuar. Aus Barths Pfarramt*, in AA.VV., *Karl Barth: Der Störenfried?* (Einwürfe 3), München, 1986, p. 114.

sato, a spese del presente. Ancora una volta la chiesa non farà che esaltare se stessa!

Il Signor Widmer [Presidente del Consiglio di Chiesa] spera che l'opuscolo possa avere un certo successo di fronte all'agitazione delle congregazioni [le comunità evangeliche indipendenti, di orientamento pietista].

Il segretario vorrebbe che questa agitazione fosse affrontata non altrimenti che con una certa serietà all'interno della chiesa stessa (Marquardt, 115).

In una seduta dell'agosto 1917 si costata che l'opuscolo non è stato venduto che in minima parte. Si decide dunque che le celebrazioni si limiteranno come ogni anno alla festa del 31 ottobre:

Il segretario motiva la sua posizione di rifiuto nei confronti delle celebrazioni: La Riforma 400 anni fa si è interrotta sul nascere. Alla nostra chiesa manca attualmente proprio lo spirito riformatore. Così non abbiamo alcun diritto di celebrare gli uomini, la cui parola vivente oggi ci suonerebbe strana e inquietante (Marquardt, 115 s.).

D'altra parte l'impegno nella città di cui si è parlato non viene assunto da Barth in modo strumentale, per estendere l'influenza della chiesa. Esso gli si è praticamente imposto, come un'esigenza cui non poteva sottrarsi. Ma Barth ha poi sempre fatto attenzione a non assolutizzare la sua esperienza, a non farne un modello da integrare in una nuova visione del pastorato. Con il titolo *Il servizio alla Parola di Dio*, egli ha tenuto nel settembre 1934 una conferenza in due convegni pastorali in due giorni consecutivi, la prima volta al centro di Vaumarcus (Neuchâtel) in francese, la seconda volta a Pratteln (Basilea campagna) in tedesco. Nella conferenza inizia elencando almeno 22 qualità di cui, secondo l'opinione comune, dovrebbe disporre un pastore; ma prosegue osservando che, in fondo, tali qualità potrebbero trovar posto nel necrologio «di un colonnello particolarmente virtuoso e serio dell'esercito confederale, oppure di un saggio e giusto magistrato». Ciò che ha di specifico il ministero pastorale è il «compito di evangelista»; e il compito di evangelista «consiste, come dice il suo nome, nell'annuncio dell'evangelo. Ma l'annuncio dell'evangelo è l'annuncio di Gesù Cristo. Se Gesù Cristo è il suo contenuto, «la grazia, null'altro che la grazia, tutta la grazia! », l'annuncio non ha bisogno di esser completato da un'opera, poiché esso stesso è e compie l'unica vera opera» [8].

Si potrebbe anche citare un brano severo della *Dogmatica*, in cui, dopo aver dichiarato di voler «lasciare aperta» la questione se Zwingli e Calvino non abbiano varcato i limiti del «servizio loro affidato di predicazione, insegnamento, cura d'anime e guida della comunità», con il voler intervenire con discorsi

---

[8] K. BARTH, *Der Dienst am Wort Gottes* (ThExh 13), München, 1934, p. 15. Tr. it. in *Volontà di Dio e desideri umani*, Torino, 1986, p. 125 s.

e decisioni «in tutti i campi possibili», mette in guardia «chi non si chiama Zwingli o Calvino» dalla pretesa di rappresentare il centro di tutto, «fosse anche nella più piccola comunità di campagna», magari con la buona intenzione di far valere l'universalità del Regno di Dio: «Il pastore annunci questo Regno, ma veramente come il Regno *di Dio!* Non prenda dunque se stesso per l'uomo che, con le sue conoscenze e intuizioni, è chiamato a rinnovare cielo e terra, ed è in grado di farlo. Altrimenti rischia probabilmente di diventare carente la precisione della sua preparazione del sermone, il mantenimento della disciplina nel catechismo, lo svolgimento delle pur sempre necessarie visite pastorali e forse persino la corretta tenuta dei suoi registri e dei suoi conti! E non si meravigli se, proprio perché vuole avere dappertutto la prima e l'ultima parola, proprio in quanto si presenta come colui che ha universalmente ragione, non è più preso veramente sul serio da nessuno» [9].

Autocritica? Di fatto Barth non ha mai rinnegato il suo impegno civile a Safenwil, e ne ha parlato in tono positivo ancora nelle sue ultime testimonianze autobiografiche [10]. Il brano che ho citato fa parte della trattazione etica sulla «professione», nel contesto in cui Barth parla della necessità di consacrarsi interamente al proprio compito specifico, accettando i limiti dell'impegno professionale e quindi anche la sua complementarietà rispetto alla «professione» esercitata dagli altri. Se Barth non ha condannato un impegno in prima persona del pastore di fronte ai problemi della società, non lo ha neanche sistematizzato. Esso va deciso di volta in volta nella fedeltà alla vocazione ricevuta.

Su un aspetto Barth è stato molto critico verso se stesso, ma non si tratta dell'impegno sociale, si tratta di quello che possiamo ben considerare come l'aspetto centrale del suo pastorato, proprio l'aspetto che gli è costato più fatica e più riflessione e per il quale aveva maggiore talento: la predicazione. Dopo quattordici anni di insegnamento universitario, visita Safenwil e vi predica nella prima domenica di avvento, il 1° dicembre 1935. Il testo è l'ingresso di Gesù a Gerusalemme (Mt. 21,1-11); la predica ha la forma di un'omelia: la forma che più si allontana dalla trattazione tematica, cioè da quella forma di predicazione in cui si parte da un «tema» che si vorrebbe connesso con la situazione, con gli interessi degli uditori. Per Barth ora non c'è nulla che sia più vicino alla situazione degli uditori della parola stessa di Dio, che in questo caso è la parola profetica citata al v. 5 e dimostratasi vera appunto nell'ingresso di Gesù. La predica quindi si articola seguendo parola per parola il detto profetico; i problemi della comunità passano nettamente in secondo piano dinnanzi all'iniziativa di Dio cui la comunità deve la propria esistenza: «Egli, il creatore del cielo e della terra, vuole regnare facendosi tuo servitore. Non ci dà alcuna legge, che non sia in primo e in ultimo luogo evangelo, buon an-

---

[9] K. BARTH, *Kirchliche Dogmatik*, III, 4, Zürich, [2]1957, p. 738. Tr. fr.: *Dogmatique*, 16, Genève, 1965, p. 350 s.

[10] K. BARTH, *Letzte Zeugnisse*, Hrsg. von Eberhard Busch, Zürich, 1969, p. 44 s.. Tr. fr.: *Derniers témoignages*, Genève, 1970, p. 47.

nuncio». Dopo aver ribadito, in stile fortemente antitetico, la priorità dell'azione di Dio, Barth conclude: «Questo è quanto, secondo la mia attuale convinzione, vi ho detto troppo poco chiaramente nel periodo in cui ero vostro pastore. Ho in seguito spesso pensato non senza spavento a coloro che a causa di questo sono forse stati fuorviati o irritati, e ai defunti, che sono deceduti e non hanno potuto ascoltare proprio questo annuncio, almeno da me, così come, a giudizio umano, sarebbe stato necessario. Anche per questo ho motivo di affidare me e voi alla grazia, cioè al perdono del Re, Gesù Cristo» [11].

Può sembrare un giudizio profondamente ingiusto se si pensa alla cura e allo scrupolo con cui Barth, nel periodo di Safenwil, preparava i suoi sermoni. Ma sarebbe errato intenderlo come il giudizio sull'inesperienza giovanile da parte dell'adulto sicuro di sè. Ci troviamo piuttosto di fronte a quella straordinaria capacità che Barth possiede, di rimettersi totalmente in questione, senza cercare scusanti, quando è in gioco la causa di Dio, la realtà che proprio nel sermone citato è intesa come avvenimento determinato dalla decisione di Dio in modo indipendente dalle realizzazioni umane. Ciò che egli chiama la sua «attuale convinzione» non è altro che la coscienza dell'inadeguatezza di ogni predicazione, che può essere superata soltanto nella fiducia verso la libera grazia di Dio. D'altra parte questa coscienza non sarebbe nata se Barth non avesse potuto mettersi in questione fin dai primi anni del pastorato. Non è qui il caso nemmeno di avviare un confronto con il *Römerbrief*; ricordiamo soltanto che Barth lavora alle sue edizioni del commentario in un periodo che va dal 1916 al 1921: tutta la seconda metà del suo pastorato a Safenwil. In questo periodo si impone, ogni volta che il predicatore si rimette al lavoro di fronte a un nuovo testo biblico per la domenica successiva, il «crescente riconoscimento dell'impossibilità *a priori* della nostra predicazione» (Bw Th I, 247).

Tuttavia il problema affiora prima. Nell'estate del 1914 inviando due sermoni a Thurneysen (B. e T. si scambiavano spesso i loro manoscritti), gli scrive: «Li considererai appunto come tentativi. In effetti adesso stiamo tutti compiendo il tentativo, ognuno a modo suo e ogni domenica in modo diverso, per padroneggiare entro una certa misura il problema sconfinato».

Il problema sconfinato: l'esperienza dirà che più si tenta di afferrarlo, più la soluzione sembra sfuggire, e si tradurrà nella formulazione negativa dell'«infinita differenza qualitativa». Ma la negazione non nasce dalla rassegnazione; nasce dalla certezza che l'affermazione è possibile e va cercata, non però nella direzione in cui la si cerca abitualmente, cioè in ciò che l'uomo può positivamente dire su se stesso. Nella stessa lettera Barth prosegue: «*Dei providentia – hominum confusio*: stiamo attualmente ruotando attorno a questo, domenica dopo domenica, e dobbiamo farlo. Ho tenuto come te dapprima una serie di sermoni sul primo momento, ora accentuo di più il secondo. Ma li vorrei sempre di più vedere *insieme*» (Bw Th I, 10).

---

[11] K. BARTH, *Predigt über Matth. 21,1-11*, in *Calvin* (ThExh 37), München, 1936, p. 29 s.

Per vederli «insieme» bisognerà attendere la *Dogmatica Ecclesiale*. Ciò nonostante, il pastorato di Barth resta un riferimento che non può essere ignorato; non come modello, ma come presa di coscienza di quelli che sono ancora oggi i problemi, i limiti, gli obiettivi, i mezzi del ministero della Parola. Il periodo di Safenwil contiene, accanto agli interrogativi, ai fallimenti, ai momenti depressivi, anche delle importanti novità di impostazione: tutta l'attività pastorale, tutta l'attività della chiesa, è messa di nuovo in rapporto con il mandato centrale dell'annuncio evangelico, e questo porta alla riscoperta della centralità della Bibbia; il «pastore rosso» è semplicemente un credente che rifiuta di chiudere gli occhi davanti alla realtà sociale, anche se poi la gravità dei problemi lo porta ad assumere molto laicamente un ruolo di formazione e di organizzazione a fianco degli operai; nella ricerca e nella prassi pastorale, nasce, grazie all'amicizia con Thurneysen, un lavoro in *équipe*, che rompe con la propensione fin troppo naturale del pastore al lavoro solitario. Gli interrogativi critici e l'invenzione di una nuova prassi pastorale sono i due aspetti che, nel Barth pastore, bisogna «vedere insieme». L'intuizione di Barth, che il problema della predicazione corrisponda al contenuto stesso dell'annuncio evangelico, e trovi la sua soluzione soltanto nell'avvenimento dell'annuncio, è in fondo lo sbocco di tutto il travaglio che rende il suo pastorato così inquieto e, malgrado tutto, così fecondo.

INDICE DEI NOMI

Abbagnano N., 168
Adam K., 181
Agostino d'Ippona, 47, 84, 103, 143, 202
Albus M., 87
Allevi L., 179
Alonso Schökel J.L., 96
Alszeghy Z., 179
Althaus P., 83, 89, 133
Amberg E.H., 83, 89
Amos, profeta, 231
Angelini G., 179, 183
Ansaldi J., 83
Anselmo d'Aosta, 10, 33-35, 37 s., 40, 43, 45-47,
    61, 63, 81, 92, 95, 167, 190, 193
Ardusso F., 83
Atanasio di Alessandria, 86
Aubert R., 179, 181

Bach J.S., 123
Bachtin E.M., 132, 134
Bagnato R.A., 92
Balthasar H.U., von, 80, 83, 87-89, 95, 97,
    99-103, 121, 130, 139-141, 162 s., 166 s.,
    177 s., 182, 190-201, 204
Banfi A., 173
Barth H., 149, 155
Barth N., 229, 231
Barth U., 86, 197
Battaglia F., 174
Bäumler Ch., 82
Beethoven L., van, 123
Bellini A., 22, 191
Benoit P., 91
Bereczky A., 219
Berger P., 90
Berkouwer G.C., 82 s., 94, 97 s., 119, 121
Bertalot R., 83
Bertuletti A., 167
Besier G., 20
Bethmann-Hollweg Th., von, 215
Biéler M., 207, 209
Biffi G., 96
Biffi I., 181
Bintz H., 45, 89, 97

Bitzius A., vedi Gotthelf J.
Blaser K., 7, 101, 103
Blumhardt Chr., 101, 123, 192, 230
Blumhardt J.Chr., 101, 123, 124, 128, 192, 230
Bockmühl K., 89
Bof G., 8, 18, 22, 186
Böhme J., 144, 154
Bohren R., 229, 230
Bolli H., 17, 99
Bolognesi P., 82-84, 97, 144 s., 151 s., 154
Bonhoeffer D., 90, 167, 186, 194, 228
Borgia, 115
Bosc J., 81, 99
Bouillard H., 80, 83 s., 86, 88-104, 111, 149,
    154, 166, 177 s., 187, 189, 200
Bourassa F., 87, 96
Brambilla F.G., 87
Brandeburg A., 97
Brandenburger E., 92
Braun D., 61
Breuning W., 82
Bromiley G.W., 88
Brown R.M., 82, 95
Brunner E., 44, 83 s., 86 s., 90 s., 97, 103, 121,
    129, 162, 209
Budda, 115
Buess E., 82, 97, 98
Bultmann R., 11, 21, 103, 129, 151, 186
Burgelin P., 101
Busch E., 7, 38, 80, 83, 162-165, 167, 177, 186,
    197, 202, 216, 239
Buunk B., 82

Calvino G., 10, 47-50, 52, 57, 61, 79, 92 s., 103,
    125, 127, 145 s., 154 s., 157, 207, 220, 230,
    238-240
Campbell W.S., 82
Caracciolo A., 174
Cardona G., 168
Carnap R., 190
Casalis G., 81, 101, 168
Ciola N., 180
Ciro il Grande, 115
Citrini T., 87, 187

Colombi G., 83
Colombo G., 167, 178, 180 s., 186 s.
Comblin J., 179
Composta D., 187
Congar Y., 93
Conte G., 83
Corbin M., 95, 102
Corset P., 8, 100
Crimmann R., 80
Croce B., 169
Cullmann O., 91
Cuminetti M., 179

Daley B., 92
Dalferth I.U., 33
Daniélou J., 204, 205
Dannemann U., 81
Davaney S.G., 89
De Quervain A., 15
De Senarclens J., 88
Dehn G., 217
Dekken A., 120
Denti M.A., 169
Dickinson C.C., 91
Domenach J., 183
Dostoevskij F., 132, 134, 135, 171, 192
Drewes H.A., 8
Dumas A., 98

Ebeling G., 83, 163
Eder P., 82
Eibl H., 147, 154
Eicher P., 17, 81-83, 86, 89-91, 97, 100
Escobar P., 87

Fabro C., 179
Fangmeier J., 92, 101
Ferrario F., 21
Feuerbach L., 147, 154
Figini C., 96
Firpo L., 9
Fischer H., 83
Flick M., 179
Floris E., 99
Foley G., 203
Ford D., 83, 88, 91, 97 s., 100
Forte B., 87
Förster, 172
Foster Dulles J., 11
Francesco d'Assisi, 115, 123

Freud S., 163
Friedmann E.H., 88
Frisch M., 218
Fritzsche H.G., 83
Fuchs E., 163

Gallas A., 14, 22, 102
Gandolfo G., 83
Gangale G., 18, 168
Garin E., 168
Gaunilone, 40, 42, 45
Gay C., 18
Geense A., 88
Genre E., 9
Gentile G., 168
Gherardini B., 22, 83, 86 s., 91, 93, 98, 103, 163,
    166, 178, 186, 191, 192
Giacomo, epistola di, 231
Giampiccoli F., 98
Giampiccoli N., 18
Gilson E., 173, 181
Gisel P., 8, 97
Giuda Iscariota, 76 s.
Gloege G., 82, 92, 119, 127, 129 s., 161
Gödel K., 43
Goethe W., 123
Gogarten F., 11, 44, 62, 103
Gollwitzer H., 9, 11, 81, 100
Gonnet G., 18
Gotthelf J., 230
Graf F.W., 16
Grassi P., 7, 162
Greshake G., 93
Grossi V., 154
Gruber J., 94
Guglielmo II, 215
Günther W., 87
Gunton C., 82

Hamer J., 83, 88, 90, 96 s., 99, 191, 200
Hamerton Kelly R.G., 91
Hamm B., 150, 154
Hardorn D., 237
Harnack A., von, 144, 154, 165, 167, 172, 191
Hartwell H., 83, 98
Hausmann W.J., 82
Hazard P., 147, 154
Hegel G.W.F., 174
Heidegger M., 110, 149, 154, 169, 173 s., 190
Heinz H., 87
Hengel M., 92

Henke P., 144, 154
Heppe H., 144, 154
Herkner H., 236
Heron A.I.C., 151, 154
Heuss Th., 218
Hitler A., 44, 67, 217-219
Hochuli F., 233
Höckmann R., 83
Hoffmann J., 83
Hölderlin F., 143
Honecker M., 90
Hoogstraten H.D., van, 90
Hooker M.D., 96
Hromadka J., 67, 217, 219
Hübner E., 89

Iwand H.J., 88

Jansen J.F., 93
Jaspers K., 110, 171, 174, 191
Jeremias J., 92
Jöhri M., 87
Josuttis M., 45
Jülicher A., 130, 167, 172
Jüngel E., 7, 14, 33, 86-88, 95 s., 98, 122 s., 128
    s., 151, 154, 161, 166, 177, 204

Kafka G., 147, 154
Kämpf B., 83
Kant I., 13, 149, 170, 174
Kierkegaard S., 173 s., 192, 195 s., 204
Klappert B., 149, 155
Klinger E., 197
Klooster F.H., 92
Korsch D., 15
Kräge J.D., 81, 102
Kraus H.J., 97
Kreck W., 11, 20, 22, 80-83, 88, 92, 98, 122, 129,
    132, 134 s., 154, 204
Küng H., 85, 88, 90 s., 97, 103, 122, 161,
    177 s., 187, 200
Kutter H., 123, 216

Lajolo G., 187
Lamirande E., 8
Lao-Tsé, 115
Laurenzi M.C., 9, 14, 22, 80, 125, 196
Lecuyer J., 93
Leisegang H., 163

Lengsfeld P., 92
Leone XIII, 181
Lessing G.E., 174
Leuba J.L., 88-90, 92, 99 s.
Lienemann W., 101, 167
Lienhard M., 93
Ligier L., 92
Lochbrunner M., 87
Longhitano A., 187
Lutero M., 47 s., 50, 57, 60 s., 92 s., 103, 200,
    207, 209, 220
Lyonnet S., 92

Malevez L., 97, 98
Mancini I., 80, 89, 166, 178, 186, 193-196
Manferdini T., 157, 196
Marchesi G., 87
Mariani E., 83
Marlé R., 83, 89
Marquardt F.W., 56, 81 s., 163-165, 167,
    176, 179, 182, 185
Marranzini A., 83, 179
Martinetti P., 168-171, 174, 194 s.
Matthiae G., 81, 86
Maury P., 145, 148, 155
McGrath A., 82, 88, 97, 152, 155
McLelland J.C., 149, 155
Mechels E., 204
Melantone F., 221
Merz G., 164
Metz J.B., 140
Michelangelo, 123
Miegge G., 12, 18-21, 82, 98, 145, 148 s.,
    154 s., 166, 174, 195
Miegge M., 18
Moda A., 9, 21 s., 66, 82, 87, 97 s., 101, 121,
    144 s., 149, 154, 156, 161-163, 165-167, 186,
    191 s., 196
Moltmann J., 55, 82, 87, 125, 167
Mondin B., 164, 179
Moraldi L., 92
Morando D., 173
Mosse G., 177
Mozart W.A., 123
Müller D., 102
Müller E.F.K., 154
Müller G., 123 s.
Müller H., 83
Mury G., 82

Neunheuser B., 185
Niebuhr R., 89, 165, 205

Niemöller W., 11
Nietzsche F., 173
Niftrick G.C., van, 82
Nitti S., 175

O'Grady C., 82, 97
Oesterle H.J., 46
Okayama K., 89
Olivier D., 93
Origene, 121
Orlando P., 168
Otto R., 169
Ottolander P., den, 95
Overbeck F., 191

Paci E., 174
Panascia P.V., 18
Pannenberg W., 39, 80, 91
Paolo di Tarso, 48, 86, 93 s., 115, 128-131, 138, 170, 225
Paolo VI, 210
Pareyson L., 168 s., 171, 195
Park S.K., 82
Paterson R.A., 93
Pattaro G., 197
Pavan P., 179
Pavese C., 139 s.
Penzo G., 94
Peterson E., 132, 202-204
Peyronel G., 18
Pietro Lombardo, 150, 155
Pio XI, 181
Piolanti A., 179, 185
Pizzuti G.M., 96, 196
Plathow M., 98
Platone, 48, 149, 170
Plotino, 147
Poggi A., 174
Pöhlmann H.G., 83 s.
Porret E., 229
Prenter R., 82, 87, 89, 90, 97
Przywara E., 102, 177, 202-204, 208

Rabeau G., 82, 87
Ragaz L., 101, 123, 216
Rahner K., 85, 183
Reid J.K.S., 82
Reilly J., 92
Rendtorff T., 15 s., 89, 155
Revel B., 18

Reymond B., 103
Ribaute E., 83
Ricca A., 18
Ricca P., 22
Riconda G., 169
Rijssen L., van, 144
Rinaldi G., 83
Ritschl D., 46
Ritschl O., 146, 155
Riverso E., 97, 187-191, 193
Robertus Pullus, 140
Rochusch R., 120-122, 129 s.
Rollier M.A., 18
Rosato Ph.J., 17
Rostagno B., 22
Rostagno S., 15-17, 22, 83, 99, 101, 105, 107-109, 111, 113-117, 156
Ruggieri G., 178, 180
Rumscheidt M., 8, 155
Ruth, 115

Sabourin L., 92
Salvati M., 83
Santucci A., 168
Sartori L., 83
Sartre J.P., 110, 190
Sauter G., 20, 38 s., 47, 151, 155, 231
Scheeben M.J, 92
Scheffczyck L., 93
Schellong D., 82
Schifferhauer W., von, 154
Schiller F.W.J., 123
Schleiermacher F.D.E., 17, 39, 42, 89, 97, 99, 103, 145, 153, 155, 157, 167, 174, 191, 215
Schlichting W., 46, 89, 122
Schlink E., 83
Schmalenberg E., 39
Schmid J., 87
Schmidt Saping I.W., 169
Schneemelcher W., 100
Schoch M., 211
Scholz F., 46
Scholz H., 33, 35, 38-42
Schrijver G., de, 87
Schütz C., 87
Schwager R., 92 s.
Schweitzer A., 19
Sciacca M.F., 167, 174
Scilironi C., 89, 196
Seneca L.A., 131
Sequeri P., 167
Serenthà L., 180 s., 182-184

Serenthà M., 93
Sertillanges A.D., 98
Severino E., 83
Shaftesbury A.A.C., 147
Siggins J.K., 93
Socrate, 115
Söderlund R., 82
Söhngen G., 177
Sölle D., 94
Sombart W., 236
Sorrentino S., 155
Sparn W., 82, 151, 155
Stadtland T., 121, 129
Stählin E., 123
Stasi A., 186
Steck K.G., 197, 204
Stefanini L., 174
Stickelberg H., 87
Stirnimann H., 98
Stoevesandt H., 8, 48
Storch M., 87, 90
Strauch M., 18, 168
Strecker G., 83
Studer B., 92
Subilia V., 18, 20, 80, 82, 84 s., 88 s., 94-98,
    101, 121, 143, 152, 155 s., 167, 175, 177

Tavard G.H., 87
Thielicke H., 16, 83, 89, 151, 155
Thurneysen E., 123-125, 132, 171, 197, 229 s.,
    234 s., 237, 240 s.
Thurneysen M., 235
Tillich P., 11, 18, 21, 90, 124, 165, 200
Tommaso d'Aquino, 92 s., 95, 98, 103, 144, 155,
    181, 202
Tonini V., 83
Torra Llanas R., 82
Tourn G., 18 s., 101, 154-156
Trillhaas W., 83

Troeltsch E., 19, 174
Tura R., 83

Ulrich H.G., 39

Van Buren P., 93
Vanzan P.S., 83
Vignolo R., 87
Vinay V., 18, 33, 98, 174
Viola C.E., 46, 169
Visser't Hooft W.A., 8, 205
Vogel H., 83
Volk H., 87
Von Allmen J.J., 82
Von Auw L., 83

Waldrop Ch.T., 87
Weber H.E., 143, 155
Weber O., 83, 129
Webster G.B., 96
Wehr G., von, 154
Wendebourg E.W., 82, 97
Wendel F., 146, 155
White G., 89
Widmer E., 238
Wildi M., 8
Willis E.D., 93
Wobbermin G., 203
Wolf E., 11, 88, 121, 129

Yu A.C., 82

Zahrnt H., 89, 121
Zengel J., 80
Zündel F., 124, 125
Zwingli U., 238, 239

INDICE

INTRODUZIONE

SERGIO ROSTAGNO

Dal Dio totalmente altro all'umanità di Dio   7

SEZIONE PRIMA: La dottrina della elezione divina   23

MARIA CRISTINA LAURENZI

Il pensiero di Karl Barth tra concetto e rivelazione - «Dio anche per noi»   25

ALDO MODA

La dottrina barthiana dell'elezione: verso una soluzione delle aporie?   79

BRUNERO GHERARDINI

Riflettendo sulla dottrina dell'elezione in Karl Barth   105

ALBERTO GALLAS

Universalismo ed elezione nel pensiero di Karl Barth   119

SERGIO ROSTAGNO

Il Dio che ama nella libertà. La dottrina barthiana della libera scelta di Dio   143

Appendice: Documento preparatorio (S. ROSTAGNO)   156

SEZIONE SECONDA: Barth ecumenico   159

GIAMPIERO BOF

La ricezione di Barth in Italia   161

PAOLO RICCA

Barth di fronte al cattolicesimo e all'ecumenismo   197

     249

SEZIONE TERZA: Barth politico e pastore 213

WALTER KRECK
La teologia e la politica in Karl Barth 215

BRUNO ROSTAGNO
Barth pastore 229

Indice dei nomi 243

Finito di stampare il 10 giugno 1990 - Stampatre, Torino

Gerd Theissen

L'OMBRA DEL GALILEO
Romanzo storico

pp. 288, L. 28.000

L'autore, noto docente di Nuovo Testamento a Heidelberg, è uno dei massimi specialisti di storia e sociologia del cristianesimo primitivo. Per la prima volta rende accessibili al pubblico, con una felice invenzione narrativa, i risultati più recenti della ricerca storico-sociologica su Gesù e il suo movimento. L'intreccio del racconto è fittizio ma il quadro storico-sociale è reale e permette di ricostruire i fatti storici a partire dalla mentalità d'un giovane ebreo contemporaneo di Gesù e immerso nell'ambiente sociale e religioso del giudaismo dell'epoca. Un libro che unisce valore letterario a profondità di cultura storica e che si presta a molti livelli di lettura. Un successo internazionale, premiato dai «librai religiosi» francesi nel 1989.

Elisabeth Schüssler Fiorenza

IN MEMORIA DI LEI
Una ricostruzione femminista
delle origini cristiane

pp. 400, L. 45.000

Il miglior frutto della teologia dell'altra metà della chiesa. L'autrice, cattolica, docente di Nuovo Testamento alla Harvard Divinity School, Massachusetts, ricostruisce, sulla base di una originale esegesi scientifica del Nuovo Testamento il **ruolo** e la **funzione** della donna nel movimento cristiano primitivo, al di là delle deformazioni patriarcali subite nel corso dei secoli. Un libro che non può essere ignorato perché costituisce la base di ogni dibattito odierno sul ruolo della donna nella chiesa.

Dorothee Sölle

PER LAVORARE E AMARE
Una teologia della creazione

pp. 184, L. 22.000

Dio ha creato il mondo mosso da un desiderio di entrare in relazione con l'umanità; per questo noi siamo corresponsabili del destino del mondo e della comunità umana. Siamo dei «co-creatori» insieme a Dio. La creazione continua e noi vi possiamo partecipare mediante il nostro **lavoro** e il nostro **amore.** Il lavoro deve essere gratificante, significativo ed in armonia con il creato. L'amore deve essere estasi, fiducia, completezza e solidarietà. Un libro provocatorio, di grande attualità nell'anno dell'Assemblea di Seul dove le chiese cristiane hanno dibattuto il tema della «Pace, giustizia e salvaguardia del creato».

Rolf Rendtorff
INTRODUZIONE ALL'ANTICO TESTAMENTO
Storia, vita sociale e letteratura d'Israele in epoca biblica
a cura di Daniele Garrone
pp. 416, L. 42.000

I risultati della ricerca su storia, Bibbia e società ebraica. Una guida indispensabile per chi desideri iniziare una lettura critica dell'A.T., situando gli scritti della letteratura ebraica antica nella vita sociale, nella storia e nel pensiero religioso ebraico del tempo.

Dietrich Bonhoeffer
UNA PASTORALE EVANGELICA
a cura di Ermanno Genre
Introduzione di E. Bethge
pp. 120, L. 14.000

Uno studio tenuto al Seminario clandestino di Finkelwalde per i pastori della «chiesa confessante» nel 1935, tradotto per la prima volta in italiano. Una guida preziosa, lucida e feconda, per tutti coloro che sono impegnati nella «cura d'anime» nella chiesa di oggi.

S. Rostagno, S. Quinzio, F. Gentiloni
M. Miegge, G. Tourn
DIO E LA STORIA
Introduzione di E. Bein Ricco

pp. XVIII + 134, L. 15.000

Un teologo, uno scrittore, un giornalista, un filosofo e uno storico si confrontano su un tema d'attualità: la storia umana ha un senso, una direzione? Si può affermare che Dio interviene nella storia? Come dice P. Ricoeur: «Lasciato Hegel, si può ancora pretendere di pensare la storia e il tempo della storia?».

F. Cossiga, D. Garrone, F. Giampiccoli,
G. Plescan, P. Ribet, P. Ricca,
E. Rivoir, G. Spini, G. Tourn
TRA RICORDO E SPERANZA
Discorsi e sermoni per il III centenario del Glorioso Rimpatrio
pp. 84 L. 7.500

La raccolta dei discorsi e sermoni (di cui una parte inediti) delle celebrazioni del «Glorioso rimpatrio» dei Valdesi, che hanno fatto vibrare i cuori e riflettere le menti di chi ha avuto la fortuna di ascoltarli dal vivo.

Giorgio Bouchard
LA SCRITTA DI PILATO
pp. 212, L. 19.000, collana «Meditazioni bibliche» n. 3

Una scelta di predicazioni, riflessioni e discorsi su temi di particolare attualità, a cura di E. Bernardini. La Bibbia non solo è in grado di suscitare la fede, ma anche e soprattutto una conversione radicale e dare così luogo ad una nuova etica personale, a comportamenti socialmente significativi.

Enrico Lantelme
I CANTI DELLE VALLI VALDESI
Identità e memoria di un popolo alpino
pp. 320, 14 ill. a colori e 144 in nero, L. 38.000,
coll. «Folklore e tradizioni»
Pref. di Daniele Tron. Edizione dei testi a cura di Rossana Sappé

L'identità e la memoria di un popolo alpino viste attraverso 50 canti tradizionali, di ispirazione biblica, storica, vita quotidiana, «pastourelles», filastrocche e burleschi. Una «introduzione» al vasto patrimonio etnomusicale delle Valli. Per ogni canto è data la melodia accompagnata dalle parole della prima strofa. Di seguito è riprodotto il testo completo in lingua originale e la traduzione italiana. L'opera è elegantemente illustrata a colori e in b/n su carta patinata.

Henry Mottu
GEREMIA: UNA PROTESTA
CONTRO LA SOFFERENZA
Lettura delle «confessioni»
pp. 200, L. 23.000, coll. «Parola per l'uomo d'oggi»

Questo commentario esegetico di alcuni brani del libro di Geremia (le c.d. «confessioni») spiega come la sofferenza, individuale e collettiva, possa essere il crogiuolo in cui la fede può crescere. La solidarietà del profeta con il popolo, di cui condivide la drammatica odissea, attesta la presenza nella storia del Dio che promette al suo popolo la misteriosa profezia di una nuova alleanza.

Sergio Rostagno
TEOLOGIA E SOCIETÀ
Saggi sull'impegno etico
pp. 168, L. 22.000, collana «Sola Scriptura»

Il titolare della cattedra di teologia sistematica alla Facoltà valdese di teologia di Roma, attraverso una raccolta di interventi e di conferenze orientate alla pratica degli operatori sociali, tende a stabilire il campo di tensione entro il quale prende forma un'etica cristiana; e questo a partire dalle prime distinzioni tra essere ed agire fino alle decisioni pratiche.

Autori vari
CASA O FORTEZZA?
L'Italia, l'Europa del 1992 e l'immigrazione:
quali scelte politiche?
pp. 110, L. 14.000, collana F.C.E.I. n. 5

Gli atti e interventi del Convegno organizzato dal Servizio migranti della Federazione chiese evangeliche in Italia tenutosi a Roma il 22.2.'89 presso la Facoltà valdese di teologia. Scritti di Nicolò Amato, G. Bouchard, Gino Giugni, P. Naso, F. Rutelli, M.A. Sartori, Valdo Spini e altri.

Giorgio Girardet
PROTESTANTI, PERCHÉ?
pp. 160, 8 ill.ni, L. 12.000 - **2ª edizione ampliata e aggiornata**

Il libro dell'«identità» protestante. Che significato ha, alla fine del secolo XX, una presenza protestante e un richiamo alla Riforma del XVI secolo, in Italia e nel mondo? Come si organizza e si struttura, che cosa si propone e dove va questa «forma di cristianesimo alternativa al cattolicesimo romano», che costituisce nel nostro paese una minoranza non trascurabile? Molte nuove schede sono state aggiunte e due documenti.

Martin Lutero
L'ANTICRISTO
Replica ad Ambrogio Catarino (1521)
Il Passionale di Cristo e dell'Anticristo (1521)
a cura di Laura Ronchi De Michelis (Opere scelte, 3)
pp. 208, con 4 ill.ni f.t. e 30 nel testo, L. 19.000

La prima traduzione italiana di due opere del 1521. Lutero giunge alla conclusione che il papato in sé è una potenza spirituale negativa che si contrappone all'opera di Cristo nel mondo. Un'analisi esauriente della dittatura papale e delle sue conseguenze nefaste per il «corpo cristiano». **In appendice:** il famoso **Passional**, ornato da 27 splendide incisioni di Luca Cranach. Il Kaiser Guglielmo ne inviò nel 1873 in omaggio una edizione in pelle bianca e oro a Pio IX per rintuzzarne le pretese.

Stefania Biagetti
EMILIO COMBA (1839-1904)
storico della Riforma e del movimento
valdese medievale
pp. 127, 6 ill., L. 22.000, collana Fac. vald. teol. n. 17

La biografia e l'opera di una delle figure più notevoli del protestantesimo italiano del XIX secolo, professore di storia ecclesiastica e teologia pratica nella Facoltà valdese di teologia e uno dei fondatori de «La rivista cristiana».